10
18

12, AVENUE D'ITALIE. PARIS XIIIᵉ

Sur l'auteur

Claude Izner est le pseudonyme de deux sœurs, Liliane Korb et Laurence Lefèvre. Liliane a longtemps exercé le métier de chef monteuse de cinéma, avant de se reconvertir bouquiniste sur les quais de la Seine, qu'elle a quittés en 2004. Laurence a publié deux romans chez Calmann-Lévy, *Paris-Lézarde* en 1977 et *Les Passants du dimanche* en 1979. Elle est bouquiniste à Paris. Elles ont réalisé plusieurs courts métrages et des spectacles audiovisuels. Elles écrivent ensemble et individuellement depuis de nombreuses années, tant pour la jeunesse que pour les adultes. Les enquêtes de Victor Legris sont aujourd'hui traduites dans huit pays. Le premier titre de la série, *Mystère rue des Saints-Pères*, a reçu le prix Michel Lebrun en 2003.

CLAUDE IZNER

LE CARREFOUR DES ÉCRASÉS

INÉDIT

Grands détectives

créé par Jean-Claude Zylberstein

Du même auteur
aux Éditions 10/18

© Éditions 10/18, Département d'Univers Poche, 2003.
ISBN 978-2-264-03493-9

Toujours à nos chers mêmes !
Et à Andrée Millet, l'enfant de Montmartre,
Elena Arseneva, Kumiko Kohiki, Solvej Crévelier.
Remerciements chaleureux à Jan Madd.

Dans les plis sinueux des vieilles capitales,
Où tout, même l'horreur, tourne aux enchantements,
Je guette, obéissant à mes humeurs fatales...

Charles Baudelaire
(« Les Petites Vieilles », poème dédié à Victor Hugo)
Les Fleurs du mal, 1857

CHAPITRE PREMIER

Saint-Mandé, dimanche 26 juillet 1891

Vite, se passer les mains sous l'eau pour effacer toute trace de confiture !

Après s'être essuyée à la hâte, Mlle Bontemps contempla douloureusement l'assiette emplie de barquettes à la fraise, de mokas, d'éclairs, de meringues. Résistant à la tentation, elle l'enferma au fond d'un placard. « Ce soir, pensa-t-elle, quand tout le monde sera couché... » Elle fit bouffer sa robe sur la crinoline qu'elle s'obstinait à porter en souvenir de ses vingt ans et regagna en crissant le salon où son visiteur enfilait ses gants.

— Excusez-moi d'avoir été si longue, monsieur Mori, dit-elle en minaudant, j'avais cru entendre un robinet goutter.

— J'ai moi aussi nettement perçu un bruit de cataracte, répondit l'homme, un Japonais tiré à quatre épingles.

Il ajusta son haut-de-forme de soie noire assorti à son veston croisé et à son pantalon à raies, puis s'efforça d'extraire sa canne d'un porte-parapluies garni d'un embrouillamini de volants. Le salon entier était d'ailleurs voué aux falbalas : ils agrémentaient les rideaux,

les housses des sièges, les étagères surchargées de bibelots, et jusqu'à la robe de l'hôtesse. Ils couraient le long
du décor en vaguelettes agitées d'un ressac incessant, et
l'élégant Asiatique paraissait souffrir du mal de mer tandis qu'il luttait contre les remous du tissu. Il parvint
enfin à récupérer sa canne et poussa un soupir.

— Où est donc votre filleule ? demanda Mlle Bontemps.

— Iris est allée se promener à la fête avec ses amies.
Je désapprouve ces flâneries parmi la populace.

— La jeunesse a besoin de se divertir.

— Le plaisir est l'antichambre du regret, de même
que le sommeil est celle de la mort.

— Oh ! Monsieur Mori, c'est beau mais c'est triste !

— Je ne suis pas d'humeur légère, je n'aime guère
les séparations.

Il fit mine d'examiner l'embout de sa canne dont il
tapota nerveusement le tapis.

— Je vous comprends, susurra Mlle Bontemps en
rectifiant discrètement le plissé du porte-parapluies.
Allons, allons, monsieur Mori, ces deux mois seront vite
écoulés.

— Je ferai livrer le costume de bain et la capeline
d'ici jeudi. Vous partez toujours lundi prochain ?

— Si Dieu nous prête vie, monsieur Mori. Seigneur
Jésus, quelle expédition ! C'est la première fois que
j'emmène ces demoiselles à la mer, impossible de les
tenir tant elles sont énervées. Il a fallu réserver quatre
compartiments, pensez, avec la cuisinière et les deux
femmes de chambre, nous sommes seize. Le voyage
coûte les yeux de la tête ! Et quand on s'absente plus de
six semaines on ne peut bénéficier du tarif excursion.
Les autres années, nous nous contentions de Saint-Cyr-
sur...

— Morin, je sais, je sais, grommela le Japonais, visiblement exaspéré.

— Que voulez-vous, les temps changent, on ne parle
que de tourisme, de plages, de baignade !

— Ne laissez jamais Iris s'aventurer dans l'eau sans surveillance.

— Y songez-vous ! Ces demoiselles ne s'éloigneront pas d'un pouce de la corde, j'ai loué les services d'un maître nageur.

— Tenez-le à l'œil, surtout s'il est séduisant.

— Oh ! Monsieur Mori, je veille sur ces petites comme une chatte...

— Sur ses chatons, je sais, je sais. Pourriez-vous faire quérir un fiacre ?

— Illico presto, monsieur Mori. Colas ! Colas ! Où est passé ce garnement ? C'est le fils du jardinier, un bon à rien, expliqua-t-elle en jetant un regard complaisant à sa propre image, inscrite au centre d'un trumeau orné d'angelots fessus.

Elle rajusta délicatement autour de son visage lunaire ses deux coques de cheveux teints en noir. Un gamin s'avança en mâchonnant une paille, la bouille renfrognée.

— Comment est-il attifé ? On croirait qu'il a le devant derrière ! s'exclama Mlle Bontemps. File chercher un fiacre et sans baguenauder, Monsieur attend.

Dès qu'il fut chaussée de l'Étang, le gamin tira la langue à la lourde bâtisse bourgeoise aux grilles ornées d'une plaque de cuivre :

PENSION C. BONTEMPS
Établissement privé pour jeunes filles

Puis il se dirigea vers la place de la mairie où résonnaient des flonflons.

Un homme d'une vingtaine d'années, beau garçon, l'allure féline, se détacha d'un marronnier et lui emboîta le pas. Le gamin s'apprêtait à traverser pour rejoindre la file de fiacres devant la gare de Saint-Mandé, lorsqu'une main s'abattit sur son épaule.

— Ah ! C'est vous, m'sieu Gaston ! Vous m'avez fait peur.

— T'en as mis, du temps !

— C'est à cause de la patronne.

— Tiens, porte ça à qui tu sais, dit l'homme en lui remettant un billet.

— Et comment je vais la trouver ? Elles sont toutes à la fête ! Vous avez vu le monde !

— C'est ton problème. Allez, le môme, remue-toi un peu.

— Regarde celui-là s'il est beau avec son uniforme galonné et ses médailles !

— Il faut aimer la ferblanterie. Il est tellement rouge qu'on le jurerait prêt à éclater ! Je préfère le coco qui souffle dans sa trompette, a-t-il l'air sérieux avec son col à manger du mou et son ventre de grosse caisse !

Alignées au pied d'une estrade, une douzaine de jeunes filles en robes claires admiraient la fanfare du corps municipal des pompiers. Celle qui prisait l'uniforme, une grande bringue au chapeau croulant sous les cerises, toisa sévèrement sa compagne, une petite boulotte aussi frisottée qu'un caniche après un toilettage.

— Tu es d'une vulgarité, Aglaé. Une épicière ! Et par-dessus le marché tu es sortie en cheveux !

— C'est l'hérédité qui veut ça, papa est marchand de biens. Tout le monde ne peut avoir l'honneur d'être la nièce d'un marquis boursicoteur !

— Va te faire lanlaire !

Des « oh ! », des « ah ! » fusèrent aux accents d'*Alsace et Lorraine*, repris à l'unisson par la foule enthousiaste :

> *Vous avez pu germaniser la plaine,*
> *Mais notre cœur, vous ne l'aurez jamais.*

— Ah, non ! Ça suffit de vous crêper le chignon !

Dressées sur leurs ergots, leurs camarades les séparèrent à coups d'ombrelle, tandis que deux d'entre elles, une brune très mince vêtue de bleu et une blonde potelée en robe garance, profitaient de la bousculade pour se fondre parmi la cohue. Le souffle court, elles s'arrêtèrent devant des balançoires en forme de barques.

— Elles sont odieuses, décréta la blonde. Se chamailler en public ! Des harengères.

— Tu montes avec moi, Élisa ? demanda la brune, fascinée par l'envol des balançoires.

— Décidément, Iris, tu es complètement folle, nous sortons à peine de table ! Tout de même, nous servir des pois cassés par cette chaleur ! La vieille toupie a dû en acheter un stock au rabais.

— À ta guise, moi j'y vais, déclara Iris en se plantant résolument près d'une des barques libérée de ses passagers.

Avant qu'Élisa ait pu la retenir, un garçon en bras de chemise l'avait installée sur la banquette de la balançoire qu'il mit aussitôt en branle. Une main sur son bibi, l'autre agrippée au bord, Iris se raidit lorsqu'il la poussa de plus belle.

Élisa s'efforçait de suivre les évolutions aériennes de son amie, mais quand celle-ci se redressa et ploya les genoux afin de se donner davantage d'élan, elle se détourna, le cœur chaviré, et prétendit s'intéresser aux exploits d'un hercule qui soulevait un haltère supportant deux lilliputiens hilares.

— Mam'zelle Lisa !

Elle sursauta. Colas, l'index collé aux lèvres, lui glissa un papier.

— C'est du type qui vous a déjà écrit, chuchota-t-il. Il a dit de vous grouiller parce que l'occasion est unique et qu'elle reviendra pas de sitôt. J'ai eu du mal à vous repérer, je m'suis mis en retard, les fiacres sont pris d'assaut, le Chinois et la patronne vont râler, c'est sûr.

— Où est-il ?

Elle avisa la paume ouverte et y déposa une piécette.

— Il se planque, lança le gamin en déguerpissant.

Élisa s'assura qu'Iris se balançait toujours et alla se

15

réfugier sous l'auvent d'un marchand de guimauve. Manches retroussées, l'homme suspendait à un crochet d'épais écheveaux lustrés de pâte verte et rose. Le nez au ras du comptoir, une bande de gosses grisés par le parfum du sucre fondu suivait le moindre de ses gestes. Élisa déplia le message. Elle identifia d'emblée l'écriture malhabile et leva vers le marchand un visage radieux. Ce qu'elle espérait tant était arrivé. Aussi loin qu'elle pût se rappeler, elle avait cru obscurément que la vie lui réservait un destin hors du commun, mais elle commençait à perdre patience, car elle atteignait dix-sept ans et le train-train de la pension Bontemps n'avait rien de folichon. « Si cela doit durer encore longtemps, je mourrai d'ennui », songeait-elle chaque matin.

Depuis un peu plus d'un mois qu'il avait fait irruption dans son existence, l'inconnu, à qui elle n'avait jamais adressé la parole, avait pris une importance telle qu'il s'était à plusieurs reprises insinué au sein de ses rêves. D'abord, il n'avait été qu'un simple quidam croisé le long du lac à l'heure où Mlle Bontemps et ses pensionnaires faisaient leur promenade. Il passait, indifférent, son regard ne se posait sur aucune jeune fille en particulier, bien qu'au bout d'un certain temps chacune fût persuadée qu'il n'était là que pour elle. Cependant nulle n'eût confié aux autres son secret désir d'être remarquée, car comment avouer son attirance envers ce bohème à la mise si extravagante ? Un soir de juin, il lui avait fait parvenir un billet. Après l'extinction des feux, Élisa s'était approchée de la fenêtre de sa chambre et, à la lueur d'un bec de gaz, avait lu :

Vous aites la plus belle. Je vous aime.

Gaston.

Vingt-trois messages tout aussi laconiques, orthographiés en dépit du bon sens, avaient suivi cette déclaration. Elle les conservait pieusement, dissimulés sous le manteau de la cheminée. Gaston n'avait guère l'étoffe d'un épistolier romantique, sa prose se limitait aux règles élémentaires de la grammaire : sujet, verbe, complément avec parfois un superlatif, et surtout l'amour, l'amour, toujours l'amour. Chavirée par une telle constance, elle n'avait pourtant pas osé lui répondre. Cette fois, il s'était surpassé, un exploit de la part d'un homme habitué à tant de concision !

> *Quitté vos amis, inventé un prétaixte, et rejoigné-moi en bas du talus derrière le pont de la Tourelle. Je vous aime,*

> *Gaston.*

Oserait-elle courir à ce rendez-vous en abandonnant Iris ? Celle-ci s'inquiéterait sûrement et alerterait Mlle Bontemps. Vite, élaborer un subterfuge ! Un étourdissement ?... Elle leur dirait qu'elle s'était sentie mal. C'était presque vrai. Une bouffée de chaleur l'envahit, la tête lui tourna, elle se vit avec des yeux nouveaux, ceux de Gaston. Il la trouvait belle, il l'aimait !

Le ciel s'assombrissait, la fête allumait ses lampions, des compères haranguaient les badauds.

— C'est dix centimes, deux sous ! Les militaires payent cinq centimes !

Le sifflet des pistons rythmait les notes stridentes des cuivres, le son grave des orgues mécaniques et les roulements des tambours. Perché sur une barrique, un saltimbanque en collant braillait que la meilleure attraction avait lieu chez Nounou, la célèbre dompteuse de puces. Quelques mètres plus loin, deux ballerines fatiguées, vêtues de maillots pailletés, se trémoussaient en une pâle imitation de danse du ventre.

— Venez voir le décapité qui parle !

— Des gaufres, qui veut mes gaufres, les délices de Pantruche !

— Une pomme d'amour, mademoiselle ? Livrée en droite ligne de chez Cupidon !

Élisa se faufila parmi l'assemblée joyeuse pressée

devant les baraques foraines et faillit se heurter à Aglaé, la bouche pleine de beignet. La fête l'avait libérée de justesse. Sur le trottoir opposé, la grosse Mlle Bontemps, parée comme une châsse, tanguait vers un manège de vaches où s'étaient juchées trois de ses pensionnaires.

— Edmée! Berthe! Aspasie! Il est tard, où sont les autres? glapit-elle.

Élisa se mêla à la procession des promeneurs qui regagnaient Paris. Près de la gare de Saint-Mandé, un attroupement s'était formé autour d'un chanteur des rues qui égrenait une mélodie en vogue accompagnée d'un crincrin.

Mad'moiselle! Écoutez-moi donc
J'voudrais vous offrir un verre de madère...

Elle contourna la station ferroviaire, s'élança et stoppa in extremis au passage d'un fiacre. Elle reconnut M. Kenji Mori, le parrain d'Iris, penché à la portière, et fila en rasant les murs.

Enfin, elle avait atteint le talus! Elle scruta les alentours, ne distingua que des couples d'amoureux et des chiens en maraude. D'où allait-il venir? Que lui dirait-elle? Soudain elle eut peur. Elle se souvint des recommandations de sa mère:

« Ne lutte pas, ma chérie, la peur est une bonne chose, elle nous évite un tas de désagréments. »

Lorsqu'elle pensait à sa mère, Élisa était tiraillée entre colère et pitié. À trente-cinq ans, la pauvre femme n'avait vécu qu'une succession d'aventures sans sacrifier une seule fois à la passion. Dès le départ, sa vie amoureuse s'était orientée sur une mauvaise route, rien n'avait tourné selon ses vœux. Élisa savait clairement qu'elle ne lui ressemblerait pas. Déjà tout enfant, à Londres, elle se vantait à ses camarades de pension:

« Un jour, mon père viendra, il m'emmènera dans son manoir du Kent, j'épouserai un lord, il sera fou de moi! »

Ce père dont elle ignorait le nom ne s'était jamais intéressé à elle.

Encaissée au fond d'une tranchée, la voie ferrée menait d'un côté vers Paris, de l'autre vers la banlieue est et les bords de Marne, Nogent, Joinville, Saint-Maur. Élisa se pencha par-dessus la haie longeant une barrière et observa le spectacle. Elle avait toujours affectionné les trains, elle échafaudait des destinations lointaines, des rencontres, le luxe, la liberté... En contrebas, les quais noirs de monde évoquaient une fourmilière, elle se demanda avec une curiosité détachée ce qui se passerait si elle la bombardait de cailloux.

Tel un jouet mécanique, un train nimbé de vapeur arriva de Vincennes. À peine s'était-il arrêté que la marée humaine se lança à l'assaut des wagons, mais, au grand dam des voyageurs, la plupart des portières ouvertes révélaient des compartiments bondés. Courses vaines à la recherche de places, protestations, altercations. Déçues, les fourmis se résignèrent à attendre le convoi suivant. Toutes, sauf un mâle identifiable à son tube et sa canne brandie. Il venait de redescendre d'où il était monté, suivi de sa femelle affublée d'une robe mauve et de son *fourmilleau* en culotte courte (Élisa doutait que ce mot existât et décida qu'elle venait de l'inventer). Vivement amusée par cette agitation qui lui semblait absurde, elle en oubliait son rendez-vous et se haussait sur la pointe des pieds afin d'embrasser le panorama.

Abrité derrière une avancée de la haie, Gaston grillait une cigarette en surveillant la jeune fille. Des petites cailles, il en avait plumé bon nombre, et s'il était aussi habile à dégrafer un corsage qu'à froisser un jupon, cette fois il hésitait car : « attention, fragile », il avait affaire à une de ces fleurs délicates qui s'épanouissent dans le terreau du beau monde, ont la peau blanche, des dessous impeccables et savent faire la différence entre un verre à vin et un verre à eau. Quel comportement adopter? Devait-il se courber, lui baiser la main? Et ensuite? Lui débiter des balivernes, s'extasier de son joli minois et de la finesse de ses attaches? Il en était incapable. Il ne connaissait qu'une façon d'exprimer son désir : renverser sa partenaire et la combler de ces tendres brutalités dont les femmes de son milieu se montraient friandes. Il alluma une deuxième cigarette au mégot de la première, ultime répit avant l'abordage.

La fourmi à tube sautillait d'une extrémité à l'autre du quai pour repérer un siège libre. Le regard d'Élisa glissa à droite, attiré par un brusque mouvement serpentin. Elle pressentit la catastrophe sur le point de se produire. Immobilisé par les allées et venues de la fourmi à tube, le convoi en stationnement allait être percuté par celui en provenance de Vincennes, accroché à une locomotive fonçant à reculons.

Le choc fut effroyable. Tournant le dos à sa victime, le train aveugle la télescopa de plein fouet dans un craquement épouvantable, l'écrasa sous le poids de sa masse, se rua sur les trois derniers wagons qu'il éventra. Dressée sur une montagne de ferraille, sa cheminée frôlant la voûte du pont de la Tourelle, la motrice, déchiquetée en un enchevêtrement inextricable de tuyaux et d'essieux, exhala son dernier soupir. Quelques minutes avaient suffi. Le fracas se répercuta interminablement. Lorsqu'il cessa, on entendit les hurlements [1].

Les yeux rivés aux corps disloqués du chauffeur et du mécanicien de l'écraseuse, les tympans vibrant d'appels déchirants, Élisa devina plus qu'elle ne vit le grouillement des centaines de personnes qui s'échappaient des lieux du drame et escaladaient les tranchées de la voie ferrée noyée d'ombre. Elle vacilla, plana au-delà des nuages, agrippée à une balançoire qui avait lar-

1. Cette catastrophe fit quarante-quatre morts et plus de cent blessés. *(N.d.A.)*

gué ses amarres. Elle dériva au milieu de courants tumultueux, puis l'obscurité fut totale. Déjà les rescapés atteignaient le sommet du talus, menaçant de la piétiner. Deux bras l'enveloppèrent, la déposèrent à l'écart.

— Clarissa! Clarissa, où es-tu?

— Maman!

Élisa souleva les paupières. Il y avait des cris, des gémissements. Des formes mouvantes trouaient la nuit, éclairées par l'éclat de torches et de lanternes. Elle était allongée à terre, quelqu'un la secouait. Sa vision s'éclaircit lentement, son esprit embrumé lui transmettait des bribes d'informations incohérentes, elle eût été heureuse de se rendormir, de se détendre. En vain. Elle essaya de se redresser, n'en eut pas la force. Un homme lui serrait les poignets.

— Que s'est-il passé? murmura-t-elle.

Sa propre voix lui semblait venir de très loin.

— Calmez-vous, je suis là, dit l'inconnu agenouillé à son côté. C'est moi, Gaston.

« L'accident, pensa-t-elle. Voilà pourquoi je suis couchée sur l'herbe... »

— Gaston?... Il y a longtemps?

Elle se détacha de lui. Il n'y avait rien à quoi elle puisse se cramponner, ses jambes se dérobèrent, il la rattrapa et l'appuya au parapet du pont. Les plaintes des survivants se mêlaient aux râles des blessés tandis que pompiers et volontaires s'activaient autour du foyer de la locomotive. Les wagons de bois flambaient en crépitant, semant des flammèches sur les quais jonchés de flaques et de débris ensanglantés. Des fuyards se cramponnaient désespérément aux arbustes du talus, cherchant l'équilibre, mais dérapaient le plus souvent et chutaient en bas de la pente.

— Venez, mademoiselle, insista Gaston, je vais vous raccompagner, il faut laisser les sauveteurs faire leur boulot.

Ils enjambèrent des hommes et des femmes effondrés

au bord du trottoir, se frayèrent un passage parmi l'incessant va-et-vient des ambulances et gagnèrent la chaussée de l'Étang où les fenêtres étaient illuminées. Soudain, Gaston l'entraîna sous le couvert des arbres du bois de Vincennes. Prise de panique, elle essaya de résister. Sans un mot, il la plaqua au tronc d'un marronnier, sa bouche s'écrasa sur la sienne, forçant douloureusement ses lèvres. Il n'y avait aucune tendresse dans son baiser ni dans son étreinte, rien de ce dont elle avait rêvé, il la maintenait si fort qu'elle ne pouvait bouger. Elle voulut le repousser, emplie de colère et d'angoisse, mais ce qu'elle venait de vivre lui avait ôté toute velléité de défense. Peu à peu sa révolte se mua en un croissant étonnement, puis en une sensation instinctive d'euphorie. Il s'écarta et aussitôt la peur et la culpabilité l'envahirent.

— Oh ! Gaston, je vous en prie, c'est mal.

Il lui releva le menton, l'obligeant à le regarder. Il chuchota :

— Non, ce n'est pas mal, puisque que je vous aime.

Ces mots bousculèrent ses dernières réticences. Elle se blottit contre sa poitrine, sa bouche se fit docile et répondit à ses baisers. Les clameurs de la gare refluaient au rythme lent des mains de l'homme qui caressait son corps, faisant naître en elle des frissons de plaisir.

— Nous reverrons-nous bientôt ? souffla-t-il à son oreille.

— Oui, je... Oh ! Mon Dieu ! Nous allons partir.

— Nous ?

— Mlle Bontemps, les autres pensionnaires... Jusqu'à la mi-septembre, à Trouville.

— Quelle adresse ?

— Villa Georgina.

— Je viendrai. Nous trouverons un moyen de nous revoir. Il faut rentrer maintenant, vos camarades vont s'inquiéter. C'est notre secret, hein ? Vous m'aimez un peu ?

— Oh ! Gaston !

Il lui baisa le front. Elle traversa la rue en chancelant, et ne put s'empêcher de se retourner plusieurs fois. Il ne la quittait pas des yeux, un sourire figé sur les lèvres.

Lorsque Élisa eut refermé la grille, le sourire de Gaston s'effaça instantanément. Il alluma une cigarette, inhala longuement la fumée.

« La chance est avec moi, pensa-t-il en se dirigeant vers le lac. Voilà un accident providentiel, cette idiote romantique s'est laissé embobiner. »

Il ignorait encore de quelle façon il allait manœuvrer, une chose était sûre, un voyage à Trouville s'imposait. Son commanditaire serait satisfait : en novembre il lui livrerait la petite caille, honorant ainsi son contrat. Il ramassa une poignée de cailloux et s'amusa à faire des ricochets sur l'eau noire.

CHAPITRE II

Paris, jeudi 12 novembre 1891

Paris sommeillait sous une lune gibbeuse. Moirée de lueurs diffuses, la Seine coulait sans faire d'histoires à la rencontre de l'île Saint-Louis. Un fiacre apparut quai Saint-Bernard, remonta la rue Cuvier et se rangea rue Lacépède. Le cocher sauta à terre. Certain d'être seul, il se débarrassa de son tube de toile cirée, ôta son carrick et les balança à l'intérieur de la voiture. Il inspecta les alentours, fit demi-tour et se posta au débouché de la rue Geoffroy-Saint-Hilaire. La lumière bleutée d'un bec de gaz éclaira furtivement son manteau d'alpaga gris. Il était minuit moins dix.

À minuit moins cinq, Gaston Molina entrebâilla la fenêtre du rez-de-chaussée situé au 4, rue Linné et vida le contenu d'une carafe sur le macadam. Il tira les volets, s'approcha d'une table de toilette où brûlait une bougie, aplatit ses cheveux et redonna forme à son melon. Il jeta un bref regard à la jeune fille blonde endormie tout habillée au creux du lit. Elle avait sombré sitôt après avoir ingurgité sa potion magique. Mission accomplie. La suite ne le concernait pas. Il quitta les lieux sans bruit en veillant bien à ne pas attirer l'attention du concierge. Un locataire était penché à l'une des croisées du premier étage. Gaston Molina se colla vivement au mur, alluma une cigarette, dépassa la fontaine Cuvier et enfila la rue du même nom.

L'homme au manteau gris embusqué rue Geoffroy-Saint-Hilaire le laissa prendre une bonne avance et lui emboîta le pas.

Gaston Molina longeait le Jardin des Plantes. Soudain, un feulement sauvage fusa à sa droite. Il se figea, les sens en alerte, puis sourit en haussant les épaules.

« Du calme, t'affole pas, mon petit père, ça vient de la ménagerie. »

Il se remit en marche. Le silence était troublé par le va-et-vient de lourds véhicules de vidange dont les émanations nauséabondes offensaient l'odorat. En tapinois, à travers la ville endormie, les voitures cahotaient jusqu'à la berge du port Saint-Bernard et allaient vider leurs entrailles dans des bateaux-citernes.

Gaston Molina allait atteindre le quai lorsqu'il crut entendre le grincement d'une chaussure. Il fit volte-face. Personne.

« D'accord, se dit-il, t'es claqué, t'as besoin de pioncer. »

Il rejoignit la halle aux vins[1]. Parfois, des clochards en quête d'un abri venaient s'y réfugier, n'hésitant pas à en forcer l'entrée. Au-delà des grilles, barriques, futailles et tonneaux parfumaient l'air d'enivrantes senteurs d'alcool.

« Il fait soif, pensa Gaston. Ah, je boirais comme du sable ! »

Il y eut un frôlement à proximité de sa nuque, une silhouette floue jaillit à ses côtés. Instinctivement il tenta de parer le coup qu'il sentait venir. Une douleur atroce lui déchira l'estomac, il plaqua les mains à son ventre, ses doigts se crispèrent sur le manche d'un couteau. La lune devint noire, il s'écroula.

---

1. Située rive gauche jusque dans les années 1960, sur l'emplacement de l'actuelle faculté des sciences de Jussieu. *(N.d.A.)*

Une fois de plus, Victor Legris constatait le pouvoir apaisant de la pénombre.

Il s'était levé de fort méchante humeur à l'idée des fables que son associé allait encore inventer pour éviter d'ingurgiter les prescriptions du Dr Reynaud.

— Kenji ! Vous êtes réveillé, je le sais, avait-il crié. Je vous signale que le médecin vient en fin de matinée !

Il n'avait récolté qu'un claquement de porte et s'était résigné à descendre à la boutique. En équilibre précaire au sommet d'un escabeau, Joseph, le commis de librairie, caressait de son plumeau les rayonnages de livres en braillant le couplet d'une gommeuse[1] en vogue :

> Je suis l'oseille
> Verte compagne de l'œuf dur
> Dans la soupe je fais merveille,
> Et mon succès est toujours sûr
> Je suis l'Osei-ei-lle !

Les nerfs à vif, Victor en avait négligé le rituel qui préludait à chaque journée : tapoter le crâne du buste de Molière. Parcourant la librairie à toute allure, il avait dévalé l'escalier du sous-sol et s'était retranché dans sa chambre noire.

Il y était bouclé depuis une heure, savourant silence et clair-obscur. Nul ne se serait permis de violer ce sanctuaire où il oubliait momentanément ses soucis et se livrait à sa passion : la photographie. Entrepris en avril de l'année précédente, son inventaire des vieux quartiers parisiens progressait. Après s'être consacré au XXe arrondissement et particulièrement à Belleville, il avait récemment abordé le faubourg Saint-Antoine afin d'en répertorier les rues, les monuments, les immeubles, les ateliers, et, bien qu'il eût déjà accumulé une centaine

---

1. Nom populaire attribué à de jeunes élégants et ridicules. (N.d.A.)

de clichés, le résultat le laissait profondément frustré. Ce n'était pas à cause d'une carence de matériau, mais parce qu'il n'y avait rien mis de sa vision personnelle.

« De la belle ouvrage, l'objectivité du reporter, voilà tout ! »

Ne sacrifiait-il pas sa sensibilité au profit de la technique ? Était-il en manque d'inspiration ? Cela arrivait bien aux peintres, aux écrivains.

« Si seulement je pouvais transcender l'apparence de ces lieux, je débusquerais la solution. »

Il savait que la réponse existait, tapie au fin fond de son esprit. Il augmenta la luminosité du bec de gaz et examina le dernier tirage qu'il venait de développer : deux mioches maigriots cassés en deux devant une machine à denture s'éreintaient à chantourner des plaques de marbre. Cette scène fit surgir en lui l'image d'un gamin triste ânonnant les *Contes* de Chaucer sous l'œil inquisiteur d'un homme imposant en redingote sombre. Ces pauvres gosses interpellaient l'enfant terrorisé qu'il avait été à la pensée de déplaire à monsieur son père. Et soudain, ce fut le déclic :

« Les enfants ! Le travail des enfants ! »

Il tenait enfin son sujet !

Galvanisé, il tira une boîte en carton et y disposa ses clichés. Il sourit en avisant le gros plan de deux mains de bronze entrelacées au-dessus d'une épitaphe :

Ma femme, je t'attends.
5 février 1843

Mon ami, me voici.
5 décembre 1877

Une photo glissa hors du paquet, voleta mollement pour atterrir sur le plancher. Il la ramassa : Tasha. Il fronça les sourcils : pourquoi ce portrait s'était-il égaré parmi les vues du Père-Lachaise ? Il se rappelait l'avoir pris à l'Exposition universelle deux ans auparavant à l'insu de la jeune femme, dont le visage arborait une expression charmante et provocante. Le début de leur histoire, fixé là, réveillait en lui la sensation de leur amour naissant. Cela avait été merveilleux de connaître une femme qui l'intéressait davantage à chaque rencontre et avec qui il ressentait un incessant besoin de parler, de rire, de faire l'amour, d'ébaucher des projets... Il fut de nouveau submergé d'un inexplicable sentiment doux-amer que lui inspirait l'attitude de Tasha. Depuis qu'il avait réussi à la soustraire à sa vie de bohème et à l'installer dans un vaste atelier, elle s'était vouée corps et âme à la peinture. En dépit de l'inquiétude que cette rage de création suscitait en lui, il avait été heureux de l'aider à se réaliser. Il espérait qu'après le Salon des indépendants où elle avait exposé trois natures mortes, elle ralentirait son rythme. La vente d'une de ses œuvres à la galerie Boussod et Valadon l'avait éperonnée à tel point que, parfois, la nuit, elle s'arrachait à ses bras pour terminer une toile à la lueur du gaz. Lui qui aurait tant voulu prolonger le moindre instant passé en sa compagnie s'attristait qu'elle n'éprouvât pas un désir identique. Il devenait jaloux de sa peinture, encore plus que des rapins qu'elle côtoyait.

Il arpenta la chambre. Pourquoi était-il incapable de résoudre ses contradictions ? Tasha l'avait séduit par son indépendance, son opiniâtreté, et pourtant, secrètement, il souhaitait la mettre en cage.

« Malheureux imbécile ! Si tu veux la perdre, c'est le meilleur moyen ! Arrête de te tourmenter. Préférerais-tu une compagne ennuyeuse, préoccupée de son apparence, de sa maison, de ses toilettes ? »

D'où lui venait cette jalousie injustifiée, cette nécessité de certitudes, de stabilité ? À la disparition de monsieur son père, la pression qui pesait sur lui s'était relâchée, aussitôt remplacée par la crainte que sa mère s'éprît d'un autre homme. Cette menace avait perturbé son adolescence. Lorsque Daphné, sa mère, était décédée à son tour, victime d'un accident de cabriolet, il avait décidé de voler de ses propres ailes, mais Kenji était venu le rejoindre à Paris, et, sans le savoir, lui avait ôté toute possibilité de choix. Par attachement envers lui, il s'était plié à une existence réglée, partagée entre la librairie, l'appartement attenant, la salle des ventes et des liaisons passagères. Au fil des ans, il s'était accommodé de cette routine.

Il regarda la photo de Tasha. Elle avait sur lui une emprise qu'aucune autre femme n'avait exercée. « Non, je ne veux pas la perdre. » Le souvenir de leur premier rendez-vous le plongeait dans une attente fébrile, bientôt il la verrait. Il éteignit le bec de gaz et remonta.

Un vieil érudit, évadé du Collège de France, déchiffrait à mi-voix *Cosmos* de Humboldt, tandis qu'un chauve barbu s'échinait à traduire Virgile. Indifférent à ces clients potentiels, Joseph massacrait un passage de *Lohengrin* en s'adonnant à sa marotte : découper, trier, classer tous les faits insolites que publiaient les quotidiens. Depuis quelque temps son tempérament devenait instable, il sautait d'une gaieté forcée à de longs moments de morosité où l'on ne tirait de lui que soupirs et onomatopées. Victor attribuait ces alternances d'humeur à la maladie de Kenji, mais lui-même affrontait une période pénible et supportait difficilement que son commis se montrât si capricieux.

— Ne pouvez-vous poser ces satanés ciseaux et surveiller ce qui se passe ?

— Il ne se passe rien de rien, marmonna Joseph sans cesser de cisailler.

— Vous avez raison, calme plat. Le docteur est venu ?

— Il vient de partir. Il a conseillé une tisane robata... robori...

— Roborative.

— C'est ça, à base de camomille, de bouleau et de cassis. Sucrée, avec du lactose. Germaine est allée chez l'herboriste.

— Bon. Je sors.

— Et votre déjeuner ? Germaine va râler, et qui c'est qui va déguster ? C'est Jojo ! Elle vous a préparé de la cervelle de porc au beurre noir avec des petits oignons. Un régal, qu'elle dit.

Victor eut une moue dégoûtée.

— Eh bien, régalez-vous, je vous en fais cadeau.

— Pouah ! Faudrait me gaver de force.

Dès que Victor eut gravi l'escalier menant à l'appartement, Joseph se remit à ses découpages en sifflotant du Wagner.

— Pitié, Joseph ! Épargnez-nous ce pensum germanique ! lança Victor du haut des marches.

— *Jawohl*, chef ! grommela Joseph en levant les yeux au ciel. Faudrait savoir... l'est jamais content... si je chante *Tiens, voilà Armand, il a mangé du flan, il a très mal aux dents,* il rouspète. Si je lui sers de l'opéra, il rouspète ! Il y a de quoi faire grève, parce que ça commence à me cavaler, je suis débordé, moi ! Un patron en quarantaine et l'autre qui court la prétentaine ! dit-il à l'érudit qui lui tendait le Humboldt.

Victor traversa son appartement en catimini jusqu'à sa chambre à coucher. Il enfila une veste, se coiffa du feutre mou qu'il préférait à tout autre couvre-chef, fourra ses gants au fond de sa poche. « Faire un crochet rue des Mathurins avant de se rendre chez Tasha. » Il allait ouvrir la porte palière, lorsqu'un léger tintement attira son attention.

Le bruit venait de la cuisine. Figé sur le seuil, il surprit Kenji occupé à garnir un plateau de pain, de saucisson et de fromage.

— Kenji ! Vous divaguez ? Le Dr Reynaud a interdit...

— Le Dr Reynaud est un âne ! Voilà des semaines qu'il me nourrit de sulfate de quinine et de potages sans sel ! Il m'inflige des bains glacés qui vont finir par me flanquer une pleurésie ! J'empeste le camphre et je tourne en rond comme un poisson dans son bocal ! Si l'on meurt de faim, que fait-on ? On mange !

En pantoufles et chemise de nuit de flanelle, Kenji ressemblait à un galopin qui vole des confitures. Victor s'efforça de conserver son sérieux.

— Prenez-vous-en à la scarlatine et non à ce docteur dévoué qui se bat pour vous remettre d'aplomb ! Buvez un verre de saké ou de cognac, c'est permis, et pensez un peu à nous, nom d'un chien ! Vous ne devez sous aucun prétexte quitter votre chambre tant que la quarantaine n'est pas achevée.

— Bon, puisque tout le monde me brime, je retourne me cloîtrer. Faites-moi de belles funérailles quand j'aurai péri d'inanition, rétorqua rageusement Kenji en abandonnant son plateau.

Réprimant un gloussement, Victor s'éloigna, un proverbe japonais lui démangeait la langue : « Des trente-six recettes, la fuite est la meilleure. »

— Berlaud[1] ! Où qu'tu t'es donc carapaté, cabot de malheur !

Un bonhomme longiligne, les épaules recouvertes d'une limousine d'étoffe grossière, menait devant lui six chèvres qu'il empêchait de s'égailler à l'entrée du Jardin des Plantes. Pestant contre la mauvaise volonté de son chien, il les regroupa à l'aide d'une lanière reliée à leurs colliers.

La petite troupe bifurqua quai Saint-Bernard, franchit la rue Buffon sans encombre et descendit le boulevard de l'Hôpital jusqu'à la cour de la gare d'Orléans[2]. Le bonhomme s'arrêta et alluma une courte pipe en terre. Sous son chapeau bosselé d'où s'échappaient des mèches argentées, son visage naïf évoquait celui d'un

---

1. Le lecteur trouvera en fin de volume un glossaire des principaux termes beaucerons. *(N.d.A.)*
2. Actuelle gare d'Austerlitz. *(N.d.A.)*

enfant devenu subitement vieux à la suite de quelque enchantement. Sa voix même était celle d'un gamin à la mue incertaine.

— Saperlotte, j'm'acharne en vain, y a pas pire cabochard que ce cavaleur.

Il mit deux doigts entre ses lèvres et siffla longuement. Un grand chien briard mâtiné de griffon, les poils emmêlés, surgit soudain derrière un omnibus.

— Te v'là donc, carogne ! T'es-t'y braque de m'laisser breumer après toi et m'échigner seul avec les biquettes ? Mais pourquoi t'as la goule en tiarce ? Qu'est-ce que tu mâchouilles ? Oh j'vois c'que c'est, t'es allé chiper un os aux lions pendant que j'taillais une bavette avec le père Popêche ! C'est donc ça qu'on a entendu rugir ! Tu sais pourtant que le Jardin des Plantes est interdit aux chiens, même muselés et tenus en laisse, tu veux donc nous faire avoir des ennuis ?

Berlaud, la queue basse, les mâchoires soudées sur sa prise, fila à son poste auprès du troupeau qui dépassa au trot l'hospice de la Salpêtrière, poursuivit vers le boulevard Saint-Marcel et s'engagea dans le marché aux chevaux.

Le jeudi et le samedi, le voisinage du Jardin des Plantes voyait se traîner de misérables théories de chevaux pelés, boiteux, fourbus, qu'on avait parés d'un flot de rubans jaunes ou rouges pour tromper l'acheteur. Attachés à des poutres munies d'anneaux, ils se morfondaient, résignés, sous les pavillons à colonnes de fonte, où les maquignons louaient une ou plusieurs stalles. Sans se soucier des vendeurs à la criée qui proposaient des voitures déglinguées aux abords des grilles, le chevrier poussa son troupeau parmi les groupes de chiffonniers et de déménageurs en quête d'une haridelle capable de rendre encore de maigres services. Chaque fois qu'il venait en ce lieu, il avait le cœur serré à la vue des courtiers qui faisaient trotter des rosses efflanquées à l'échine en dents de scie, les présentant de croupe, de face, de flanc aux éventuels acquéreurs.

— Bande de sauvages! Tourmenter jusqu'à la mort de pitoyables bêtes qui se sont usées à tirer les bourgeois sur le pavé parisien! Mes braves canassons, vous savez ce que trimer veut dire, vous autres! Et l'jour où les forces vous manquent on vous expédie chez l'équarrisseur ou à l'abattoir de Villejuif! Sale engeance d'humanité, va! gronda-t-il.

— Tiens, c'est notre ami Grégoire Mercier, le pourvoyeur de lait à domicile, la providence des poitrinaires, des souffreteux, des chlorotiques! Alors, Grégoire, toujours en train d'injurier le pauvre monde? C'est moi qui devrais maronner, t'es à la bourre, bonhomme!

— J'y peux rien, m'sieu Noël, j'ai eu fort à faire, répondit le chevrier en saluant un maquignon frappant avec impatience sa botte de sa chambrière. D'abord, à l'aube, mener les biquettes pâturer l'herbe d'un terrain vague de la Maison-Blanche. Ensuite, visiter quai de la Tournelle une pratique atteinte d'une maladie de foie, à celle-là il lui faut du lait de Nini Moricaude, que je nourris à la carotte. Après, hop! direction la ménagerie du Jardin des Plantes, une affaire à régler.

— Tu retapes les chimpanzés au lait de bique?

— Vous rigolez, m'sieu Noël! Non, je devais causer à quelqu'un, c'est tout.

— Bon, ben, abrège.

Grégoire Mercier s'accroupit près d'une chèvre blanche et se mit à la traire. Il tendit bientôt un bol de lait mousseux au maquignon qui le flaira avec méfiance.

— Il sent l'aigre, t'es sûr qu'il est frais?

— Je veux! Dès le réveil Mélie Pecfin a droit à une double ration de foin ioduré, c'est souverain pour reconstituer le sang appauvri.

— Appauvri, appauvri, ma bourgeoise n'est pas appauvrie, je voudrais t'y voir si tu venais d'accoucher de jumeaux! Je vais lui porter tant qu'il est chaud.

L'homme remit une pièce au chevrier et s'empara du bol.

— Demain, vous voulez que je livre chez vous, rue Poliveau ?

Le maquignon lui tourna le dos sans un remerciement.

— C'est ça, cours chez ta fumelle, tu la traites peut-être mieux que tes chevaux, mais tu la couves point comme moi je couve mes chèvres quand elles ont des petiots ! Hein, mes belles, que papa Grégoire vous donne tous les matins un sucre, et du vin chaud à vos bébés. Allez, Berlaud, en route !

Ce fut en arrivant rue Croulebarbe que Grégoire Mercier retrouva sa jovialité. Il venait enfin de reprendre pied sur son territoire, délimité d'un côté par la Bièvre [1], de l'autre par des vergers où s'alignaient les séchoirs des peaussiers.

Délivrées de la courroie qui les retenait prisonnières, les chèvres folâtraient entre les peupliers bordant l'étroite rivière aux eaux brunâtres frangées d'écume. La Bièvre serpentait le long de masures et de teintureries dont les cheminées crachaient une fumée opaque. Bien qu'il fût habitué aux vapeurs douceâtres des cuves de dégraissage et aux émanations des échaudoirs où concoctaient les colorants, Grégoire Mercier fronça le nez. Empilées sous des hangars, des centaines de peaux tachées de sang achevaient de se racornir en attendant d'être plongées dans les baquets de produits assouplissants. Au bout d'une lente macération, elles étaient raclées par des apprentis, exhalant une poussière qui enneigeait le paysage.

Sans lâcher sa trouvaille, Berlaud guidait les chèvres sur la berge plantée de tomates, de petits pois et de haricots verts. Il avait hâte de dépasser les claies du marchand de mottes et la remise de Mme Guédon, la loueuse de voitures à bras, car juste après le mur

---

1. Rivière qui traversait une partie des Ve et XIIIe arrondissements de Paris, aujourd'hui totalement recouverte. *(N.d.A.)*

éboulé, au-delà d'une haie de lilas, s'ouvrait la ruelle des Reculettes.

De vieilles bâtisses aux poutres apparentes abritaient les familles d'ouvriers mégissiers. Des ceps de vigne noircis, tordus, couraient sur leurs façades en pisé. Une rumeur de pistons, parfois déchirée d'un sifflement strident, rappelait qu'on était dans une ville, et non à la campagne.

Laissant son chien et ses bêtes le devancer, Grégoire Mercier prit le temps de saluer M. Vrétot, qui cumulait le métier de concierge et celui de « cordonnier en neuf et en vieux » afin d'augmenter le faible revenu de sa loge, puis il gravit l'escalier, soufflant à chaque palier. Trente ans plus tôt, il avait quitté sa Beauce natale pour monter à Paris et débarquer au cœur de ce quartier malsain où régnaient la misère et l'odeur délétère des tanneries. Garçon livreur à la fabrique de coton du pont d'Austerlitz, il avait épousé par amour une ouvrière blanchisseuse qui lui avait donné deux fils. Un bonheur de trois ans brutalement interrompu par la mort de Jeannette Mercier, victime de la tuberculose. Émue du sort de ces bambins privés de mère, l'Assistance publique leur avait procuré une chèvre chargée de les nourrir jusqu'à ce que la phtisie les emporte à leur tour. Lorsqu'il était parvenu à surmonter sa douleur, Grégoire Mercier avait décidé de garder la chèvre et de s'établir berger en chambre, il ne s'était jamais remarié.

Il atteignit le cinquième étage où son troupeau piétinait massé devant une porte, au fond d'un couloir sombre. Sitôt qu'il eut refermé derrière lui, les chèvres gagnèrent leurs boxes ménagés contre la cloison d'une soupente. Il pénétra dans une seconde pièce meublée d'un lit de camp, d'une table, de deux tabourets et d'un bahut branlant, se débarrassa de sa limousine et s'empressa de préparer l'eau tiède mêlée de son qu'il distribuait à ses bêtes au retour de ses tournées. Il lui fallut encore nourrir Mémère, la doyenne, d'une botte d'avoine additionnée de menthe, avant d'ouvrir le réduit où se languissait le bouc Rocambole, puis il se fit chauffer un café qu'il alla siroter près de Mélie Pecfin, sa chouchoute. C'est alors qu'il avisa le chien. Assis sur sa couverture, il battait du tambour avec sa queue, les yeux rivés au sucrier. Entre ses pattes reposait la trouvaille dénichée au Jardin des Plantes. Grégoire feignit d'ignorer son manège, un gémissement éloquent fusa du gosier de Berlaud.

— Couché !

Loin d'obéir, le chien adopta une posture de servilité absolue, oreilles basses, arrière-train relevé, et progressa à pas feutrés, mendiant l'attention de son maître qui lui lança un sucre et en profita pour lui subtiliser son butin.

— Ben ça ! C'est pas un os, c'est... c'est une... Comment qu'on a pu égarer un truc pareil ? Oh ! Y a quelque chose dedans...

Ahuri, Grégoire Mercier en négligea de boire son café.

Allongé les mains sous la nuque, l'homme réalisait l'énormité de son geste. Il était rentré épuisé, à l'aube, et s'était affalé sur le drap froissé. Pelotonné sous son pardessus, il avait passé sa nuit en revue. Le trajet de la halle aux vins à la rue Linné lui avait pris à peine dix minutes. La fille blonde dormait profondément sous l'effet du narcotique, il l'avait transportée jusqu'au fiacre sans difficulté. Pas une erreur, pas de témoin. La suite ? Un jeu d'enfant, elle n'avait pas souffert.

Il posa une cafetière sur le poêle encore tiède et alla au carreau observer le spectacle de la rue. Un jour d'automne semblable aux autres. Il avait vraiment combiné les choses à la perfection, la police mettrait un bon moment à identifier la blonde, et d'ici là sa vengeance aurait abouti. Quant au jeune malfrat qu'il avait embauché, aucun risque qu'il le dénonce ou le fasse chanter, lorsqu'on découvrirait son corps on envisagerait un règlement de comptes. Qui aurait l'intelligence de relier ces meurtres ? Il laissa retomber le rideau. Un détail le tracassait, ce type à sa croisée, au premier, l'avait-il vu ? Il faudrait s'en assurer, s'enquérir de son identité, et songer à...

— Tu es malade, dit-il tout haut.

Mais il n'en pensait rien, il se trouvait ingénieux, habile, brillant, son plan s'était déroulé sans la moindre anicroche, si ce n'est qu'une fois rendu carrefour des Écrasés[1] il s'était aperçu que la blonde ne portait qu'un seul escarpin. Impossible de retourner rue Linné, trop périlleux. Il avait d'abord paniqué — ce genre d'erreur peut être fatal. Puis la solution lui était apparue : il suffisait de lui ôter le second escarpin.

Il se versa une tasse de café.

« Les flics localiseront facilement le propriétaire du fiacre volé, bah ! Ça n'apportera guère d'eau à leur moulin, les pauvres ! »

Il fouilla la poche de son pardessus à la recherche de cigarettes. Son regard accrocha trois petites taches sur le gris du tissu. Du sang ? C'était un vêtement d'alpaga, il lui en coûtait de s'en défaire.

« Du vin », décida-t-il.

Il inspecta son pantalon, ses chaussures : impeccables. Il s'installa à la table, remarqua l'escarpin de soie rouge à côté d'un flacon d'acide sulfurique.

« La police conclura au crime passionnel. »

Cette idée l'amusa. Il se sentait apaisé.

« Finalement, ce soulier va servir mon projet. »

Il ouvrit un tiroir, prit du papier à lettres, un porte-plume, un encrier, et se mit à rédiger une adresse :

Mademoiselle C. Bontemps,
15, chaussée de l'Étang
Saint-Mandé. Seine

---

1. Situé au carrefour de la rue Montmartre et du faubourg Poissonnière. (N.d.A.)

Au sortir d'un immeuble rue des Mathurins, Victor s'assit sur un banc et feuilleta la revue *Paris Photographie* à laquelle il venait de s'abonner : un article de Paul Nadar, une collection de portraits de Sarah Bernhardt qu'il considéra distraitement. Son esprit était ailleurs, il n'avait pas prévenu Tasha qu'il viendrait, il voulait la surprendre. Il consulta l'horloge pneumatique, il irait en flânant. Il fit un détour pour éviter le boulevard Haussmann qui remuait en lui des événements malheureux, bifurqua rue Auber, longea la rue Laffitte.

Rue Notre-Dame-de-Lorette, à la hauteur du numéro 60, il eut une brusque bouffée de nostalgie. Il revit la mansarde minuscule de Tasha, se remémora les prémices de leur intimité et éprouva le désir violent de partager son existence avec elle.

Rue Fontaine il constata avec satisfaction que la pancarte était toujours en place derrière la vitrine du coiffeur :

MAGASIN ET APPARTEMENT À LOUER,
Renseignez-vous
chez le concierge du 36 bis.

Sa décision était prise. Il s'engagea sous le porche.

Le jeudi, la cour devenait le domaine des gamines du menuisier. Inlassablement elles poussaient à cloche-pied un palet de bois dans les cases numérotées d'une marelle, le « ciel » était orienté vers l'atelier de Tasha. Au milieu de la cour, un acacia servait de mât d'où partait une corde à linge attachée à une croisée du deuxième étage. Les jours de vent, Victor aimait contempler la lessive se gonfler comme les voiles d'un bateau. Il contourna la pompe à eau blanchie de fientes d'oiseaux et s'approcha de l'arrière-boutique du coiffeur. Les mains en visière, il tenta d'en voir la disposition à travers les vitres sales : un local de belles dimensions. Une fois aménagé, quel beau studio photographique !... Oui, c'était le moyen idéal, il n'aurait que huit mètres à franchir...

Penchée sur un guéridon, Tasha étalait des couleurs sur sa palette. Jaune citron, vert Véronèse, bleu de Prusse faisaient écho aux teintes de la toile en cours : un rameau de laurier et deux épis de blé émergeant d'un vase irisé. Les rayons obliques du soleil allumaient d'un éclat cuivré ses cheveux dénoués. Cédant à une impulsion, Victor enfouit son visage dans cette splendeur rousse.

— Espèce de *dourak* ! Tu m'as fait peur ! s'écria la jeune femme. Tu mériterais que j'essuie mon pinceau sur ta chemise ! Oh ! À quoi bon ! C'est nul, je piétine.

Elle jeta épis et laurier près d'un palmier en pot.

— J'en ai assez des natures mortes !

De la chaise Tudor où il s'était assis, Victor l'observait serrer le vase dans un buffet puis revenir se planter face au chevalet.

— Tasha, est-ce moi qui t'empêche de t'épanouir ?

— Mais non, idiot, je ne suis pas à la hauteur, voilà ! Je suis incapable de discerner l'accessoire de l'essentiel.

— Tu t'acharnes ! Le mieux est l'ennemi du bien, lâche du lest. Que veux-tu prouver ?

— Maurice Laumier affirme que...

— Ah, non ! Pitié ! Oublie-le, celui-là ! Il se force à l'originalité, il a remplacé la création par la théorie ! La théorie, la théorie, il n'a que ce mot à la bouche !

— Décidément, tu le détestes.

— Ton Laumier, je le méprise, nuance. Il produit en série et il appelle cela de l'art. En vérité, il veut vendre.

— D'abord, ce n'est pas *mon* Laumier, ensuite...

— J'ai raison et tu le sais. Bon sang ! Sois réfractaire aux influences ! Explore ton univers intérieur, sonde ce que Kenji nomme les « chambres de l'esprit » !... Pardonne-moi, je m'emporte, peut-être devrais-tu t'intéresser à la vie en mouvement, aux gens.

— Tu crois? C'est ce que m'a préconisé Henri...
Allons, ne fais pas cette tête, tu n'as aucun motif d'être
jaloux, c'est un gentil camarade et il a du talent. Je l'ai
rencontré aux Indépendants et...

— Je ne te demande rien, tu es libre.

— Oh! S'il te plaît, Victor, cesse tes enfantillages,
c'est fatigant à la longue.

Elle s'agenouilla devant lui, insinua ses doigts sous
son col et lui caressa le cou. Il se détendit, ravi de la
sentir si proche.

— Il fait très chaud, ici, non? murmura-t-elle en
déboutonnant sa chemise. Laisse-toi faire, j'ai besoin de
retrouver l'unique modèle masculin qui m'inspire du
désir.

— Maintenant?

— Juste une esquisse, là, sur le canapé. Viens, enlève
tout.

Elle s'empara d'un carnet de croquis.

— Je l'intitulerai « M. Récamier en tenue d'Adam ».
Reste tranquille.

Elle rectifia la pose de son bras droit à demi replié sur
le torse. Il l'enlaça, l'attira à lui, tâtonna pour dégrafer
sa robe. Le carnet de croquis tomba au sol.

— De toute façon, la lumière est mauvaise, dit-elle.

Il l'embrassa sur le nez, le front, les cheveux, tandis
qu'elle l'aidait à faire glisser sa robe.

— Tasha, épouse-moi, ce serait tellement simple.

— C'est trop tôt, chuchota-t-elle, je ne suis pas prête,
je ne veux pas d'enfant... Tu en as?

Il la regarda intensément, s'appuya sur un coude,
palpa la poche de sa redingote, en tira une boîte de
condoms[1].

— Victor, tu es fâché?

— Tu sais parfaitement que je me suis toujours
efforcé d'être prudent, même sans protection.

1. Dans la seconde moitié du XIXᵉ siècle, l'Américain Macintosh
lança sur le marché les préservatifs en caoutchouc. *(N.d.A.)*

40

Il écarta une mèche de sa joue.

— Il va falloir patienter un peu avant de passer aux choses sérieuses, et ne t'avise pas de rire, bougonna-t-il en l'étreignant.

Plus tard, blotti contre elle au creux de l'étroit canapé, il faillit lui avouer qu'il avait loué la boutique du coiffeur.

— Tasha, je...

Elle lui ferma les lèvres d'un baiser. Tout s'évanouit, sauf elle. Il n'avait nulle envie d'expliquer quoi que ce soit. Les idées, l'avenir, rien ne comptait. Elle s'étira. Elle paraissait heureuse. Ses yeux brillaient. Ses seins se soulevaient en une respiration accélérée

— Je t'adore. Mais j'ai mal aux reins. Vite, le lit ! lança-t-elle en courant vers l'alcôve.

Grégoire Mercier commençait à souffrir de sa vieille sciatique. Depuis combien de temps prenait-il racine près du porche de cet immeuble sous l'œil noir d'une concierge ? Vingt, trente minutes ? Quand donc ces deux jaboteuses allaient-elles se décider à débarrasser le plancher ?

Il serra son bâton ferré, inquiet à la pensée du troupeau laissé au logis sous la garde de Berlaud. Mécontent qu'on lui ait confisqué sa trouvaille, le chien était allé se coucher en grondant au fond du réduit de Rocambole. Mauvais signe, ça, très mauvais signe. Pourvu qu'il ne se venge pas sur les biquettes ! Avec l'âge il devenait lunatique.

Grégoire Mercier s'approcha de la vitrine et concentra son attention sur la femme la plus proche de lui, afin de l'obliger à décaniller par sa seule volonté.

Inconsciente des ondes mentales dont elle était la cible, Mathilde de Flavignol n'obtempéra pas. Lorsqu'elle était arrivée, oppressée au point qu'elle ne pouvait contenir son chagrin, elle espérait obtenir un réconfort auprès du libraire. Ce jeune et séduisant M. Legris au sourire désarmant éveillait en elle un étrange émoi. Manque de chance, il était absent, sans doute parti honorer sa gourgandine russe. Seul régnait sur les livres le commis blond légèrement bossu occupé à manger une pomme en lisant le journal. Elle le préférait toutefois à l'autre, l'Asiatique à la physionomie impénétrable.

À peine avait-elle tenté d'expliquer au commis que ce crêpe à son corsage marquait le suicide en Belgique du pauvre général Boulanger, révolvérisé sur la tombe de sa maîtresse Marguerite de Bonnemain, qu'une femme en costume de cheviotte, ses cheveux gris nattés sous un ridicule chapeau tyrolien, avait franchi la porte.

— On m'en veut, v'là la walkyrie, marmotta Joseph entre ses dents. Mademoiselle Becker, s'écria-t-il, quelle bonne surprise !

— *Guten Tag*, monsieur Pignot, vous allez me tirer une épine du pied !

Mathilde de Flavignol apprit alors que cette dame allemande s'était prise de passion pour le sport vélocipédique, et qu'elle recherchait des ouvrages concernant le célérifère et la draisienne, ancêtres de la bicyclette.

— Vous comprenez, monsieur Pignot, je désire faire un cadeau de prix à notre héros national, Charles Terront.

— Qui est-ce ? demanda Mathilde de Flavignol.

— Voyons, se peut-il que vous l'ignoriez ? C'est le vainqueur de la course Paris-Brest qui a eu lieu le 6 septembre dernier. Mille cent quatre-vingt-cinq kilomètres aller-retour en soixante-douze heures ! Il a pédalé nuit et jour sans dormir ! Quel homme magnifique ! Et figurez-vous qu'il va donner des leçons de cyclisme à Bullier !

— Cela contribuerait peut-être à me distraire de mon affliction... Voyez-vous, j'adulais le général, un homme de cœur qui n'a pu survivre à la mort de sa dulcinée. J'ai fait le voyage à Ixelles où j'ai assisté à ses funérailles. Quelle magnifique cérémonie ! Il lui restait beaucoup d'amis. La preuve, une foule de Français participait à ses obsèques. Ah ! Je ne m'en remettrai jamais... Bullier... N'est-ce pas un bal plutôt mal famé ? On dit que la Goulue[1] y a dansé le cancan... Je suis si triste. Croyez-vous que la pratique de la bicyclette... ?

— Assurément, madame, cette activité a deux avantages : calmer les nerfs en affermissant les mollets !

— J'appréhende de monter en selle...

— Avez-vous le sens de l'équilibre ? Savez-vous marcher droit ?

— Euh !... Je force rarement sur la boisson.

— En ce cas vous parviendrez à dompter un vélocipède, je vous en fiche mon billet.

Joseph Pignot ne fut pas seul à pousser un soupir de délivrance quand les deux femmes s'éloignèrent bras dessus, bras dessous et qu'il put récupérer son journal. S'empressant de quitter son abri et la pipelette au regard venimeux, Grégoire Mercier fit son entrée.

« Quoi encore ? » se dit Jojo, les narines agressées par une odeur barbare.

Il vit s'avancer un bonhomme à la face camuse, bizarrement accoutré, qui tira inopinément de sa limousine une chaussure de femme et la posa sur le comptoir.

— Voilà, c'est Berlaud, ce matin il a ramassé ça, c'est sa manie, rapporter tout ce qui traîne à la bergerie. Remarquez, je le laisse faire, rien ne vaut l'indépendance et la liberté ! Une fois chez nous, j'ai examiné l'objet. Tiens, un escarpin, je me suis dit, la gigolette qui a égaré cet affûtiau doit être passablement ennuyée, d'autant que c'est de la qualité supérieure. Je vous le rends, y aura qu'à voir un cordonnier, il ravaudera les trous, mon chien a mordu un peu fort.

Stupéfait, Jojo fixait tour à tour le soulier rouge brodé, orné de perles, et l'énergumène.

1. De son vrai nom : Louise Weber (1869-1929). *(N.d.A.)*

— Pourquoi vous me le donnez à moi ?

— Parce qu'il y avait le nom et l'adresse de votre échoppe à l'intérieur, ça faisait office de semelle.

Il tendit un papier en accordéon. Jojo le déplia et lut l'en-tête :

LIBRAIRIE ELZÉVIR
V. Legris - K. Mori
Fondée en 1835. Livres anciens et modernes
Éditions originales. Catalogue sur demande
18, rue des Saints-Pères, Paris VIe

— Ben ça ! C'est bizarre ! s'exclama-t-il. C'est peut-être à une cliente.

— Une pleine aux as. Se mettre des pierres précieuses aux ripatons !

Subodorant une incitation au pourboire, Jojo ouvrit la caisse et tendit quarante sous à l'énergumène qui recula, offensé.

— Grégoire Mercier n'accepte aucune gratification, hormis ce qui touche au travail de ses biquettes. Naturellement, si la propriétaire du soulier veut me remercier d'un petit quelque chose, je dis pas non.

Il porta deux doigts à son chapeau et tourna casaque.

— Attendez ! Où l'avez-vous dénichée, cette chaussure ?

— C'était au milieu de ma tournée, après être allé livrer quai de la Tournelle un bol du lait de Nini Moricaude que je nourris à la car...

— Donc, votre chien... ?

— Berlaud s'est carapaté, j'ai entendu les lions rugir, j'ai cru qu'il leur avait chapardé un bout de viande, il est vieux mais intrépide, je l'ai sifflé, il ne revenait pas, alors...

— Alors, je vais faire mon possible et tâcher de rendre cette chaussure à son pied, dit en nasillant Jojo qui inspirait par la bouche afin de se soustraire à la tenace puanteur de bouc. Où peut-on vous joindre s'il y a une récompense ?

— Ruelle des Reculettes, quartier Croulebarbe. Là-bas, tout le monde connaît Grégoire Mercier.

Lorsque l'homme fut parti, Jojo manipula la chaussure en tous sens.

— Ouais, pas banal, cette histoire de godasse, il faut que je la mentionne dans mon carnet.

— Joseph ! Qui était-ce ?

— Patron ! Vous vous êtes levé ! C'est défendu ! Qu'est-ce qu'on deviendra si vous refilez la scarlatine à la clientèle ?

— Je suis guéri, la quarantaine a expiré il y a trente-quatre minutes et dix-huit secondes. Montrez-moi ça, dit Kenji penché par-dessus la rampe de l'escalier.

Marmonnant : « Il s'est mis à l'heure de Paris[1], le patron », Jojo lui tendit le soulier à contrecœur. Kenji l'étudia sous toutes les coutures, et changea brusquement d'expression, comme si un terrible malheur venait de le frapper. Le soulier lui échappa et rebondit sur le plancher. Jojo le déposa sur le comptoir.

— Allez me chercher un fiacre, et que ça saute ! ordonna Kenji d'une voix enrouée.

— Un fiacre ! Vous plaisantez ! S'il apprend ça, M. Legris, il me coupe en deux !

— C'est un ordre ! hurla Kenji.

L'après-midi fut morose. Seuls un amateur de Paul Bourget, une dame à lorgnon désirant acquérir le dernier ouvrage d'Edmond de Goncourt consacré au peintre Outamaro, et deux jeunes gens passionnés de récits de voyages visitèrent la librairie. À chaque tintement du carillon, Jojo tressaillait d'espoir, mais aucun de ses

---

1. Le 15 mars 1891, chaque région de France aligna son fuseau horaire sur l'heure de Paris qui devint l'heure officielle du pays. (N.d.A.)

patrons ne daigna reparaître. À dix-neuf heures, négligé de tous, il accrocha les contrevents, bourra sa poche de l'escarpin rouge dont il ne savait que faire et abandonna le navire.

Une pluie d'automne fine et persistante avait transformé la rue Visconti, où vivaient les Pignot mère et fils, en un canal obscur. Franchissant d'un bond la chaussée, Joseph alla se réfugier dans la remise convertie en caverne de bouquiniste par son père trop tôt disparu. Euphrosine Pignot avait terminé sa tournée de marchande de quatre-saisons et remuait des casseroles sur la pierre à évier de leur étroit logement. Joseph gratta une allumette, régla la mèche de la lampe à pétrole. Les étagères surchargées de livres et de quotidiens agissaient sur son moral tel un baume. Il suspendit sa veste trempée au dossier d'une chaise et se mit à chantonner le couplet ravalé qui déplaisait à Victor :

> *Connaissez-vous Lohengrin*
> *Lohengrin, Lohengrin,*
> *C'est une femme divine,*
> *Mais elle a bien du venin...*

Son cœur se serra, égratigné par le mot « venin », qui fit naître en lui l'image de Valentine de Salignac, son trésor perdu. En mai dernier, la nièce de la comtesse avait en effet épousé le neveu du duc de Frioul, un pschutteux [1] prétentieux nommé Boni de Pont-Joubert. Depuis ce mariage, célébré en l'église Saint-Roch le lendemain de la fusillade de Fourmies, Jojo était sujet à ces instabilités caractérielles qui agaçaient tant Victor. Si la douleur s'estompait graduellement, un rien suffisait à la ranimer. Au plus profond de lui, il savait que son inclination envers Valentine menait à une impasse, et que la jeune fille, en dépit d'un penchant réciproque, avait été contrainte à cette alliance. Il n'en avait pas

---

1. Noctambule mondain adonné au champagne. *(N.d.A.)*

moins remisé son grand projet littéraire : *Amour et sang*, destiné à détrôner les romans à mystères d'Émile Gaboriau.

« Ah ! Les femmes ! D'abord elles vous inspirent, et ensuite, à cause d'elles, la création expire ! Bon, à quoi vais-je m'occuper ce soir ? Et si je reprenais la rédaction de mes *Chroniques frénétiques de la rue Visconti* ? J'en étais au chapitre décrivant la tentative d'assassinat de Louis-Philippe par Louis Alibaud, habitant au numéro 3, à l'aide d'une canne-fusil... »

S'emparant d'un manuscrit et d'un crayon, il s'installa dans un fauteuil bancal.

Un visage mafflu surmonté d'un chignon apparut dans l'entrebâillement de la porte reliant la remise à l'appartement.

— Ben, mon minet, t'es là ? Il m'semblait bien que j'avais entendu chanter. T'aurais pu me prévenir ! Qui c'est qui va se goinfrer d'une bonne soupe aux choux ?

— J'n'ai pas faim.

— Faut qu'tu manges ! T'as une mine de déterré et des bras en bâtons de sucette ! Tu t'esquintes au turbin, j'vais leur dire deux mots, moi, à tes patrons. Dis donc, des fois que M. Mori t'aurait refilé sa scarlatine, ça serait le bouquet ! Au fait, il va mieux ?

— Non, oui, j'sais pas, j'écris si ça t'intéresse...

— Il aurait dû m'écouter, les ventouses ça vous aspire la maladie de d'ssous la peau, les sangsues c'est kif-kif. Écriture ou pas, je te donne cinq minutes pour venir dîner.

Elle plissa le nez, renifla à petits coups en jetant des regards suspicieux autour d'elle.

— Il y a une drôle d'odeur, c'est pourtant pas ma soupe ! Dis donc, ce serait pas toi ?

— Quoi, moi ? Qu'est-ce que ça sent ? demanda Jojo en dilatant ses narines.

Mme Pignot jaugea son fils sans aménité, depuis quand ne s'était-il pas débarbouillé ?

— Ça sent le bouc. Cinq minutes, hein ! lança-t-elle d'un ton comminatoire en sortant.

Jojo alla humer sa veste. Sa mère avait l'odorat en poupe. La chaussure ! Il la tira de sa poche, l'approcha de la lampe, jouant à allumer des reflets sur les perles. Un soulier de conte de fées, Cendrillon... « Celle dont le pied sera bien juste à cet escarpin sera ma promise... »

Il imagina Valentine qui, lentement, ôtait corset, jupons et chemise... Son fantasme se dilua sous le fumet décidément fort désagréable qui émanait de la soie rouge. Qu'avait raconté l'énergumène ? Une bergerie, une rue croule machin-chose, un chien, des biquettes, des lions, une vraie salade russe, mais l'odeur... Aucun doute, c'était celle d'un bouc. La feuille à en-tête de la librairie, une coïncidence ? Et pour quelle raison M. Mori à la vue de cette chaussure s'était-il enfui comme s'il avait le diable à ses trousses ?

— On dira ce qu'on voudra, c'est pas ordinaire, je vais le noter, ça pourra toujours servir...

Au moment où il saisissait son calepin, une voix féroce tonna :

— Mon minet ! Les cinq minutes ont rendu l'âme ! Ta soupe refroidit !

CHAPITRE III

La librairie dormait encore, baignée d'une lumière falote. Une mince volute de fumée s'élevait d'une tasse oubliée près du buste de Molière. Après avoir étalé un tapis vert sur la table centrale, Kenji Mori s'affairait à disposer des chaises cannées que Jojo allait chercher dans l'arrière-boutique. Le silence n'était troublé que par le grondement intermittent d'un fiacre rue des Saints-Pères.

— Joseph, on n'y voit goutte, allumez, articula Victor en bâillant.

Il descendit l'escalier d'un pas mal assuré. Il aurait dû éviter de se recoucher en revenant aux aurores de chez Tasha, il se sentait aussi frais qu'un pochard cuvant une cuite. Il manqua percuter Kenji.

— Qu'est-ce que vous faites là ? Et la quarantaine ?

— Le navire est libre de mouiller au port : le Dr Reynaud a décrété que je suis guéri.

— Et vous avez décidé d'organiser un raout pour fêter votre délivrance ?

— Je vous rappelle que nous recevons les membres des Amis du Paris disparu. M. Anatole France a promis de venir. Joseph, pourquoi vous agitez-vous comme un sémaphore ?

— Patron, c'est la moukère ! Euh... La comtesse de Salignac.

Jojo pointait le menton vers une femme hautaine emmitouflée d'une imposante capote à fleurs qui, campée derrière la vitrine, attendait d'un air sombre qu'on daignât l'introduire. Ce que Kenji s'empressa de faire.

— Ce n'est pas dommage, j'ai cru que vous alliez me laisser geler sur pied. Vous ouvrez fort tard, ce me semble, monsieur Mori, vous êtes enfin revenu de voyage ?

— Oui, je... En quoi puis-je vous être agréable, chère madame ?

Le téléphone sonna, Victor alla décrocher.

— Je désire trois exemplaires de *Giselle*, le dernier ouvrage de Georges de Peyrebrune, à paraître sous peu chez Charpentier et Fasquelle. Si possible un tirage de tête.

Tandis que Kenji prenait place à son bureau, Joseph se détourna et saisit le journal qu'il avait acheté en venant au travail.

— Si vous aviez la moindre once de politesse, jeune homme, vous me proposeriez un de ces nombreux sièges. À moins que vous ne les collectionniez ? lança la comtesse.

Jojo sursauta et laissa échapper son quotidien qui tomba grand ouvert. Victor venait de raccrocher le téléphone, il avança aussitôt une chaise. Dédaignant de s'asseoir, la comtesse se pencha et, tirant un face-à-main de son réticule, parvint à déchiffrer quelques lignes d'un article.

« Sinistre découverte ce matin à l'aube au carrefour des Écrasés, entre le boulevard Montmartre et le boulevard Poissonnière. Une femme étranglée et vitriolée gisait sur la chaussée, vêtue d'une... »

— Quelle horreur ! s'écria la comtesse en se redres-

sant. Ces torchons sont immondes ! Le sang, voilà ce qui
les intéresse ! Quand ce ne sont pas des catastrophes ferroviaires ou des exécutions capitales, ce sont des
meurtres ! Le résultat, c'est que notre littérature en est
viciée. Ce fait divers est aussi atroce que le dernier
roman de M. Huysmans !

— Vous voulez parler de *Là-bas*? demanda Victor.

— Précisément. Peut-être un jour M. Huysmans
regrettera-t-il d'avoir écrit ce livre. Déjà, monsieur
Legris, beaucoup de ses admirateurs regrettent de
l'avoir lu. Pauvre France !

Elle se retira dignement avant que Kenji, délaissant
son registre de commandes, ait pu la saluer.

— Faisait-elle allusion à M. Anatole ?

— Elle s'alarmait de l'état moral du pays, répondit
Victor d'un ton las. Joseph, pourriez-vous aller m'acheter un cigare ?

Trop heureux de s'éclipser, Jojo attrapa son quotidien
et se hâta de sortir. Kenji le suivit des yeux, puis il
remonta au premier, prétextant une lettre à rédiger.
Debout devant son bureau, il se contenta de rouler nerveusement le coin d'un buvard en considérant distraitement une très belle encre sur soie de Kanō Tanyū représentant le mont Fuji qu'il avait l'intention de confier à
l'encadreur. Sous son regard embrumé, le volcan se
métamorphosait en un énorme soulier couronné de
neige. Qu'était devenu l'escarpin qui lui avait causé une
si vive frayeur ? L'avait-il égaré dans le fiacre ou laissé
choir dans la librairie ainsi qu'il pensait s'en souvenir ?
Il avait failli poser la question à Joseph, mais s'était
retenu de justesse car il lui aurait fallu mentionner Iris.
Les événements de la veille étaient si confus ! Son émotion lorsque Joseph lui avait tendu la chaussure et qu'il
avait reconnu une de celles acquises à Londres. Sa
course éperdue en fiacre jusqu'à la pension Bontemps,
où il redoutait d'être confronté à une tragique nouvelle.
L'angoisse de devoir révéler son secret à Victor. Son

soulagement quand Iris s'était précipitée vers lui, ravie de la surprise, alors qu'il n'avait pas annoncé sa visite. Les explications qu'elle lui avait fournies... Il avait passé une nuit blanche, préparant la conversation qu'il se promettait d'avoir avec Victor et repoussait sans cesse.

Il s'enferma dans le cabinet de toilette, plaqua ses paumes sur son visage après les avoir laissées un moment sous le robinet d'eau chaude. Il contempla une photo prisonnière d'un cadre ouvragé, ornant une tablette de marbre au-dessus du lavabo : *Daphné et Victor, Londres, 1872*. Une jeune femme brune enlaçait tendrement un garçon d'une douzaine d'années en fixant l'objectif d'une expression rêveuse. Kenji s'empara du portrait et le pressa contre ses lèvres.

Joseph marchait en lisant son journal avec une telle concentration qu'il esquiva in extremis un quidam.

— Ben ça, ben ça, c'est fort de café ! marmonnait-t-il.

Il prit ses jambes à son cou, traversa la librairie en trombe.

— Je ne vous espérais plus. Vous avez mon cigare ? s'enquit Victor, un relié à la main.

— Patron, patron, écoutez ça ! Ils disent que la femme retrouvée morte au carrefour des Écrasés ne portait pas de chaussures ! Et devinez le pompon ? Elle était tout de rouge vêtue.

— Joseph, quand donc guérirez-vous de cette attirance morbide pour les assassinats ? grommela Victor.

— Patron, c'est renversant, parce que hier un drôle d'énergumène est justement venu ici apporter une chaussure rouge, et je vous le donne en mille, dedans il avait dégoté une feuille à en-tête de la librairie, et quand M. Mori l'a vue, il a viré au cramoisi, même que j'ai cru qu'il nous refaisait la maladie !

— Quand M. Mori a vu quoi ? demanda Victor, excédé.

— La chaussure ! Il m'a envoyé lui chercher un sapin[1] et il s'est habillé dare-dare. Affolé qu'il était !

— Et vous l'avez laissé faire ! Félicitations.

— Oh, zut ! Faudrait savoir, je suis nourrice ou commis de librairie ?

— Calmez-vous et racontez-moi posément cette histoire.

— Bon, j'articule très nettement afin qu'il n'y ait aucune confusion. Ce type à la chaussure, il puait le bouc et il ressemblait à un croquant. Il braillait si fort que M. Kenji l'a entendu. Je n'ai pu faire autrement que de lui montrer le soulier. On aurait dit qu'il venait de voir un fantôme !

— Savez-vous où il est allé ?

— À Saint-Mandé, 15, chaussée de l'Étang, c'est l'adresse qu'il a criée au collignon[2].

— Où est cette chaussure ?

Victor examina soigneusement l'escarpin que Joseph venait d'extraire de sa poche. À l'intérieur, il avisa une marque de fabrique tracée en lettres dorées :

Dickins & Jones, Regent Street, London W

— Mazette ! Made in England, souffla Jojo penché sur son épaule. Vous croyez que M. Mori... ? Je veux dire qu'il s'est fréquemment rendu à Londres...

— Vous raisonnez comme une pantoufle. Occupez-vous de cette dame, je reviens, dit Victor en empochant la chaussure.

— Attirance morbide, hein ? Y en a qui feraient mieux de se mettre un bœuf sur la langue au lieu de moraliser, grommela Joseph en rejoignant la cliente.

Le fiacre avait déposé Victor grand-rue de la République. Tournant le dos à la ligne de chemin de fer Bas-

1. Fiacre. *(N.d.A.)*
2. Cocher de fiacre en langage populaire. *(N.d.A.)*

tille-La Varenne récemment endeuillée par un atroce accident, il dépassa la mairie de Saint-Mandé. Le heurt régulier de sa canne sur le trottoir ponctuait ses pensées.

« Ça, c'est le comble ! Je n'ai aucun motif valable de fouiller la vie privée de Kenji. Évidemment, ce qui le touche me concerne, et son attitude étrange m'inquiète. Cependant, inquiétude et indiscrétion ne sont pas synonymes. Avoue-le, te voilà encore sous le charme de l'insolite. »

Il longea les belles propriétés bourgeoises de la chaussée de l'Étang, dont les jardins s'alignaient face au lac et au bois de Vincennes, et il eut envie d'y mener Tasha. Des vers de Victor Hugo lui vinrent à l'esprit :

Connaître un pas qu'on aime et que jaloux on suit...

N'était-ce pas au cimetière de Saint-Mandé que reposait Juliette Drouet, le grand amour du poète ?

Il lut la plaque apposée sur la grille du numéro 15 :

PENSION C. BONTEMPS
Établissement privé pour jeunes filles

— Qu'est-ce que ça signifie ? Drôle d'endroit pour y loger une maîtresse, marmonna-t-il.

Il fut accueilli par une femme replète d'une quarantaine d'années vêtue à la mode de l'impératrice Eugénie, au faciès de pleine lune et coiffée en bandeaux,

— Mes hommages, madame. Je viens de la part de M. Mori, je suis son associé.

— Oh ! Vous êtes libraire ? Très honorée, entrez, entrez. Ce cher M. Mori ! Hier il semblait soucieux. Il a oublié sa canne, Mlle Iris s'en est rendu compte quelques minutes après le départ de son parrain. Ça tombe à pic, vous pourrez la lui remettre, c'est un objet de prix.

Planté devant une étagère garnie de volants et de statuettes en biscuit, Victor essayait désespérément de réfléchir. Iris ! Allait-il enfin rencontrer la femme mystérieuse qui depuis deux ans titillait sa curiosité, celle à laquelle Kenji rendait régulièrement visite à Londres et dont il lui cachait l'existence ? Cela faisait plusieurs mois qu'il n'avait franchi la Manche, et Victor pensait leur liaison terminée. Iris, entrevue sur une photo l'année de l'Exposition universelle, une très jeune fille que sa mémoire se refusait à doter d'un visage.

« Son parrain, quelle blague ! Alors c'est ici qu'il la met sous clé ! »

— Je vous en prie, asseyez-vous, dit Mlle Bontemps en désignant une ottomane. Monsieur...

— Legris. Je souhaiterais m'entretenir avec Mlle Iris. Voici ma carte.

— Oh ! Je ne voudrais pas me montrer méfiante...

— Cela va de soi.

— Vous me rassurez. C'est que, voyez-vous, monsieur Legris, j'ai des consignes. Naturellement, nos pensionnaires ont la liberté de se promener en ville, elles se surveillent mutuellement et me tiennent au courant de leurs faits et gestes, quant aux conversations avec des inconnus... M. Mori n'a jamais divulgué avoir un associé. L'êtes-vous depuis longtemps ?

— J'avais trois ans lorsque M. Mori est entré au service de mon père.

Mlle Bontemps porta une main grassouillette à sa bouche pour étouffer un gloussement.

— Mon Dieu ! Il est extraordinaire qu'il n'ait pas une fois cité votre nom !

— C'est un homme réservé.

— À ce point, la réserve devient de la duplicité ! Cela dit, si tu ne veux pas être jugé, ne juge pas toi-même. Voulez-vous un macaron ?

Elle lui tendit une assiette qu'il repoussa avec un sourire. Elle se servit copieusement et alla chercher Iris.

Stupéfait, Victor vit s'approcher une jeune fille qui pouvait avoir à peine dix-sept ans. Ses traits enfantins ranimèrent son souvenir défaillant, il revit la photo aperçue à l'insu de Kenji. Elle était jolie, d'une beauté exotique, la peau mate, les yeux en amande, le nez fin, délicatement busqué. Ses cheveux noirs nattés et retenus sur la nuque par un ruban la faisaient paraître encore plus jeune.

« Si Kenji, qui a cinquante-deux ans, était l'amant de cette gamine, ce serait un fameux satyre ! Je n'y avais pas sérieusement réfléchi. Les femmes qui l'attirent sont d'une autre trempe, mûres, étoffées, provocantes, la dernière en date, Ninon de Maurée[1], possédait des appas à damner un saint... Qui est cette petite ? Sa filleule ? Sa fille ? Si c'est le cas, la mère doit être européenne. Sa fille ? Ridicule ! Il m'en aurait informé ! »

Il se sentait emprunté, redoutait de commettre un impair. Il jugea préférable d'aller droit au but.

— Bonjour, mademoiselle, je me présente : Victor Legris, je suis l'associé de...

— Ravie de vous voir, monsieur Legris. Parrain m'a souvent parlé de vous ! s'écria Iris.

— Ah ! Je croyais... Mlle Bontemps ignorait mon existence.

— C'est que parrain ne dit pas tout à tout le monde ! Il adore s'entourer de mystère. C'est sans doute à force de lire des romans. Moi j'en lis rarement, je ne m'encombre pas la tête de chimères. Le jour où je quitterai cette pension, je veillerai sur lui et je pourrai lui mettre du plomb dans la cervelle ! Il ne lui est rien arrivé de fâcheux, au moins ?

— Non, non, il se tourmente à votre sujet.

— Pourquoi ? Je me suis pourtant expliquée à propos de cette chaussure.

Victor lui tendit l'escarpin qui bosselait sa poche. Elle le prit avec une légère émotion qu'elle s'efforça de dissimuler. Ses doigts s'attardèrent sur les trous percés par les crocs de Berlaud.

1. Voir *La Disparue du Père-Lachaise*, 10/18, n° 3506.

— Oui, j'ai prêté la paire à ma condisciple Élisa, elle la voulait absolument bien qu'elle soit un peu large. C'est curieux qu'elle ait perdu un de ses souliers, elle est vraiment écervelée.

— Ce papier était glissé à l'intérieur.

— Je sais, j'ai eu l'idée de confectionner une semelle afin que la chaussure ne lui sorte pas du pied. Elle désirait être élégante et... Si j'avais su que cela occasionnerait tant de tracas...

Elle rougit, rendit l'escarpin à Victor qui devina qu'elle mentait.

— Où donc est votre amie ?

— Chez sa mère.

— Vous en êtes certaine ?

Il la dévisageait avec une telle insistance qu'elle se troubla.

— Oh ! Monsieur Legris, s'il vous plaît, ne le dites à personne ! Élisa a confiance en moi, elle m'a suppliée de l'aider, j'ai affirmé à Mlle Bontemps que sa mère avait téléphoné en son absence. Je lui ai raconté qu'elle était souffrante et que sa fille devait la rejoindre immédiatement. Mlle Bontemps m'a crue.

— Comment s'appelle-t-il ?

Elle le considéra avec étonnement.

— Comment s'appelle son amoureux ? reprit-il.

— Gaston. Il est très gentil, il est venu incognito à Trouville.

— Où habite-t-il ?

— Élisa ne m'a pas communiqué son adresse. Ça l'amuse d'aller chez lui parce que de sa chambre on entend hurler les loups.

— Les loups ?

— C'est ce qu'elle m'a dit. S'il vous plaît, monsieur Legris, il ne faut pas que parrain l'apprenne, il serait très fâché.

— Est-ce la première fois que vous lui servez d'alibi ?

— La deuxième. Elle m'a promis d'être de retour samedi.

— Samedi, c'est demain... Je serai discret, seulement si votre amie n'est pas de retour demain... Vos parents vivent à l'étranger?

On frappa, et, avant qu'Iris ait pu répondre, Mlle Bontemps fit une apparition froufroutante, chargée d'un service à thé.

— Iris, c'est l'heure de votre leçon de piano, Mlle Pluchard vous attend. Monsieur Legris, j'ai pensé que par ce temps humide une dégustation d'Earl Grey vous serait agréable, c'est M. Mori qui nous le commande à Londres.

Tandis qu'Iris prenait congé, elle emplit les tasses du breuvage bouillant et garnit une seconde soucoupe d'un assortiment de gâteaux. Agacé, Victor se retrouva les mains occupées, la bouche pleine, à côté de la maîtresse de maison qui s'était installée sur l'ottomane avec des mines affectées.

— Connaissez-vous les antécédents d'Élisa? M. Mori s'interroge, sa fréquentation est-elle une bonne chose pour sa filleule? parvint-il à mâchonner.

— La petite Fourchon! s'exclama Mlle Bontemps. Elle est charmante, ses camarades l'apprécient, je ne vois pas en quoi... Oui, je vous l'accorde, la mère est chanteuse, mais...

Victor avala péniblement une dernière bouchée et, appliquant un des proverbes de Kenji: « Quand le singe ne sait rien, il soutient le contraire, et très vite il sait tout », acquiesça d'un air de connivence.

— Oui, je vois, la cantatrice.

Mlle Bontemps s'esclaffa.

— Cantatrice? Quelle plaisanterie! L'*Eldorado* n'est pas l'Opéra, monsieur Legris, vous comparez un pain de ménage à un chou à la crème! Elle chante des « andalouseries ».

— Des quoi?

— Vous savez, ces romances mi-cavalières, mi-sentimentales où il est toujours question du beau ciel de l'Andalousie, des beaux yeux des brunes andalouses, et où le héros s'appelle toujours Pedro et l'héroïne Paquita.

— Et elle se produit sous le nom de Fourchon ?

— Non, bien sûr que non. Elle porte un nom de scène que je ne peux vous révéler, j'ai juré, secret professionnel, murmura Mlle Bontemps qui, d'un furtif balancement du bassin, se colla à la hanche de Victor. Un financier ? Non ? Tenez, goûtez ces gaufrettes à la menthe, un délice. Ah ! le sucre, c'est si bon ! Je suis incapable d'y résister, il faudrait me ligoter. Zut ! Je cède, dit-elle en engouffrant trois gaufrettes coup sur coup. À défaut de vous dévoiler le pseudonyme de Mme Fourchon, je pourrais vous laisser deviner mon prénom. Ce *C*. sur ma plaque ne vous intrigue-t-il pas ? Que cache-t-il, monsieur Legris ? Camille ? Charlotte ? Célestine ? Vous donnez votre langue au chat ?... Corymbe ! Cela vous plaît-il ?

— Énormément, dit Victor en s'écartant imperceptiblement. Il est digne d'une tragédienne. Je suppose que celui de Mme Fourchon est beaucoup plus banal.

— Il ne prétend certes pas rivaliser avec le mien. Remarquez, si on y regarde attentivement, il est bien fleuri et il crève l'affiche, ajouta-t-elle avec un sourire enjôleur. Curieux, notre conversation à propos de cette dame et sa fille. Je vais perdre une pensionnaire, Élisa nous quitte, sa mère a décidé de la récupérer. J'ai reçu ce matin une lettre m'annonçant la mauvaise nouvelle. Ah ! La vie n'épargne guère les femmes seules, monsieur Legris, il est si difficile de joindre les deux bouts.

Elle soupira, se gonfla comme une montgolfière. C'en fut trop, Victor se leva. Désolée devant son empressement à s'en aller, Mlle Bontemps l'accompagna jusqu'au perron. Il avait déjà atteint les grilles du jardin quand elle le rattrapa en se dandinant.

— La canne de M. Mori ! Vous alliez l'oublier !

Empêtré de deux cannes, il fila vers la mairie, réconforté et déçu. Puisque Élisa était chez sa mère, l'épisode échafaudé par Joseph au sujet de la morte du carrefour des Écrasés s'écroulait. Il se moqua de sa propension à bâtir des romans et s'immobilisa au milieu de la chaussée : la femme vitriolée était pieds nus, le journal n'avait pas mentionné d'âge. Élisa avait égaré une de ses chaussures. Simple coïncidence peut-être... Iris avait cité un certain Gaston. Pouvait-il se fier à elle, qui avouait avoir menti ? Au-delà des faits, ce qui intriguait le plus Victor était l'attitude de Kenji. Pourquoi séquestrait-il cette soi-disant filleule à Saint-Mandé ?

De retour à la librairie, Victor regroupa les chaises abandonnées par les membres des Amis du Paris disparu. Ces messieurs étaient allés se rafraîchir le gosier en compagnie de Kenji au *Temps perdu.* Il dut attendre que Joseph ait fini de conclure la vente des dix in-douze des *Contes* de Boccace publiés en 1779 à Londres avant de satisfaire sa curiosité.

— Cet homme qui est venu hier déposer le fameux escarpin, qu'a-t-il dit exactement ?

— L'énergumène ? Alors là, patron, vous avez de la chance, parce que, après son départ, j'ai pris des notes dans mon calepin... J'y suis : son chien avait volé de la bidoche à des lions. À mon avis, qui dit lions dit cirque. Je lui ai demandé où il habitait, il a répondu ruelle des Culettes à deux pas de la rue Croule machin chose.

— Bravo ! C'est d'une précision ! Totalement incohérent.

— C'est tout de même pas ma faute si M. Mori m'a interrompu avec son fiacre et si j'ai perdu le fil ! Quant à l'identité du bonhomme, je suis positif, c'est Grégoire Mercier, il a dit que rue Croule machin on le connaissait comme le loup blanc.

— Le loup blanc... répéta Victor, songeant aux paroles d'Iris : « De sa chambre on entend hurler les loups. »

— Patron... Vous avez déniché quelque chose, rapport à la chaussure ?

— Non, rien d'important, lança Victor en gravissant l'escalier.

— C'est ça, surtout ne me remercie pas, pique-moi mes informations et sers-t'en pour jouer au limier ! Bon, parfait, tu l'auras voulu, plus muet qu'une carpe, je serai ! grogna Jojo qui trahit aussitôt son serment lorsque Victor cria :

— Auriez-vous par hasard croisé l'indicateur des rues de Paris ?

— Sur le bureau de M. Mori !

Rue Croulebarbe, ruelle des Reculettes, XIIIe arrondissement, quartier de la Bièvre, localisa sans mal Victor, qui, guilleret, dévala les marches en sifflotant. Ignorant délibérément la mine maussade de Joseph, il s'enquit avec bienveillance des progrès de son livre, *Amour et sang*.

— Je vous l'ai déjà dit, mais je dois parler en bas relief parce que visiblement vous ne m'entendez pas : j'ai renoncé à ce projet.

— C'est dommage de laisser tomber, vous devriez vous astreindre à poursuivre vos efforts.

— C'est ça, dites que j'ai les côtes en long ! C'est mon choix, j'ai mes raisons. Et je ne vois pas pourquoi je vous les dirais, mes raisons, puisque vous me taisez les vôtres !

Victor s'apprêtait à lui demander si cette panne d'inspiration était liée au mariage de Valentine de Salignac, quand Kenji poussa la porte de la librairie. Avec un léger signe de tête à l'adresse de Victor, il rappela à Joseph qu'il devait effectuer une livraison, et alla s'asseoir à son bureau où s'empilaient des fiches destinées à la rédaction d'un catalogue. Victor alluma un cigare et expira une bouffée bleutée. Qu'avait consigné Joseph ?

« Ah, oui ! Un chien qui volait de la viande à des

lions. Des lions, des loups qui hurlent... Existe-t-il une corrélation entre ces deux faits ? »

— Où y a-t-il des lions et des loups à Paris ?

— Au Jardin des Plantes, répondit Kenji, le nez enfoui dans un mouchoir. Auriez-vous l'intention de pratiquer l'élevage intensif ? Si vous êtes aussi assidu en ce domaine qu'en celui de la librairie, vous ferez faillite. Ne pouvez-vous fumer dehors ?

— Quelle mouche vous a piqués pour que Joseph et vous renaudiez contre moi ? Puisqu'il en est ainsi, je vous libère de ma présence.

Victor serra les pans de sa redingote pour protéger du crachin son Photo-Secret qu'il avait emporté afin de se donner une contenance. Il dépassa l'hôtel de la Reine-Blanche. Au début de la rue des Gobelins, après avoir descendu un escalier vermoulu, il dut s'arrêter, pris à la gorge par des effluves d'ammoniaque. Il bloqua sa respiration et atteignit un quai étroit où, penché au-dessus d'un garde-fou, il contempla la Bièvre, fief des tanneurs et des teinturiers. Le jaune, le vert, le rouge se mêlaient au courant, s'aggloméraient en un brouet chocolat, crevé çà et là de bulles glauques. L'eau luisait de mouchetures mordorées, semblables à l'huile de poisson soufflée en guise d'yeux à la surface de leur bouillon aveugle par les gargotiers de Maubert. Écœuré, il se tourna vers un bâtiment rapiécé aux murs zébrés d'inscriptions au couteau. Un cœur transpercé d'une flèche semblait le sommer de s'éloigner à gauche.

Il obéit sans discuter et enfila le passage Moret : un assemblage disparate d'habitations branlantes aux balcons de bois évoquant vaguement l'Espagne. Un peuple besogneux s'activait sous des hangars où, pendues à des cordes, séchaient les peaux de bêtes écorchées. Des chiens et des chats faméliques rôdaient sur les pavés humides, détalant à l'approche de charrettes ou de groupes de corroyeurs.

Le long de la berge sinueuse, des blanchisseuses avaient installé leurs tonneaux au ras de la rivière et chantaient en battant leurs chemises. Des gamins faisaient des ricochets, l'un d'eux, muni d'un bâton au bout duquel il avait noué une ficelle, prétendait pêcher. Victor s'interrogea sur l'aspect qu'aurait un poisson ayant survécu à ce ruisseau méphitique. Instinctivement, il voulut déballer son appareil, photographier les mioches, mais se ravisa, honteux, et s'intéressa au pêcheur. Sale et dépenaillé, il n'avait guère plus de six ans. Ses vêtements trop amples accentuaient son aspect chétif.

— Ça mord?

— Pas bezef. J'ai tout de même dégoté ça, dit le gosse en exhibant un hareng saur.

— Tu es sûr que tu l'as pêché? demanda Victor, amusé.

— Chut, j'l'ai piqué à la mère Guédon pendant qu'elle r'tapait son matelas, j'ai sauté la fenêtre de sa cuisine, pas vu pas pris.

Un matou borgne vint mendier en miaulant.

— Tu peux t'fouiller, Gambetta, ce n'est pas pour les chats, c'est pour Gustin.

— C'est ton prénom? Dis-moi, Gustin, aimerais-tu gagner vingt sous?

— Je veux! s'écria le gosse en coulant un regard sournois du côté des blanchisseuses.

— Y a-t-il un chevrier par ici?

— Et comment! Le père Mercier! Il perche à deux rues.

— Montre-moi le chemin.

Ils traversèrent resserres à cuir et peausseries, contournèrent des machines à vapeur, imprimant leurs traces sur un tapis de poussière rousse, butant sur des mottes de tan qui exhalaient des relents acides. Parfois, les fabriques laissaient la place à des coins ombragés de saules, et Victor oubliait l'impression morbide qui l'oppressait. Ils parvinrent ruelle des Reculettes, où il fut soulagé de découvrir des bicoques presque champêtres accolées aux taudis ouvriers.

— C'est là, où qu'y a marqué « Cordonnier ». Faut que j'me grouille, j'dois aider mes frangins à tanner une peau d'vache, si j'traînasse mon père va me tailler les oreilles en pointe, c'est son jour de boire !

— Tiens, dit Victor en tendant une pièce au gamin, qui fila, pila net.

— Mince, une roue de derrière !

Il voulut demander à l'homme s'il n'avait pas commis une erreur, mais Victor s'était déjà engagé sous le porche.

« Une odeur chasse l'autre », se dit Victor en se calant sur le tabouret offert par Grégoire Mercier. Sa blouse, ses pantalons serrés dans des houseaux de cuir, ses sabots n'avaient rien de parisien, et tandis qu'il changeait la litière de ses chèvres sagement alignées, Victor se croyait transporté par magie au cœur de la campagne beauceronne.

— J'arrive, monsieur, me v'là, fichu méquier, chaque jour que l'bon Guieu fait, j'trime pire qu'un cheval. Mon picotin j'l'empoche grâce au lait de mes chèvres, c'est de braves bêtes. Couché, Berlaud ! Alors c'est vous le libraire en chef ? J'ai d'abord cru que vous veniez pour la récompense. Moi, j'ai pas plus à vous apprendre que c'que j'ai déjà conté à votre commis.

— Une précision : le lieu où votre chien a ramassé la chaussure, serait-ce le Jardin des Plantes ?

Grégoire Mercier fronça les sourcils, son front enfantin se stria de rides.

— Ça m'ennuie un peu de vous le dire, vu qu'les chiens y sont interdits de séjour, marmonna-t-il en caressant rudement la tête de Berlaud.

— Soyez sans crainte, personne ne le saura.

— Ben, d'accord, ma tournée passe à c't'endroit-là,

rapport à mon cousin et pays, Basile, Basile Popêche, qu'a des calculs aux reins et à qui je fournis le lait de Pulchérie. Vous voyez la deuxième à droite, celle qu'est blanche avec une barbiche noire ? Elle a le berdouille aussi gonflé qu'une andouille à cause qu'elle attend un pequiot, j'mélange à son foin de l'aubier de tilleul et j'obtiens un lait diurétique.

— Oh ! C'est avec ce genre de panacée que vous soignez les gens ? Vos bêtes sont en quelque sorte une pharmacie ambulante. Et c'est efficace ? demanda Victor, sceptique.

— Renseignez-vous auprès de mes pratiques, vous verrez. En tout cas, faut éviter qu'on sache que l'pauvre Basile est malade, il risquerait de perdre son emploi qu'est déjà payé avec un lance-pierre. Il est préposé à la galerie des animaux féroces. C'est un boulot pénible, monsieur, les gens n'en ont aucune idée. Moi, mes biquettes c'est du nanan si on compare. Le malheureux Popêche et son collègue doivent s'occuper d'une centaine de carnassiers logés dans soixante-quinze cabanes sans compter les trois fosses aux ours. Sainte Viarge, ça fait un de ces boucans, on en a les esgourdes assoties ! Tous les jours faut laver les parquets à grande eau, les reins en prennent un sacré coup. Et pis moi, ça m'fait mal de voir ces misérables bêtes encagées jusqu'à leur vieuture. Au moins, mes biquettes, elles vont en ville, et pendant la froidure j'leur attache une couverture autour du...

— À quel moment étiez-vous au Jardin des Plantes ?

— Hier, entre le quai de la Tournelle et le marché aux chevaux. Il devait être dix, onze heures. J'ai des horaires, monsieur, oh ! C'est mieux que l'armée, seulement si j'veux garder mes clients, faut turbiner. Les alouettes vous tombent pas rôties dans le bec, hein ! La chaussure, Berlaud a dû la dégoter près du Jardin des Plantes. Ce chien-là c'est une vraie praline avec les chèvres, alors j'tolère ses lubies, quand ça l'tenaille de filocher, j'ai beau l'subler tant et plus, y renacle à rev'nir.

— Le subler ?

— Le siffler, quoi. Ah, ma vieille girouette, tu m'en fais baver, mais l'jour où tu vas dételer, tu vas bien me manquer ! marmotta-t-il en gratouillant les oreilles de Berlaud qui ferma les paupières de contentement.

Après avoir quitté le chevrier, Victor se dit qu'il aurait dû lui laisser une pièce, mais il n'eut pas le courage de remonter. Il griffonna sur un bout de papier :

Basile Popêche, fauverie du Jardin des Plantes.

Il pourrait questionner cet homme si cela s'avérait nécessaire.

La pluie avait cessé. En repassant rue Croulebarbe, il chercha vainement le petit Gustin. Il ne vit que des groupes d'apprentis, affairés à plonger des peaux au fond de cuves contenant de l'alun, ou à les racler sur des planches fixées sur des tréteaux. S'il voulait mener sérieusement son projet concernant le travail des enfants, il lui faudrait revenir un matin où la lumière serait bonne.

La Bièvre s'enfonçait sous le boulevard Arago. Victor attrapa l'avenue des Gobelins, bifurqua rue Monge. Une plaque retint son attention : « Impasse de la Photographie. » Un présage. Favorable ou défavorable ? Il choisit d'en sourire, mais il demeurait inquiet à propos de la femme étranglée carrefour des Écrasés, et de la petite Élisa. Il ajouta sur le papier où il avait noté le nom de Basile Popêche :

Eldorado. Mme Fourchon y chante, elle a un nom bien fleuri qui crève l'affiche.

CHAPITRE IV

Samedi 14 novembre

« Le vitriol, ce redoutable acide sulfurique, est l'agent indispensable du progrès scientifique et industriel, sans lui la chimie n'existerait pas. C'est également l'instrument de vengeances féroces et l'arme favorite des lâches. Mais pourquoi l'inconnue du carrefour des Écrasés, morte par strangulation, a-t-elle été vitriolée ? Est-ce un crime passionnel ? Comme d'habitude, l'inspecteur Lecacheur fouine à son rythme, piane-piane. Pourtant nous nous posons des questions. Non loin du corps abandonné sur la chaussée, on a retrouvé un fiacre en divagation. »

Jojo interrompit sa lecture de l'article du *Passepartout* et tenta de deviner l'identité du journaliste.

— Je me demande qui signe ses reportages du pseudonyme de Virus. Peut-être est-ce M. Isidore Gouvier ?

Victor écoutait d'une oreille. Il étudiait un catalogue, cochant les titres des livres qu'il espérait acquérir à l'hôtel des ventes. Parallèlement, une autre partie de son esprit lui soufflait qu'Élisa devait probablement se trouver au domicile de sa mère. Impossible de s'en assurer, son fiacre arrivait.

Un paquet sous le bras, Victor quitta la salle où s'était vendue la bibliothèque d'Hilaire de Kermarec, cousin du célèbre antiquaire de la rue de Tournon. Il parcourut le premier étage, réservé aux enchères importantes, traversa le rez-de-chaussée dévolu aux liquidations après décès et à l'adjudication des fonds de magasins. La cour était envahie d'objets hétéroclites. Il erra dans les dédales d'outillages d'artisans et de minables mobiliers d'ouvriers insolvables, que se disputaient à bas prix des revendeurs du quartier du Temple ou des ferrailleurs de la rue de Lappe : commodes à quatre francs, lots de vaisselle à vingt sous, vêtements d'hommes, de femmes, draps, édredons, couvertures, polochons, bric-à-brac touchant dont la vue lui serra le cœur.

Rue Drouot, il hésita. En marchant d'un bon pas il atteindrait le boulevard de Strasbourg en quinze, vingt minutes. Cela lui laissait le loisir de déjeuner sur le pouce. Téléphoner à Kenji d'une cabine afin de l'avertir que l'achat du Montaigne était conclu ?

« Qu'il patiente, ça lui apprendra à enterrer une ravissante filleule à l'orée du bois de Vincennes, et à me faire grise mine depuis deux jours ! »

Ballotté par le flot des employés de banque et de compagnies d'assurances qui déboulaient des rues de Provence et de la Grange-Batelière, il se laissa entraîner vers un bouillon du faubourg Montmartre. Là, au milieu d'un va-et-vient qui créait un courant d'air permanent, il s'assit à une table au marbre parsemé de grains de sucre et de miettes, vite expédiés au sol par le torchon nerveux d'un serveur. Une carte graisseuse proposait un menu à un franc vingt-cinq : marengo, camembert, pruneaux, qu'il avala rapidement, goûtant à peine au vin râpeux. Il alla siroter un café dans un bar où la patronne maniait sans répit la verseuse d'une chaudière de cuivre au-dessus d'une escouade de tasses. Au-delà des vitres embuées défilait la masse des passants. Victor s'interrogeait :

« Combien de criminels en puissance parmi ces ombres dansant autour de la ville ? »

Non loin de la mairie du IXe, il s'arrêta au pied de la façade exiguë du *Figaro* et entra. Il flâna dans la salle des dépêches où étaient exposés les portraits de personnalités en vogue, le cours de la Bourse, les événements politiques marquants et les faits divers sanglants. Il n'eut aucune difficulté à découvrir, à côté du général Boulanger suicidé sur la tombe de sa maîtresse, la reconstitution du drame.

L'ODIEUX ASSASSINAT DU CARREFOUR DES ÉCRASÉS.

Des curieux s'agglutinaient devant le dessin très réaliste d'une femme défigurée, et commentaient l'affaire avec une excitation malsaine qui lui rappela celle des badauds de la morgue. Il s'empressa de fuir.

Lorsque du boulevard Montmartre il passa boulevard Poissonnière, il ne put s'empêcher de marquer une pause. Le carrefour des Écrasés avait-il été baptisé ainsi parce que la maladresse des cochers et l'audace des piétons y provoquaient davantage d'accidents qu'ailleurs ? Quoi qu'il en soit, depuis la veille ce nom lugubre prenait une autre résonance. Victor avisa une file de fiacres rangés au bord du trottoir. Les chevaux, un sac de picotin pendu à leur licou, profitaient du répit pour casser la graine. Les cochers échangeaient des gaudrioles.

— Vous savez où gisait le cadavre ? demanda-t-il à l'un d'eux.

— Vous êtes le trentième au moins depuis c'matin, si ça continue j'vais m'faire payer ! Vous voyez le municipal à la panse en baquet, celui qui monte la garde au coin de la boutique du bottier qu'on dirait un cador couvant son os ? Eh ben, c'est là ! Mais j'vous préviens, y-z-ont nettoyé, y a plus une goutte d'acide !

Victor s'éloigna, accompagné du rire gras des cochers, en se disant que rien ne l'autorisait à mépriser le populo avide de sang, lui qui se passionnait pour les forfaits irrésolus.

Boulevard Bonne-Nouvelle, deux percherons pie aux naseaux fumants peinaient à tirer l'omnibus Madeleine-Bastille. Le martèlement des sabots, le fracas des roues, les harangues des joueurs de bonneteau lui brisaient les tympans. Il prétendit s'intéresser à la vitrine d'un chapelier anglais, fit quelques pas puis s'immobilisa en face d'une colonne Morris émaillée d'affiches. Les cycles Papillon, la lessiveuse Soleil, le vin Mariani menaçaient de leurs couleurs criardes les publicités théâtrales. Jaune, rouge, noire, blanche, les éclipsant toutes par sa rigueur presque japonaise et la vigueur de sa facture, l'affiche du bal du Moulin-Rouge attirait l'œil. Elle était signée d'un certain Hautrec, à moins que ce ne fût Lautrec. On y voyait de profil un homme en grisaille, très maigre, coiffé d'un tube, le nez proéminent, le menton en galoche. Une femme blonde en corsage à pois, jupons retroussés, révélait ses bas noirs dans un chahut endiablé. « La Goulue », lisait-on. À l'arrière-plan, en ombres chinoises, se découpaient des silhouettes d'hommes et de femmes. Victor frissonna, il y avait une étrange similitude entre ces spectateurs sans visage et les passants anonymes qui piétinaient tout à l'heure derrière la vitre du bar.

— Ça, c'est tapé ! s'exclama un jeune homme, fasciné par les mollets de la danseuse.

Victor repartit. Sur le terre-plein du théâtre du Gymnase, des nourrices aux bonnets ruchés secouaient des landaus à capote de moleskine où s'agitaient des nourrissons. Un instant, il visualisa Tasha, dorlotant un bébé, haussa les épaules en souriant.

« Tu as amplement le temps de t'encombrer d'une famille ! » se dit-il en tournant boulevard de Strasbourg.

Orné de fenêtres à meneaux encadrées de colonnes, l'*Eldorado* tentait de préserver sa splendeur Second Empire, époque où la chanteuse Thérésa, la créatrice de *Rien n'est sacré pour un sapeur !*... s'y produisait en vedette. La concurrence était rude dans ce quartier envahi de cafés-concerts. Victor détailla le placard qui annonçait le programme :

MM.	Kam-Hill	Places
	Vanel	75 centimes
	Plébins	1 franc
Mmes	Bonnaire	Loges
	Duffay	2,50 francs
	Holda	

NOÉMI GERFLEUR

Vraiment facile à repérer, ce nom bien fleuri ! Satisfait, il décida de revenir en soirée.

Accoudé au comptoir, Jojo, bénéficiant d'un moment d'accalmie, noircissait une page de son carnet à toute allure. Il avait eu une idée de génie, un de ces éclairs qu'il convient de noter aussitôt de peur qu'il soit englouti par le fleuve Léthé. Il allait écrire un feuilleton inspiré de la découverte d'une femme en rouge étranglée et vitriolée sur les Boulevards. Il l'intitulerait *Sang et trahison.* Mais une fois tracée l'atmosphère générale du récit, il eut beau mouiller de salive son crayon, l'inspiration lui fit défaut.

Au tintement du carillon, Kenji s'arracha à ses fiches et grommela « Enfin ! » en voyant s'avancer Victor.

— Excusez mon retard, j'ai déjeuné dehors.

— Vous l'avez eu ?

Victor lui tendit un paquet. Il l'ouvrit et en tira *Les Essais de Michel, seigneur de Montaigne,* cinquième édition, un in-quarto en maroquin citron daté de 1588.

— Combien ?

— Quatre mille neuf cents francs.

— Un peu cher, mais le duc de Frioul n'est pas homme à lésiner. Et le Clément Marot ?

— Il est mis aux enchères cet après-midi, avec de la chance je devrais l'emporter pour trois mille francs. Ça marche ?

— Vous avez carte blanche.

Les traits détendus, l'ébauche d'un sourire aux lèvres, Kenji exprimait une jovialité peu fréquente chez lui ces dernières semaines.

— Êtes-vous content de votre associé ? demanda Victor.

— Assez content.

— Est-ce là tout ?

— Approuver d'un regard vaut mieux que flatter d'un discours. Joseph, servez-nous du saké.

Le ciel empaquetait la ville d'un voile liquide. La chambre ressemblait à une grotte, imperceptiblement envahie d'ombres qui noyaient les meubles, ternissaient les rayures du papier peint. Allongé sur le lit, l'homme percevait des rumeurs à demi étouffées par les omnibus et les fiacres ferraillant. Il alluma la lampe à pétrole. Les vagissements d'un bébé derrière la cloison le chassèrent vers le cabinet de toilette, il en revint avec une bouteille de rhum et un verre, c'était ce qu'il lui fallait pour apaiser la tension, l'aider à démêler le réel de l'imaginaire. La première gorgée lui brûla la gorge, la seconde lui réchauffa le ventre, il se sentit ravigoté. L'alcool tempérait sa colère, lui permettait d'envisager clairement ce qui lui restait encore à accomplir. Se discipliner, refréner sa haine, son impatience, comme cela lui avait coûté ! Il ne s'était accordé aucun écart. Ce bras de fer avec lui-même avait payé puisqu'il était sur le point de parvenir à ses fins. Il irait jusqu'au bout. Il vida son verre, contempla longuement la bouteille. Non, il devait conserver sa lucidité.

Il alla se rincer la bouche avec une solution à la menthe, effila sa moustache et lissa soigneusement ses favoris grisonnants. Il avait l'impression d'avoir enfin émergé d'une interminable torpeur. Au diable l'inertie ! Bientôt, tout serait consommé, elle aurait expié pour les cinq années de souffrance et de solitude qu'elle lui avait infligées. Il s'assit à la table. Il avait toujours pris soin de ne pas se compromettre, personne ne le soupçonnerait. Le seul témoin de ses méfaits marinait désormais dans un tonneau de piquette dont il ignorerait à jamais la teneur en alcool.

— Ma vie recommence, murmura-t-il.

Il sourit en considérant les boîtes de bristols et les enveloppes.

— Il ne faut pas que je dévie d'un millimètre, je suis un veinard, tout a fonctionné ric-rac. S'ils ont du flair et deux sous de jugeote, les enquêteurs fonceront droit sur la route que je vais leur tracer.

Rassuré par le son de sa voix, il déplia un plan de Paris, lissa les Ve, IXe et XVIIIe arrondissements, il y avait coché plusieurs magasins de fleuristes d'où il lui faisait livrer des douzaines de roses rouges depuis huit jours. C'était le 16 novembre 1886 qu'elle l'avait grugé, congédié, humilié, la salope ! Après-demain, il lui souhaiterait un bon anniversaire. Un fleuriste différent à chaque envoi, commander, dégager, se fondre dans l'anonymat aux mille visages... Qui le démasquerait ? Aujourd'hui, il choisirait une boutique de la rue Auber, elle recevrait la gerbe à sa sortie de scène, elle y plongerait le nez, flattée. Puis elle verrait la carte.

Il s'habilla, se munit de bristols et d'enveloppes. Il ne savait trop de quelle façon il allait tourner son poulet, l'inspiration lui viendrait en marchant. Il consulta sa montre : dix-huit heures quinze. Il inspecta la rue. Deux domestiques papotaient sous une porte cochère. Une gamine sautait à cloche-pied le long du caniveau, un pain de quatre livres pressé contre son cœur. Il bruinait. Il rabattit son chapeau sur son front, releva le col de son pardessus gris. Il faudrait penser à faire ôter ces taches de la manche. Il descendit la rue et ne prêta nulle attention au petit homme rondouillard à la barbe drue, en redingote élimée et melon râpé, embusqué à l'angle d'une crémerie.

Rue Auber :

English taylor. American optician. Telegraph and cable office. Transport entre les cinq parties du monde.

Le quartier cosmopolite de la capitale grouillait d'une multitude effervescente : grisettes, commis de nouveautés, comptables se ruant à l'assaut des omnibus. L'homme au pardessus gris bousculait les groupes sans ralentir. Il poussa la porte à tambour d'une agence de voyages. Des clients bien mis, assis dans des fauteuils clubs, rédigeaient leur courrier sur des bureaux à tapis vert, à la lueur de globes bleutés. Au fond de la salle, un paquebot modèle réduit invitait à l'évasion. L'homme s'approcha d'un présentoir, feuilleta distraitement un catalogue de compagnie maritime, et quand un fauteuil se libéra alla s'installer face à un encrier de métal. Posant bristols et enveloppes devant lui, il mordilla son porte-plume puis écrivit d'un trait :

À la môme Bijou, baronne de Saint-Meslin. En souvenir de Lyon, ces quelques roses Rubis. Hommages d'une vieille relation.

Au moment d'apposer sa signature, il se concentra et traça en belles rondes : *A. Prévost.* Il glissa le bristol dans une enveloppe où il inscrivit le nom de la destinataire :

Mme Noémi Gerfleur
Théâtre de l'Eldorado
Boulevard de Strasbourg

Collé à la vitrine de l'agence, le petit homme rondouillard, indifférent à la pluie, feignait d'étudier les tarifs des dépliants colorés. Ses yeux à fleur de tête étaient si délavés qu'on les aurait cru aveugles, pourtant ils demeuraient rivés au dos de l'homme au pardessus gris en train de cacheter une enveloppe. Celui-ci abandonna son fauteuil et aborda la rue Caumartin, suivi de loin par le petit homme qui sautillait comme un moineau pour se dépêtrer de la foule. Ils dépassèrent un salon de thé vivement éclairé où des Cinghalais à chignon et jupe de toile blanche évoluaient avec souplesse autour des tables de rotin occupées par des élégantes. Le pardessus gris s'engouffra chez un fleuriste. Adossé à une fontaine Wallace, le petit homme le vit désigner des roses rouges à la vendeuse, lui tendre une enveloppe et un billet avant de sortir. Il attendit qu'il se soit suffisamment éloigné de la boutique et y pénétra à son tour.

Le Marot en poche, Victor dîna dans une brasserie enfumée décorée de vitraux. Lorsqu'il quitta ce temple voué à la mastication de viandes filandreuses et à la consommation d'alcools frelatés, il aperçut le cadran scintillant d'une horloge pneumatique marquant dix-neuf heures trente. Le spectacle débutait à vingt heures.

Le boulevard en ribote montait à l'abordage des lieux de plaisir rutilants de lumière. Des enseignes étincelaient : chope en faux col, fourchette argentée, boules de billard rouges et vertes. Des milliers de semelles raclaient les trottoirs cirés de pluie, des bustes se penchaient aux portières des fiacres. Immobilisé au milieu de voitures-réclames et de tapissières, un coupé de maître parvint à se faufiler et fit gicler sur les piétons l'eau boueuse du caniveau.

La façade rutilante de l'*Eldorado*, illuminée à l'électricité, refoulait la nuit. Un auditoire hétéroclite rejoignait le promenoir : bourgeois en famille, demoiselles de magasin, ouvriers, étudiants. Alors qu'il allait atteindre le guichet, Victor reconnut Stanislas et Blanche de Cambrésis, lui grand et ventripotent, en frac, elle un peu moins maigre que d'habitude sous ses fourrures, venus se commettre parmi le peuple. Il n'eut que le temps de grimper au poulailler où il accéda non sans peine au deuxième rang.

Si quelques minutes plus tôt il grelottait, transpercé par le crachin, il ne tarda pas à étouffer à mesure que la salle s'emplissait. Il observa le rez-de-chaussée où les baignoires entouraient les fauteuils d'orchestre. Au premier balcon, les habits et les toilettes chics dominaient encore. Dès le second, les tenues se relâchaient. Au poulailler, on se mettait à l'aise, les hommes en galure ou casquette tombaient la veste et roulaient leurs manches de chemise.

À la droite de Victor vint se caser une matrone tenant un bébé aux pommettes cramoisies, tandis qu'à sa gauche, sur le strapontin, s'asseyait une fille en cheveux vêtue d'un caraco de pilou et d'une robe garnie de broderies qui se mit à lui lancer des œillades insistantes.

— C'est la première fois qu'j'entre au beuglant, susurra-t-elle en se tortillant. C'est pas d'chance, mon bon ami devait m'accompagner, il a été retenu à la caserne. Vous avez le programme ?

Il secoua la tête d'un air renfrogné. Une odeur de cigare, de gaz et de sueur rendait l'atmosphère suffocante. Le parfum au muguet dont la fille s'était inondée n'arrangeait rien. Un instant, il eut envie de se sauver, mais il renonça à fendre les travées.

— Je l'ai si vous voulez, dit la femme au poupon en tendant une mince brochure à quinze centimes.

La fille remercia. Du coin de l'œil Victor remarqua une réclame vantant les vertus curatives du Samo-coca-kola, à côté d'un cartouche orné d'arabesques encadrant un nom : Noémi Gerfleur.

— C'est surtout pour la Gerfleur que j'suis v'nue, on dit que c'est la coqueluche du public. Tout d'même, c'est dommage qu'y ait pas Jeanne Bloch, y paraît qu'elle est tordante quand elle joue le colonel Ronchonnot ! dit la fille à la femme, qui répondit :

— Moi je l'ai vue, la maréchale du caf' conc', toujours prête à aller au feu ! Cent dix kilos, ça l'empêche pas d'interpréter les tendrons. Tanagradouble, qu'on la surnomme, parce qu'elle est aussi large que haute. Même qu'un soir, son partenaire arrivait pas à l'enlacer, quelqu'un lui a gueulé : « Fais deux voyages ! »

À l'orchestre, les spectateurs hélaient des garçons sapés en croque-morts qui leur servaient un bock ou une cerise à l'eau-de-vie. Posés sur des tablettes fixées au dossier des fauteuils, les verres se renversaient parfois sur un quidam essayant de gagner sa place. Des interjections fusaient, l'impatience montait.

— Commencez, commencez ! scandèrent des voix pendant que des pieds martelaient le sol en cadence.

— Levez-le, ce foutu torchon ! hurla un gavroche au poulailler.

Comme s'ils n'avaient attendu que cette injonction, les globes brûlant au gaz s'éteignirent doucement, le rideau s'ouvrit et sur la scène s'avança au son martial d'un clairon un comique troupier en uniforme de fantaisie : dolman caca d'oie, pantalon garance et shako. Il se planta devant le trou du souffleur et débita d'un timbre presque inaudible *Les Godillots du tringlot*. Les spectateurs ne tardèrent pas à manifester leur mécontentement. Des noyaux de cerises bombardèrent le malheureux chanteur qui se replia prudemment vers la coulisse. Il fut aussitôt remplacé par un paysan aux vêtements étriqués et au nœud papillon énorme qui entama une scie célèbre reprise en chœur par la salle :

> *Qui c'est qui prend du chocolat ?*
> *C'est papa !*
> *Qui qui boit son p'tit vin blanc ?*
> *C'est maman !*

Du gruyère du frère aux petits pains au beurre de la sœur, le menu entier défila et Victor regretta amèrement de n'avoir pas de coton pour se boucher les oreilles. Il fut soulagé lorsque surgit un Roméo à la moustache affriolante et au phrasé roucoulant dont le répertoire était exclusivement consacré au plus ineffable des mystères : l'Amour. C'est ainsi que la salle eut droit aux *Clochettes de l'amour,* et à *L'Amour en première classe.*

Le diseur qui prit le relais eût sans doute réussi à endormir Victor, si son entourage ne s'était soudain senti tenaillé par une irrépressible appétence de manger et de boire, probablement pour noyer l'émotion due à un trop-plein de poésie. Deux nouveaux fumets vinrent donc s'ajouter au remugle de tabac et de chairs moites : l'ail et le verjus. La fille en cheveux sortit de son sac un saucisson et en proposa une rondelle à Victor qui refusa poliment, une chopine fut offerte par la nourrice, les mâchoires se mirent en branle au rythme des mauvais alexandrins hachés d'un ton bêlant.

— Vous savez quoi ? baragouina la fille entre deux bouchées. Ben c'type-là y pourrait faire de la réclame pour une marque de cirage, il a teint tous ses poils au noir de fumée !

— Silence, voilà Kam-Hill ! lança la femme au bébé.

Un homme à gilet de flanelle, habit rouge, culotte et bas de soie, gants blancs et chapeau claque fit une entrée acclamée. Les spectateurs trépignaient, ceux du parterre frappaient leurs verres de leurs cuillers, le pianiste s'affolait. Victor voulut éprouver sa force de concentration et, les yeux clos, s'imagina au concert, bercé par les accords mélancoliques de Schumann. Hélas, la *Gigue des culs-de-jatte* l'emporta haut la main. Il dut ronger son frein jusqu'à l'entracte avant de pouvoir aspirer une bouffée d'air tiédasse au promenoir. Quand il revint, la fille en cheveux qui avait ôté son caraco et exhibait un décolleté plongeant occupait son siège près de la nourrice afin d'échanger des impressions artistiques. Victor la pria de ne pas se déranger.

— Oh, r'gardez, à l'orchestre, vous voyez ce lourdaud tuyauté ? L'Indicateur des grues de Paris, c'est son sobriquet ! cria la fille.

— Et cet autre-là, qui r'semble à un épileptique, c'est Gare aux poches, un champion d'l'esbroufe. Il vous déleste d'votre porte-morlingue plus vite que les violons, reprit la femme au bébé.

Fermement résolu à somnoler, Victor se tassa sur son strapontin, mais les accents guerriers d'une chanteuse patriotique coiffée de deux larges oreilles alsaciennes éveillèrent brutalement le bébé, qui se mit à pousser des braillements indignés. Tandis que l'Alsacienne haussait le ton et clamait :

> *Va, passe ton chemin, ma mamelle est française,*
> *[...]*
> *Je ne vends pas mon lait au fils d'un Allemand*

la matrone dégrafa son corsage, dévoilant une poitrine opulente dont la seule vue apaisa illico le nourrisson.

Enfin parut celle que tous réclamaient, la vedette, Noémi Gerfleur.

— Elle fait dans le genre gommeuse excentrique, expliqua la fille en cheveux.

— On dirait plutôt un demi-castor[1], rectifia la nourrice.

La Gerfleur affectionnait le costume pseudo-espagnol. Sous son immense chapeau, elle arborait une perruque à boucles noires et un maquillage agressif. Des bracelets et des pendentifs miroitaient à chacun de ses pas. La mantille couvrant ses épaules lui permettait de les dénuder tout en contorsionnant sa croupe et en jetant parfois au premier rang des fauteuils une rose qu'elle tirait d'un panier. Le reste du temps, elle maniait avec rage de son bras à gant mi-long un éventail de dentelle noire assorti à ses bas que ses déhanchements révélaient davantage de couplet en couplet.

— Plus haut, plus haut ! clama-t-on.

— Montre-les pour de bon, tes tirants radoucis[2] ! hurla un titi non loin de Victor.

---

1. Demi-mondaine. *(N.d.A.)*
2. Bas de soie. *(N.d.A.)*

— Ôte ton pantalon! brama un autre.

La Gerfleur fit signe à l'orchestre de se taire et, campée au bord de la scène, apostropha le public :

— Vous allez la fermer, nom de Dieu! Si vous voulez dégoiser avec moi, faites-le en mesure. Sinon, bouclez-la! J'vais tout de même pas m'casser l'organe pour une bande d'abrutis comme vous!

La salle se calma, le chef brandit sa baguette, le piano attaqua une mélodie syncopée.

— Et maintenant, je vais vous interpréter *Crime passionnel*, annonça la Gerfleur.

> *Voyez ce monsieur qui se presse*
> *Où va-t-il, où court-il ainsi?*
> *Il court vers le logis de sa maîtresse*
> *La jolie et tendre Sophie...*

— Paraît qu'elle a une victoria attelée de deux chevaux, et des solitaires aussi gros que des bouchons d'carafe qui lui ont été offerts par... commença la fille en cheveux.

— Chut! lui intima la nourrice.

> *Mais pourquoi donc cet air de détresse*
> *Sur son visage se lit?...*
> *Malheur!... C'est qu'il sait que la traîtresse*
> *Aujourd'hui reçoit dans son lit*

— ... un de ses amants, un grand-duc de Russie, continua la fille en cheveux, s'adressant cette fois à Victor. Elle écume les casinos de Monte-Carlo et...

> *Il grimpe quatre à quatre l'escalier*
> *Il grimpe et le voilà sur le palier,*
> *Il frappe, mais avant qu'on lui crie :*
> *« Entrez »*
> *Il entre et tire sur le satyre,*
> *La belle expire et lui de rire :*
> *Ha ha ha!*

— Est-il vrai qu'elle s'appelle Noémi Fourchon? demanda Victor.

— Ça va pas, non? D'où qu'vous sortez un nom si moche?

> *Voyez ce monsieur qui se presse*
> *Où va-t-il, où court-il ainsi?*
> *L'œil affolé, vit' il court à confesse*
> *Au commissair' d'la rue d'Buci*
> *« Oui monsieur,*
> *D'elle j'étais fou, j'étais ivre,*
> *La perdre eût été affreux*
> *J'l'ai zigouillée pour lui apprendre à vivre*
> *Hélas, cela n'en vaut guère mieux...*

Une main sur le cœur, l'autre dressant haut son éventail, la Gerfleur tenait le public sous son charme. Fixes et dilatés, ses yeux semblaient vouloir hypnotiser ceux des spectateurs, qui en oubliaient de se manifester.

> *Arrêtez-moi, je suis un assassin,*
> *J'y ai tiré une balle entre les deux seins. »*
> *Mais le commissaire pâlissant soudain*
> *Dit : « Oh! Sophie, je t'aimais trop! »*
> *Et il s'occit sur son bureau*
> *Quel tableau!...*

Quand la Gerfleur laissait glisser sa mantille et levait les bras, les hommes lorgnaient avidement ses aisselles et sa poitrine débordant de la robe moirée.

> *... Mais voyez*
> *Voyez ce monsieur qui se presse*
> *Où va-t-il, où court-il ainsi?*
> *Mon Dieu... à la poutre maîtresse*
> *Il se pend!... l'histoire est finie[1].*

La dernière note fut suivie d'un profond soupir. Il y

---

1. Chanson de Maurice Marc. *(N.d.A.)*

eut un instant de stupeur, la salle émergea de son engourdissement, les bocks battirent un rappel frénétique sur le bois des planchettes, des acclamations fusèrent. Dans un retroussis de jupons, la Gerfleur fit la révérence, en envoyant des baisers du bout des doigts. Elle allait quitter les planches, épuisée, mais des bravos et des bis l'obligèrent à saluer derechef avec un sourire crispé, le front perlé de sueur, le khôl de ses paupières sillonnant le crépi de ses joues. Le rideau retomba.

— Eh ben, l'caf'conc', c'est rien bath, et cette Gerfleur, elle est fameuse ! s'exclama la fille en cheveux en s'adressant à Victor.

Mais il était déjà parti.

Victor piétina jusqu'à la caisse, et au lieu de sortir longea un couloir obscur, semé de décors en carton-pâte et de fauteuils d'osier, qui donnait directement sur la salle. À droite, un escalier très raide menait d'un côté au fumoir, de l'autre aux loges d'artistes, des baraques disposées sous le plateau. Il se laissa guider par l'odeur des fards mêlée au patchouli et aux relents aigres des seaux de toilette groupés au fond d'un étroit corridor. En passant près d'une porte, il entendit une femme glapir d'un ton méchant :

— On peut dire que ce soir, vous ne les avez pas gagnés, vos sous. Quel feignant vous faites ! Prenez votre thune et allez vous laver, vous avez du noir plein le cou !

Par une seconde porte entrebâillée il entrevit le Roméo occupé à faire une scène de jalousie au tringlot, tandis que le comique, indifférent, grillait des harengs sur l'armature en fer d'un bec de gaz.

— Hé ! Tu nous enfumes ! Tu veux qu'on nous vire ? brailla le tringlot.

Victor toussa et se hâta vers les vestiaires réservés aux femmes, son apparition fut accueillie par des gloussements.

D'autres admirateurs de la Gerfleur l'avaient précédé. Une grappe de cinq ou six hommes obstruait la loge, d'où une habilleuse les refoula énergiquement.

— Puisqu'elle vous dit qu'elle veut s'changer ! Elle cause pourtant pas javanais ! Allez, ouste !

Au moment où ces messieurs, déçus, battaient en retraite, un groom livra un énorme bouquet de roses. Victor aperçut une femme aux traits tirés en camisole et jupons, la chevelure blonde aplatie, qui décachetait une petite enveloppe. Elle lut le carton, son visage se décomposa, elle poussa un cri et perdit connaissance. Les hommes toujours agglutinés sur le seuil restèrent sans réaction, imaginant un nouveau caprice. Mais lorsque l'habilleuse s'écria : « Madame ! Madame ! Ben, qu'est-ce qui vous arrive ? » ils se précipitèrent.

Victor parvint à se faufiler à leur suite, et, ne pouvant espérer atteindre la Gerfleur qu'on avait allongée sur un canapé et qu'on menaçait d'étouffer, examina la loge, les pots de cold-cream, les vêtements entassés sur un paravent, le sol où traînaient un coton maculé de poudre, un éventail, un bas noir, un bristol qu'il ramassa.

À la môme Bijou, baronne de Saint-Meslin. En souvenir de Lyon, ces quelques roses Rubis. Hommages d'une vieille relation. A. Prévost.

Après l'avoir lu sans comprendre, il l'enfouit dans sa poche. Soudain hors d'elle, l'habilleuse flanqua tout le monde dehors d'un :

— Vous allez me la tuer !

Lorsqu'il retrouva l'animation du boulevard, Victor eut l'impression de s'éveiller d'un rêve étrange. Il déambula le long des cafés où les artistes et les noceurs célébraient une commune victoire sur l'ennui à grand renfort de bière et d'absinthe. Il erra longtemps, sans réaliser qu'il était épuisé et trempé, une main sur le Marot, l'autre sur le bristol.

CHAPITRE V

Dimanche 15 novembre

Alerté par des bruits de pas, un rat se coula entre les barriques empilées sur les pontons du port aux vins, quai Saint-Bernard. Inquiet, il hésita au bord de l'eau sombre, puis trottina jusqu'à une rangée d'arbres. La flamme tremblotante d'un réverbère souligna sa queue effilée, qu'une pierre manqua de peu. Le rat détala.

— Saleté de bestiole, marmonna Basile Popêche en poursuivant son chemin vers un bâtiment à horloge, un de ces quatre, Pantruche sera la capitale des gaspards !

Le rugissement d'un lion dans le Jardin des Plantes parut approuver son propos.

— Tiens, ça, on dirait que c'est Tibère, il a le sommeil agité en ce moment, j'crois bien qu'il a mal aux dents.

Basile Popêche enfila l'une des cinq rues perpendiculaires au fleuve, aux patronymes évocateurs de régions viticoles : Bourgogne, Champagne, Bordeaux, Languedoc, Touraine, et dont les constructions basses divisées en celliers délimitaient la halle aux vins. Transi de peur et de froid devant l'aspect désert des lieux et l'obscurité engluant le décor, il battit la semelle le long d'un entrepôt où une lampe-tempête entretenait une lueur presque amicale.

— Quelle heure qu'il peut être ? Cinq heures ? Cinq et demie ? C'est pourtant là qu'on a rendez-vous d'habitude... Il est en retard, Polyte !

Un piétinement étouffé le fit sursauter, il discerna l'ombre d'une charrette qui empruntait une allée transversale aboutissant à une cave. Au lieu de claquer sur le pavé, les sabots du cheval l'effleuraient sourdement, aussi discrets que ceux d'un fantôme. La tête chavirée, Basile Popêche ferma les yeux, s'abandonnant à de capiteux bouquets d'alcool. Une brusque tape sur l'omoplate lui arracha une exclamation.

— Pas de panique, c'est qu'moi !

Il identifia la silhouette empâtée de son copain Polyte Gorgerin, la casquette enfoncée au ras des sourcils, une bouffarde fumante à la bouche.

— Excuse du retard, une livraison de beaujolais, allez, on se bouge, fais gaffe où tu mets tes pinceaux, y-z-ont renversé du gros bleu, ça glisse pire que dans un poêlon !

Ainsi que tous les dimanches à l'aube, Basile Popêche s'avança prudemment à travers les avenues chichement éclairées dessinant un camp militaire où se dressaient des baraques imprégnées d'un arôme aigrelet. Il venait chercher sa ration hebdomadaire de piquette fournie par Polyte, un pote de régiment à qui, en échange, il refilait en douce chaque semaine un quartier de viande distrait de la portion des fauves. Invoquant le mauvais état de ses reins, le docteur lui avait interdit de boire, mais il ne tenait aucun compte de ses recommandations, persuadé que le vin était non seulement indispensable à son moral, mais salutaire à ses calculs, qu'il finirait par diluer.

Des tonneaux qu'un transport trop mouvementé avait gâtés moisissaient à l'écart des celliers au milieu d'un enclos broussailleux. Polyte avait monté un petit trafic lui permettant d'arrondir ses fins de mois, il vendait à bon marché ce médiocre picrate aux patrons des assommoirs de la Maube qui, pour une somme modique, en empliraient les ballons de leurs fidèles venus siffler un canon sur le zinc.

En ce dimanche matin, ils étaient plusieurs, le bidon à la main, à vouloir profiter de l'aubaine. Polyte fut accueilli par des exclamations :

— Alors, cette bibine, ça vient ?

— J'l'ouvre à six heures, moi, mon débit d'consolation !

— Il est pas baptisé, au moins, ton pinard ?

Polyte fendit le groupe avec impatience et se dirigea vers un fût jaune cerclé de fer posé sous un bec de gaz.

— Vous bilez pas, c'est du pur jus, vous allez d'abord vous rincer la dalle, vous m'en direz des nouvelles !

Il plaça un quart sous la cannelle de cuivre, en desserra la vis. Un flot rouge fit tinter le métal, diminua, se réduisit à un filet, et se tarit en gargouillant.

— Jour de Dieu ! grogna-t-il en tripotant la cannelle.

— C'est une cambuse à grenouilles, ta barrique ! brailla une commère aux cheveux filasse.

Secoués de rire, les mastroquets observaient Polyte qui n'obtenait qu'un capricieux goutte-à-goutte.

— Mince ! En v'là une histoire ! C'est pas possible qu'il se soit vidé seul. À moins qu'un particulier l'ait siphonné c'te nuit !

Il tapa violemment le flanc du tonneau.

— Il sonne plein, on va savoir c'qu'il a dans l'ventre !

Il se baissa, attrapa un pied-de-biche et s'attaqua au couvercle, prêt à fournir un gros effort. Mais celui-ci se souleva sans difficulté, et, déséquilibré, Polyte s'affala sur l'opulente poitrine de la commère.

— Dis donc, mon coco, j't'aurais-t'y tapé dans l'œil ? J't'avertis, j'suis déjà à la colle !

Avec un ricanement, Polyte se pencha au-dessus du tonneau. Il s'en détourna aussitôt, en proie à une nausée. Les autres jetèrent un coup d'œil à leur tour.

— Bon sang d'bonsoir, grommela un géant en bourgeron gris.

Il laissa la place à Basile Popêche, qui dut cligner des paupières pour accommoder, parce qu'il avait oublié ses lunettes. Une chape glaciale lui enserra la gorge, lorsqu'il distingua l'horreur semblable à celles que contenaient les bocaux du Muséum : des cheveux ondoyants à la surface du liquide vermillon, marbrés de jaune sous la clarté du réverbère, des pupilles fixes, dilatées, des lèvres tordues sur un cri muet. Fasciné, il se courba davantage. Ce noyé, il l'avait déjà vu. Bien qu'il ne l'eût croisé que deux fois, il était sûr de reconnaître le locataire du rez-de-chaussée de son immeuble.

— Faut prévenir les cognes, souffla le géant.

Tous reculèrent. Chacun redoutait d'être embarqué dans une sale affaire. Gênés, ils évitaient de se regarder. Sans se concerter, ils s'égaillèrent aux quatre coins de la halle.

— Hé ! Les aminches, attendez-moi ! couina Polyte. Basile, où qu't'es ?

En nage, Basile Popêche remontait rapidement la rue de Champagne en direction de la Seine. Ce locataire, il l'avait aperçu l'autre soir, quand il prenait l'air à sa fenêtre, il devait être minuit. Et ce n'était pas tout, il y avait un deuxième homme, un gaillard en manteau gris qui avait débouché de la rue Geoffroy-Saint-Hilaire. Manteau gris avait levé le nez vers lui assez longtemps pour que ses traits se gravent dans son esprit, puis il avait emboîté le pas au type du rez-de-chaussée.

— C'n'est pas tes oignons, à tézig. T'as déjà ta part de soucis, laisse-les se dépatouiller sans toi, tu sais rien, t'as rien vu !

Un rayon de soleil troua le jour laiteux qui tombait de la verrière et se faufila dans l'alcôve. Victor émergea du sommeil. Il s'étonna, pourquoi était-il allongé sur le ventre ? Il se redressa brusquement. La soudaineté de son mouvement lui donna un léger vertige. Tasha peignait. Hormis son chignon dénoué et ses pieds nus, le chevalet la dissimulait entièrement. Le poêle ronronnait, pareil à un matou. Victor s'adossa à l'oreiller, bâilla et aplatit ses cheveux ébouriffés.

— Quand t'arrêteras-tu ? grommela-t-il. C'est dimanche, reviens te coucher !

— Non, je veux absolument terminer cette étude pendant que je l'ai en mémoire. Dors, toi.

Agacé, il rejeta l'édredon. Dormir ! Ce qu'il désirait, c'était paresser au lit avec elle, lui mordiller le lobe des oreilles, la pointe des seins, caresser son corps doucement, tendrement, céder lentement au plaisir.

« Et au lieu de ça, elle veut terminer son esquisse ! Quelle idée d'aimer une artiste ! »

Un instant, il souhaita la voir se changer en une femme ordinaire, obnubilée par son apparence et ses fanfreluches.

— Tu boudes ? dit-elle en riant. Victor, ce tableau compte beaucoup pour moi, tu sais combien je suis entêtée.

Il n'eut aucune peine à la croire. Il s'habilla en l'observant. Ce qu'il voyait était familier, apaisant. Elle lui parut extrêmement vulnérable et, cependant, il savait qu'elle possédait une force de caractère supérieure à la sienne.

— Je comprends, dit-il, je te laisse te concentrer.

Ses paroles n'étaient que pure hypocrisie, il en eut honte.

— Nous dînerons ensemble ? Oh ! Zut, j'ai un rendez-vous de travail, je rentrerai tard.

— Moi aussi, j'ai rendez-vous, répondit-il du tac au tac.

Elle occulta sa toile sous un carré de coton, courut à lui, se suspendit à son cou.

— Une femme ?

— Et toi, un homme ?

— Mais non, idiot !

Ils s'embrassèrent longuement. Lorsqu'elle se détacha de lui, il fut rassuré. Ses yeux verts étaient si beaux, pouvaient-ils lui mentir ? Tant pis, qu'ils mentent, il ne parviendrait jamais à s'en guérir.

— Que caches-tu là-dessous ? demanda-t-il en désignant le chevalet.

— Je te le montrerai une fois fini.

— Un toit ? Un nu ? Une nature morte ?

— Mystère.

Ses obsessions revinrent à l'assaut dès qu'il fut dehors. Il s'imagina soulever la cotonnade, découvrir l'esquisse d'un homme, y lire la confirmation de ses soupçons. Afin de se libérer de cette angoisse, il se força à orienter ses pensées vers Élisa Fourchon. Était-elle vêtue de rouge comme la défunte du carrefour des Écrasés lorsqu'elle avait quitté la pension Bontemps ? Il devait s'en assurer. Il songea non sans amertume qu'il eût préféré regarder les feuilles à l'envers avec Tasha, ils auraient déjeuné sur l'herbe, au bord du lac de Saint-Mandé.

« Par ce temps, imbécile ? Il y a de quoi attraper trois influenzas ! Ce soir, tu la retrouveras ce soir, et quand tu la serreras dans tes bras, tu lui diras que ça ne peut plus durer ! En attendant, consacre-toi à cette nouvelle énigme. Va fouiner chaussée de l'Étang. Sous quel prétexte ? Tu pourrais emporter ton attirail photographique, Mlle Corymbe Bontemps serait probablement ravie que tu lui tires le portrait... »

— Monsieur Legris, quelle heureuse surprise ! Ces demoiselles et moi allions partir en promenade. Oh ! Vous pratiquez la photographie !

Planté chaussée de l'Étang, au milieu du trottoir, embarrassé de son appareil à soufflet et de la sacoche contenant ses plaques, Victor eut un geste de recul face à l'opulente Mlle Bontemps.

— Cela serait-il abuser que de vous prier de nous photographier en groupe ? s'écria-t-elle au comble de l'excitation.

— J'étais justement venu solliciter votre concours, je recherche des modèles.

Cerné d'une ribambelle de gamines endimanchées qui voulaient se faire remarquer, il se sentait parfaitement ridicule. Quant à Mlle Bontemps, on eût dit une énorme perruche belliqueuse sous les plumes vertes de son vaste chapeau.

— Je ne sais si je suis à mon avantage, roucoula-t-elle en se trémoussant.

— Si, si, vous êtes ravissante, on vous prendrait pour une de vos pensionnaires. Allons vers le lac.

Très chic dans son manteau gris garni de fourrure, Iris se glissa près de lui et chuchota :

— Là, vous allez un peu fort ! Elle est hideuse. C'est mon parrain qui vous envoie ?

— Mesdemoiselles, de la tenue, ce n'est pas tous les jours qu'un artiste s'intéresse à nous ! Berthe, Aspasie, les grandes derrière. Iris, venez devant, à côté d'Henriette et d'Aglaé. Les autres...

— C'est injuste, je mesure trois centimètres de moins qu'elles, marmotta Aspasie.

— Dommage qu'Élisa soit absente ! dit Berthe.

— Elle est retournée auprès de sa mère, déclara Mlle Bontemps, qui ajouta d'un air pincé à l'intention de Victor : Aucun savoir-vivre, sa mère. Elle a omis de me régler le trimestre entamé, si elle espère que je vais effacer l'ardoise...

— La petite Fourchon ? La fille de Noémi Gerfleur ? demanda Victor d'un ton désinvolte.

— Ah ! Vous avez dénoué l'énigme du nom bien

fleuri, quelle perspicacité, monsieur Legris! Allons, mesdemoiselles, on se calme, en place! Je vous laisse opérer, monsieur Legris.

Victor installa son appareil, rectifia la pose de ces demoiselles, enfouit sa tête sous un voile noir. Il y eut des gloussements, des coups de coude, des « faudra-t-il jouer les statues indéfiniment? ».

Puis, quand ce fut terminé, les pensionnaires détalèrent, talonnées par une Mlle Bontemps furibarde, qui retenait d'une main son chapeau empanaché. Iris rejoignit Victor.

— Vous n'avez rien dit à mon parrain?

— Pas un mot... Comment Élisa était-elle habillée lorsqu'elle est allée à son rendez-vous galant, quelle était la couleur de ses vêtements?

— Pourquoi?... Ah, je comprends, mon parrain vous a chargé de surveiller mes fréquentations et...

— Vous faites fausse route, mademoiselle Iris, soyez gentille, éclairez-moi.

Elle le considéra d'une façon ironique.

— Vous me dissimulez quelque chose, aucune importance, je finirai par l'apprendre, murmura-t-elle. Élisa portait une robe et un manteau rouges, c'est d'ailleurs pour cela qu'elle m'a emprunté mes souliers rouges. C'était un jeu, son bon ami Gaston devait l'emmener danser au Moulin-Rouge, il a ses entrées là-bas, il y est employé. C'est vrai ce qu'on affirme, à propos du quadrille naturaliste?

— Que dit-on?

— Que les danseuses montrent leurs jupons et leurs pantalons.

— Si l'on en croit les affiches, oui, c'est exact.

— Je donnerais cher pour voir cela!

— Je doute fort que votre... euh... parrain soit d'accord.

— Nous n'aurions nul besoin de l'avertir si vous acceptiez de me chaperonner, vous êtes un homme qui sait tenir sa langue, n'est-ce pas, monsieur Legris ? jeta-t-elle d'une voix glaciale.

Victor fut sauvé par le retour de Mlle Bontemps menant son troupeau égaré. Il eut du mal à prendre congé, ces demoiselles insistant sur les conseils de leur directrice pour l'inviter à déguster un thé sensationnel accompagné de strudel aux pommes. En les quittant, il ne put s'empêcher d'observer Iris avec inquiétude. Kenji se rendait-il compte de sa responsabilité envers cette jeune fille ?

Il échoua, épuisé, dans un bistrot de l'avenue Victor-Hugo. Réconforté par un verre de vermouth, il se moqua de ce travers qui le poussait à échafauder des intrigues de romans-feuilletons. Inutile : trop de coïncidences entre les circonstances de ce meurtre et le récit d'Iris... La robe rouge, les pieds nus, cet escarpin trouvé par Grégoire Mercier. À présent qu'il tenait le début d'une piste, hors de question d'abandonner.

« Le Moulin-Rouge... Gaston... Est-il musicien ? Danseur ? Machiniste ? J'y vais, dès ce soir, ainsi je n'aurai pas provoqué Tasha en vain et je profiterai du spectacle des dames qui exhibent leurs pantalons. »

Il rit silencieusement. Des yeux de braise, une bouche sensuelle, une chevelure aile de corbeau venaient de lui apparaître : Eudoxie, la belle Eudoxie Allard, ce succube langoureux qui avait tenté de le séduire dans les locaux du *Passe-partout* où elle officiait en tant que secrétaire dactylographe. N'avait-elle pas plaqué le journalisme pour la danse ? Il se souvenait vaguement qu'Isidore Gouvier lui avait parlé d'elle : « Elle a été engagée par Zidler, au Moulin-Rouge, pour lever les gambettes. »

« Voyons, sous quel nom se produit-elle ?... Phiphi ?... Non... Fifi... Fifi... Fifi Bas-Rhin ! »

Victor descendit du fiacre et demeura immobile, incapable de s'arracher au mouvement incessant des ailes pourpres. Aimantée vers ce flamboiement diapré, une multitude de fêtards envahissait le boulevard de Clichy où, deux ans auparavant, un Catalan nommé Joseph Oller et Charles Zidler, un ancien boucher, avaient eu l'idée d'édifier, à l'emplacement du bal de la Reine-Blanche, une luxueuse guinguette destinée à détrôner l'*Élysée-Montmartre*. L'établissement avait bénéficié d'emblée d'un succès foudroyant grâce à son attraction principale, le cancan, une chorégraphie excentrique en vogue dans les années 1830 et remise au goût du jour. Cette danse impudique jusqu'alors réservée aux habitués des guinches des fortifs et des bastringues de Pigalle était désormais à la portée des bourgeois et des aristocrates.

Des phalènes, ces hommes en frac escortant des belles de nuit, ces trottins flanqués d'amoureux, la viscope[1] rabattue sur le front, tous venus se brûler aux chatoiements d'un moulin de pacotille qui ne moudrait jamais que des gigues, des polkas, et des valses, à l'heure où les vrais moulins de la butte agonisaient.

Victor paya ses deux francs. Au débouché d'une galerie ornée de tableaux, d'affiches, de photos, il fut surpris de l'ampleur de la salle, un hall de gare encombré de tables et de chaises ceinturant une piste livrée avant le spectacle à des couples qui tournoyaient au son d'une musique syncopée. En novateur avisé, Charles Zidler s'était soucié de procurer à sa clientèle un lieu extravagant, un temple du plaisir conçu sous la direction du dessinateur Adolphe Willette. Une très haute charpente de bois surmontait des piliers ornés d'oriflammes où se nichait une loggia abritant un orchestre de quarante musiciens. Violemment éclairé de rampes à gaz, de lustres et de globes électriques, ce décor aux couleurs chaudes, reflété par un mur tapissé de miroirs, offrait une vision orientale.

1. Argot : casquette. *(N.d.A.)*

Victor s'efforça d'atteindre le bar, bousculant des Anglais en knickerbockers et casquette de tweed à double visière, s'effaçant au passage de demi-mondaines aux pâleurs et aux maigreurs distinguées étrennant les dernières toilettes de chez Worth.

— Salut, beau brun, qu'est-ce que tu bois? demanda la serveuse, une plantureuse femme à la crinière rouge.

— Rien, je cherche...

— C'est ça, cherche, et quand t'auras trouvé tu m'feras signe, il suffira de gueuler : « Sarah! »

Il examina deux toiles de vastes dimensions accrochées derrière le comptoir, apparemment l'œuvre d'un même artiste. L'une représentait une danseuse piquant le chahut près d'un homme au nez busqué, au milieu d'une nombreuse assistance. Il identifia aussitôt les personnages de l'affiche qu'il avait remarquée la veille, boulevard Bonne-Nouvelle. Sur la seconde, une écuyère et son cheval virevoltaient autour des gradins d'un cirque.

— Toi, tu traînes un chagrin d'amour, seulement t'hésites à l'avouer parce que t'es un foie blanc. Je te sers un cocktail? proposa Sarah, le buste tendu. Un mêlé-cass', ça te plairait?

— Allons-y. Qui est le peintre? dit-il, désignant les tableaux.

— Un nobliau pas plus haut qu'une botte mais au nom à rallonges, Henri de Toulouse-Lautrec, ce soiffard doit s'abreuver à une table, là-bas.

Victor avala une gorgée d'un liquide rougeâtre et reposa son verre en grimaçant.

— Qu'est-ce qu'il y a dedans?

— Blanc sec allongé de cassis, j'y rajoute une larme de vodka, c'est un russkof, le prince Troubetzkoï, qui m'a refilé la recette.

— Cet homme au nez en bec d'aigle, qui est-ce? dit-il en pointant le doigt vers l'une des toiles.

— Le quart de Brie? Ben de quel trou tu sors, mon

coco ? Tu ne connais pas Valentin le Désossé ? Je vais te le montrer en chair et en os, voyons, où se cache-t-il, ce démon du quadrille ? Tiens, juste à gauche de la môme Fromage et de la Goulue, l'échalas, tu le vois ? Je suppose qu'elles, tu sais qui c'est ?

Il acquiesça, peu désireux de passer pour un idiot. C'était donc cela, le fameux Moulin-Rouge ! On avait publié une ribambelle d'articles à son sujet. Contrairement à Iris, il n'en avait éprouvé aucune curiosité. Il redoutait les bains de foule, et les envolées de jupons le laissaient froid. Les douces rondeurs de Tasha l'émoustillaient davantage que les mollets gainés de noir des gamines s'exerçant au grand écart face au mur de glaces.

— Je suis en quête d'un certain Gaston...

Sarah pouffa.

— Des Gaston, y en a une bonne vingtaine aux alentours ! Gaston comment ?

— Je l'ignore. Et Fifi Bas-Rhin, où est-elle ?

— Dis donc, t'es des mœurs, toi, pour pister ce joli monde ! Fifi, je ne l'ai pas encore croisée, à ta place j'irais m'balader du côté des galeries, elle aime tirer au pot jusqu'à l'heure du chahut.

— Tirer au pot ?

— Se faire payer un godet, quoi ! Quel drôle de pistolet, celui-là !

L'orchestre venait d'attaquer une valse. Ballotté au gré des couples, Victor humait des fragrances d'ylang-ylang ou de *cuir de Russie* additionnées de sueur et de tabac. Malgré l'ardeur des cuivres et le raclement des pieds soulevant la poussière, il saisissait au vol des bribes de conversations.

— C'qu'ils sont à la glace, ce soir !

— Elle est gironde, la p'tite gosse.

— Qu'y r'vienne et j'y dirai c'que j'pense !

Il contourna Valentin le Désossé qui, impassible et raide, entraînait la Goulue, une rouquine bien en chair mi-canaille mi-gommeuse, la frange coupée au carré, le chignon dressé en casque, le cou ceint d'un ruban de moire. Consciente du regard de Victor sur sa taille cambrée et son corsage amplement échancré, elle s'arrêta, le toisa, poings aux hanches, et lança à la cantonade :

— Ils n'ont donc pas de gonzesses chez eux, ces petits crevés[1] ?

Moins gêné par la vulgarité de son apostrophe que par la dureté de son ton, Victor se hâta de gagner la galerie, faisant des vœux pour repérer Eudoxie Allard parmi la forêt de corbeaux à tuyau de poêle et de cocottes hérissées de plumes auprès desquels s'empressaient les garçons.

— Un saladier de vin chaud ! commanda un homme, le canotier de guingois, en qui il reconnut le peintre mondain Alfred Stevens encadré de deux tendrons énamourés.

Tout à coup il la vit, sanglée dans une robe à rayures rouges et blanches, la tête alourdie d'un chapeau rehaussé de gros nœuds. Il amorça une retraite, soudain contrarié d'avoir à subir ses avances. Trop tard !

— Monsieur Legris, ça alors ! Hou, hou ! Venez, venez !

Elle était attablée en compagnie de trois consommateurs, un séducteur au teint basané, le sombrero incliné sur l'oreille, un sanguin élégant au visage allongé, à l'expression morose, et un blondinet l'œil cerclé d'un monocle, mâchouillant un cigare. Elle fit les présentations.

— Un vieux camarade, M. Victor Legris, il est libraire, nous nous sommes liés d'amitié au *Passe-partout*[2]. Louis Dolbreuse, poète, chansonnier, il tient actuellement ses quartiers au *Chat-Noir*, annonça-t-elle, tournée vers le séducteur qui sourit en caressant rêveusement le bouc soulignant son menton. Alphonse Allais, écrivain et amuseur public, il vient de publier...

1. Jeune homme malingre, efféminé, habillé à la mode. *(N.d.A.)*
2. Voir *Mystère rue des Saints-Pères*, 10/18, n° 3505.

— Je sais, chez Ollendorff, *À se tordre, histoires chatnoiresques*, j'ai lu cet ouvrage avec délectation, dit Victor s'adressant au sanguin morose.

— Et voici Alcide Bonvoisin, le futur meilleur chroniqueur de Paris après son ami Aurélien Scholl [1], conclut Eudoxie Allard en tapotant l'épaule du blondinet. Asseyez-vous là, monsieur Legris.

Victor serra les mains, se tassa entre Eudoxie et Louis Dolbreuse qui ordonna en le servant d'office :

— Prenez une coupe de champagne.

— Vous écrivez toujours ? Alcide, tu as là un rival, j'ai omis de préciser que Victor — vous permettez que je vous appelle Victor ? — rédige des articles très appréciés.

— J'ai renoncé, la concurrence est rude, je pratique la... commença Victor.

— Il a d'autres chats à fouetter ! s'exclama Eudoxie. Il faut que vous sachiez que ce vilain monsieur est détective à ses moments perdus, il se réjouit de damer le pion aux roussins de la Préfecture, il a dénoué deux enquêtes plutôt ficelles ! Allons, Victor, ne soyez pas modeste !

— Au Moulin, vous devrez vous contenter d'inspecter la décence des dames, quoique nous ayons à demeure un « Père la Pudeur » attitré, plaisanta Louis Dolbreuse.

— Quand on parle du loup, chuchota Alcide Bonvoisin, désignant un pékin en habit sombre, cravate blanche, la poitrine barrée d'une chaîne de montre en acier, qui se dissimulait derrière un pilier. Cet olibrius mène une double vie, commissaire de police des mœurs la nuit, photographe le jour.

— Quelle coïncidence ! Mon ami est libraire mais également photographe, s'exclama Eudoxie, pressant son genou contre celui de Victor.

1. Journaliste français (1833-1902), auteur de pièces de théâtre et de romans. *(N.d.A.)*

— Vous êtes un homme-orchestre si je ne m'abuse, constata Louis Dolbreuse. Et qui est notre invité aujourd'hui ? Le libraire, le photographe ou le limier ?

— Je recherche un dénommé Gaston, on m'a assuré qu'il travaille ici.

— Tu tiens ta réponse, Louis, c'est à l'enquêteur que nous avons affaire ! marmonna Alcide Bonvoisin.

— Gaston ? Un musicien ? Un machiniste ?

— Aucune idée.

— Y a qu'à cuisiner Grille d'Égout[1], elle connaît tout le monde. Hé ! Lucienne, viens te rincer l'avaloir[2] ! claironna Eudoxie.

Une grisette à l'œil doux et triste les rejoignit en traînant la semelle. Elle s'affala en soupirant.

— Merci, Fifi, t'es rien bonne. Ces chicards à la manque m'usent la santé, quels mufles, pas un qui m'ait offert un bock ! Et dire que le mois dernier j'avais droit à leurs salamalecs quand je donnais des cours de danses fin de siècle aux dames de la haute !

— Garçon, un bock et un peu moins de vent, glapit Alphonse Allais brusquement tiré de sa torpeur. Où est Jane Avril ?

Grille d'Égout sourit, révélant les deux incisives écartées qui lui avaient valu son sobriquet.

— Ce monsieur, Victor pour les intimes, veut épingler un certain Gaston qui marne dans le secteur, expliqua Eudoxie.

— Gaston ?... Minute, Arsène ! C'est pas de la bière alsacienne, j'espère ? cria Grille d'Égout au garçon qui déposait sa chope. Parce que je refuse d'en avaler une goutte tant que l'Alsace et la Lorraine n'auront pas réintégré le giron de la mère patrie ! Gaston, tu disais ? Le Gaston à la Josette, peut-être ? Gaston Molina ? Si c'est lui, il a filé à l'anglaise, même qu'elle est en pétard, la

---

1. De son vrai nom : Lucienne Beuze. *(N.d.A.)*
2. Le gosier. *(N.d.A.)*

Josette, un volcan, ça va chauffer quand il ramènera sa fraise !

— Gaston Molina, c'est ça, Victor ? s'enquit Eudoxie en accentuant la pression de son genou.

— Possible, grommela-t-il.

— Ben il est serveur, garçon de salle, quoi, qu'est-ce que vous lui voulez ?

— Un de mes clients m'a prié de le contacter discrètement, il a séduit sa fille. Mon client désire arranger les choses.

— Le beau malheur ! Et comment compte-t-il « arranger les choses » ? En monnayant la vertu de la donzelle ? Gaston est en cale sèche, complètement décavé ! Quant à passer la bague au doigt de sa fille, votre client peut se fouiller, ce galapiat est un marin d'eau douce, une légitime dans chaque bastringue !

Satisfaite de sa tirade, Grille d'Égout lampa son reste de bière tandis qu'Alphonse Allais reculait brutalement sa chaise et se lançait à la poursuite d'une femme mince et souple, en robe rouge et chapeau noir.

— Pauvre Alphonse, elle le rend marteau.

— Qui est-ce ? demanda Victor.

— Jane Avril. La Goulue dit qu'elle a les quilles en tringles à rideaux mais qu'elle sait les agiter en cadence, elle a raison. Elle a été internée quand elle était môme, oui mon cher, service du professeur Charcot, on prétend que c'est là qu'elle a appris à guincher. Ben quoi, c'est la vérité ! Il paraît que pour distraire les aliénées on leur octroie des profs de chant. Des fêtes et des bals sont organisés. Des bals chez les timbrées, j'vous d'mande un peu ! La Jane Avril elle nous bat froid, elle tricote des flûtes en solo. Qu'est-ce qu'ils lui trouvent, tous ? Elle n'a que la peau et les os ! On la surnomme Petite Secousse, la Mélinite, moi, c'est la Méningite que j'l'aurais baptisée. Zyeutez le nabot du pinceau, il en est toqué !

Grille d'Égout pointa le menton vers une table séparée de la leur par un pilier. Un curieux bonhomme y tenait sous le charme de sa voix nasillarde une assemblée composée de trois hommes et d'une femme. On eût dit que son torse était vissé à deux courtes jambes moulées dans un pantalon à carreaux. Victor le voyait de profil, il dut attendre qu'il se tourne et put détailler sa physionomie : une tête massive couronnée d'un melon, un nez imposant muni d'un lorgnon, des lèvres sensuelles trouant une barbe noire, comme une blessure. Ses yeux rayonnaient d'intelligence, de sensibilité. Il devait avoir un âge proche du sien, la trentaine.

— C'est lui, Toulouse-Lautrec ?

— Parfaitement, Petit Bijou, c'est le sobriquet qu'il s'est collé lui-même. Un fieffé soiffard qui pinte autant qu'il peint, il a le gosier en cuivre. Vous voyez la canne accrochée au dossier de son siège ? Il l'appelle « mon crochet à bottines ». Le pommeau recèle un minuscule flacon de cognac. Quand cette demi-portion n'est pas ici à croquer les gambilleuses, il va planter sa tente au bordel !

Louis Dolbreuse s'était exprimé d'un ton détaché, presque neutre, pourtant il maîtrisait difficilement l'aversion que lui inspirait le peintre. Alcide Bonvoisin se redressa, indigné.

— Ce type est un génie ! Un génie, m'entendez-vous ? Avez-vous attentivement étudié son affiche-réclame du Moulin-Rouge ? La première, celle de Jules Chéret, était une réussite, mais la sienne !... Il y a là plus de talent que dans bien des tableaux à sensation. En quelques traits, Lautrec a saisi l'esprit de ce bal, il a mis en évidence les instincts primitifs que nous entretenons en nous. Cette œuvre « à la japonaise » a exigé des semaines de labeur ! Et ses toiles... Je vous le prédis, il sera célèbre !

— Il devrait éviter de mettre la Goulue au centre de ses peinturlures ! marmotta Grille d'Égout. Vu qu'elle exhibe un cœur brodé sur l'arrière de ses pantalons, m'est avis que cette Louise...

— Qui sont les autres ? l'interrompit Victor.

— Le binoclard à barbiche est un compositeur à l'humour caustique qui crèche rue Cortot, Erik Satie, nous nous côtoyons au *Chat-Noir*. Le grand fil de fer plié en deux est le cousin de Lautrec, encore un aristo, Gabriel Tapié de Celeyran. Le zigue en face, au chapeau cabossé, c'est Henry Somm, un caricaturiste et graveur dont nous reprenons souvent la chanson au *Chat-Noir* : « *Un escalier qui n'aurait pas de marches ne serait pas du tout un escalier.* » La femme... La femme... Je ne la remets pas, acheva Louis Dolbreuse.

Ils furent abordés par Bibi la Purée [1], qui leur proposa des résidus pêchés dans les profondeurs des poubelles en se vantant que sa chemise lui venait de son pote Verlaine.

Victor fixait le dos de l'inconnue assise à la table de Lautrec, une rousse aux cheveux relevés, coiffée d'un sobre bibi piqué d'une simple rose. Il reconnaissait le moindre frison de sa nuque. Tasha. Elle riait en pressant le poignet du peintre qui ne cessait de crayonner sur un coin de nappe. Eudoxie avait suivi son regard, compris son trouble. Elle sourit d'un air canaille et lui souffla à l'oreille :

— Il adore les tignasses carotte, chacun ses attirances. Moi par exemple, contrairement à la majorité des femmes, les blonds me laissent de bois, je préfère de loin les bruns, ils ont un je-ne-sais-quoi de... Vous suivez ma pensée ?

Le rouge aux joues, Victor pivota vivement et fit semblant de s'intéresser au contenu de son verre.

— Mademoiselle, me ferez-vous l'honneur de m'accorder cette valse ? implora un homme bedonnant et chauve en se courbant devant Grille d'Égout.

---

1. Figure populaire du Quartier latin dans les années 1890. Autodidacte, exerçant divers petits métiers, et groom à tout faire de Verlaine, dont il monnaya les souvenirs quand celui-ci mourut en 1896. (*N.d.A.*)

— J'irai en suer une avec toi quand ton persil aura repoussé, crâne d'œuf! répliqua-t-elle. Non, mais!

— Messieurs, nous vous abandonnons, il est temps d'aller nous préparer au cancan. Nos jupons de dentelles ne vont pas s'enfiler par l'opération du Saint-Esprit — douze mètres d'entre-deux et de broderie anglaise, figurez-vous! À moins que vous ne nous prêtiez main-forte! lança Eudoxie avec un battement de cils significatif à l'intention de Victor. À tout à l'heure, Louis, chez moi.

Louis Dolbreuse opina du chef. À peine les deux femmes se furent-elles éloignées qu'Alcide Bonvoisin bondit de son siège en balbutiant une vague excuse concernant une interview de l'écrivain Jean Lorrain.

— Un éthéromane, mes vœux l'accompagnent. Bon, nous sommes en tête à tête. Qu'en est-il de votre Gaston Molina? Vous tenez toujours à le pincer? grommela Louis Dolbreuse.

— J'attends la note.

— Laissez tomber, c'est moi qui régale. Tenez, voilà quelqu'un susceptible de vous renseigner.

Il claqua des doigts en direction d'un homme obséquieux à plastron et lavallière, chargé d'un plateau couvert de bocks.

— Monsieur Dolbreuse?

— Bonsoir, Bizard, l'addition, s'il vous plaît. Voici M. Legris, libraire. Victor, voici le maître d'hôtel du Moulin-Rouge. Monsieur Bizard, nous aimerions ferrer un poisson nommé Gaston Molina.

— Qu'il aille au diable, ce foutriquet! Une semaine qu'il n'est pas venu au turbin, j'arrête les frais, il est viré.

— Où habite-t-il?

— Est-ce que je sais, moi! Il va, il vient, il godaille, tantôt chez l'une, tantôt chez l'autre.

— Merci, Bizard, gardez la monnaie.

Le maître d'hôtel empocha un billet bleu et se dirigea vers la table de Lautrec où les rires redoublaient.

— Il s'imbibe à tire-larigot et il se prétend artiste !
Ce Lautrec devrait plutôt bosser dans une fabrique de
buvards, grommela Dolbreuse. Écoutez, mon vieux, je
suis un ami de la fameuse Josette. Si cela peut vous être
utile, je vous sers de mentor.

— Trop aimable.

Victor avait hâte de fuir Tasha et les piaillements du
rapin. L'antipathie de Dolbreuse envers ce personnage
créait entre eux une sorte de complicité. Ils louvoyèrent
au milieu des valseurs tournoyant de plus belle.

— Nulle part ailleurs vous ne verrez une société si
hétéroclite, le prince de Sagan, le comte de La Roche-
foucauld, le duc Élie de Talleyrand y coudoient les
piliers du *Mirliton* et les pierreuses de la place Blanche.

— Les pierreuses ?

— Les ambulantes, les gagneuses, il faut vous informer, mon vieux. Les boursicoteurs s'amourachent de
fromages[1], les Anglais et les Russes fraternisent allègre-
ment, les dames très convenables fréquentent les bar-
beaux. Le Moulin-Rouge est un creuset, ni café, ni cabaret, ni lupanar, mais les trois à la fois, selon le vœu de
Zidler.

— L'autel du mauvais goût ! remarqua Victor alors
qu'ils franchissaient l'espace de la salle réservée au caf'
conc' d'hiver.

Le public se tordait de rire face à une scène où,
auréolé d'une lumière verte, se produisait un petit
homme en habit rouge, aux cheveux en brosse et moustache à la Guillaume II, qu'une affiche décrivait ainsi :

LE PÉTOMANE
Le seul artiste qui ne paie pas de droits d'auteur !

Les sons incongrus émis par son postérieur provoquaient l'hilarité des spectateurs. Un pschutteux incré-
dule escalada l'estrade afin de vérifier qu'aucun artifice

---

1. Sobriquet des arpettes des ateliers de couture. *(N.d.A.)*

ne se dissimulait au fond de la culotte de velours noir. Scandalisé, Victor fit demi-tour.

— Zidler affirme : « Le cœur de tout homme recèle un cochon qui sommeille », dit Dolbreuse en riant. Josette se trémousse à l'intérieur de l'éléphant, elle y joue les almées sous le nom de Sémiramis.

En dépit de l'humidité, le jardin était empli de gens venus respirer un peu d'air pur. Des ânes résignés promenaient le beau monde le long des allées bordées d'arbres éclairés a giorno au gaz et à l'électricité. Il y avait également des chevaux de bois, un stand de tir, un caf' conc' d'été dominé par la haute stature d'un pachyderme de stuc provenant de l'Exposition universelle de 89. Pour vingt sous, les messieurs s'y procuraient des émotions en contemplant les évolutions lascives d'une pseudo-Orientale.

Lorsque Victor et Dolbreuse pénétrèrent dans l'éléphant, le spectacle venait de s'achever, des applaudissements tentaient de retenir une odalisque aux charmes épanouis drapée d'un costume de gaze qui ne cachait pas grand-chose. Ils se rendirent à la loge où elle se démaquillait, derrière la minuscule scène.

— Salut, ma bichette, je t'amène un admirateur.

— C'est bien le moment, je suis vannée, rétorqua l'odalisque avec un fort accent faubourien.

— Il veut juste te poser une ou deux questions au sujet de Gaston

Un œil cerclé de khôl, l'autre rouge à force d'avoir été frotté, elle les dévisagea.

— Me causez pas de ce cancrelat ! Il m'a ratiboisé mon pognon et ma médaille en argent de la Sainte Vierge, un cadeau de papa ! Vous êtes de la rousse ? lança-t-elle à Victor, la mine inquiète. Il lui est arrivé des bricoles ?

— Sois tranquille, ce monsieur a des visées identiques aux tiennes, il a très envie de revoir Gaston.

— Gaston, je lui souhaite d'être le capitaine d'un

bateau et que son bateau coule ! brailla Josette en leur tournant le dos.

— C'est beau, l'amour ! soupira Dolbreuse.

— Au cas où il vous aurait envoyé tâter le terrain, je vous préviens tout de suite, j'ai fait le ménage. S'il veut récupérer ses nippes, qu'il s'adresse à la maison Biffin et Compagnie, et qu'il se dégote une turne, chez moi c'est complet. Adieu !

Désemparé, Victor déambulait au hasard des allées, oubliant la présence de Dolbreuse qui l'observait pensivement.

— C'est vraiment bête, je plains la fille de votre client, déshonorée par un goujat. Il y aurait peut-être une dernière chance de dénicher un indice en visitant le vestiaire des employés.

Il leur fallut parcourir la salle en sens inverse jusqu'à la galerie menant à la caisse. Dolbreuse s'arrêta brusquement.

— Zut ! Mon chapeau. Une minute, je reviens.

Victor se démancha le cou pour apercevoir Tasha gagner le bar au bras de Lautrec. Il voulut les suivre, Dolbreuse le rejoignit.

— Je l'ai, vous venez ?

Dolbreuse poussa une porte, révélant une pièce étroite tapissée de placards. De l'un d'eux marqué *Molina* il extirpa une chemise froissée et un paquet entamé de cigarettes turques. Il s'en cala une au coin des lèvres. Un papier s'échappa du paquet. Sans le lire, il le tendit à Victor qui eut de la peine à déchiffrer les pattes de mouche gribouillées sur un prospectus des Chocolats de la Compagnie coloniale :

Charmansat ché ma tante. Aubertot, goche cour manon sale pétriaire. Rue L. rdc 1211...

— Cela fait votre bonheur ? demanda Dolbreuse.

— Jugez-en.

— Du chinois ou de l'auvergnat, à moins que ce ne soit du volapük. Amusez-vous ! Je vais assister au quadrille, ça vous tente ?

— Allez-y, je vous suis.

Dolbreuse parti, Victor s'empressa de sortir. En atteignant le trottoir, il heurta un homme élégant habillé à l'anglaise.

— Antonin Clusel !

— Legris ! Victor Legris ! Ah ! Mon bon, ça fait un sacré bail !

— Presque deux ans. Comment va le *Passe-partout* ?

— À merveille, nous avons déménagé 40, rue de la Grange-Batelière, à côté du passage Verdeau, je vous y attends. Excusez-moi, je file, je ne voudrais pas manquer le numéro de notre Eudoxie. Elle est sensationnelle, Fifi Bas-Rhin, qui l'eût cru, hein !

Sur le boulevard de Clichy, la foule s'épaississait. Emporté malgré lui, Victor dérivait. Une saveur amère l'avertissait de la révolte de son foie contre le mélange d'alcools ingurgité en ce maudit Moulin. Une image occupait son esprit : Tasha, assise près du peintre à lorgnon, lui étreignant le poignet et riant, riant... Que lui dirait-il, rue Fontaine ? Parviendrait-il à feindre l'indifférence ? Toute cette histoire pour une broutille, un texte incohérent, œuvre d'un certain Gaston Molina dont il n'était même pas sûr qu'il fût le soupirant d'Élisa Fourchon. À moins que ce billet ne lui eût été expédié par un correspondant inconnu ?

« Cela te servira de leçon. La seule chose que tu as découverte, c'est que Tasha côtoie des débauchés. Pauvre imbécile ! »

CHAPITRE VI

Lundi 16 novembre

La cafetière fumait, pareille à un index levé leur imposant le silence. Emmitouflée dans un châle, Tasha grignotait une tartine entre deux bâillements. Victor s'efforçait de dissoudre sa nuit blanche au fond de sa tasse. Il regrettait d'avoir simulé le sommeil lorsqu'elle était rentrée, peu après lui. S'il s'était soulagé de ce qui lui pesait sur le cœur, sans doute pourrait-il désormais soutenir son regard.

Tandis qu'il élaborait un préambule comprenant une subtile allusion au quadrille du Moulin-Rouge et à la seconde carrière d'Eudoxie Allard (« Surprenant, ce coup de pouce du destin, tu étais au courant ? »), Tasha le désarçonna d'une exclamation :

— *Ia nié mogou !*

Il sursauta.

— Pardon ?

— Je ne peux pas ! Jamais je n'y arriverai ! Jamais, jamais, jamais !

— À quoi ?

— À peindre aussi bien que lui !

— Qui, lui ?

— Un artiste, que j'ai vu hier, je t'en ai déjà parlé, Henri de Toulouse-Lautrec.

Ainsi elle l'admettait ! Il posa sa tasse, sa main tremblait.

— C'était lui, ton rendez-vous ?

— Oui, au Moulin-Rouge. Le *Gil Blas* m'a commandé une série de caricatures : « Les personnalités des nuits parisiennes. »

— Je croyais... Tu m'avais...

— Ne reste pas la bouche ouverte, on dirait un mérou !

— J'étais persuadé que tu avais cessé de travailler pour ce journal. Tes illustrations de livres te procurent largement de quoi vivre ! Enfin, Tasha, je paie le loyer, tu as vendu un tableau...

— Ma passion est plus onéreuse que la photographie. Les châssis, les couleurs... Tu es adorable d'assumer cet atelier. Quant à cette malheureuse toile achetée par Boussod et Valadon, elle ne peut pourvoir à mes dépenses ! D'ailleurs ça me plaît de garder le contact avec le milieu de la presse. C'est stimulant, non ?

Il ne savait que répondre. La convaincre d'accepter son soutien financier avait été difficile. Leur vie commune — parallèle eût peut-être été l'adjectif approprié — reposait sur un fragile équilibre. Tasha déclinait ses offres de mariage, état qui, affirmait-elle, changeait une femme indépendante en une mineure sous tutelle. Elle entendait donc poursuivre sa carrière selon son désir. Quel argument lui opposer ?

— Méfie-toi de cet avorton, il paraît qu'il raffole des rousses.

Ce fut son tour de demeurer pantoise.

— D'où tiens-tu cela ?

— J'ai mes informateurs, répliqua-t-il sèchement.

Elle enfouit son visage au creux de son châle, les épaules agitées de soubresauts. Pleurait-elle ? Elle se redressa, hilare.

— Oh ! Victor, ce que tu es drôle ! « J'ai mes informateurs. » On jurerait l'inspecteur Lecacheur !

Elle hoquetait. Mortifié qu'elle le comparât à ce policier borné, il bondit, voulut prendre son chapeau. Elle le devança prestement.

— Voyons, arrête, c'était plus fort que moi, je...

Elle pouffa, réussit à se contrôler.

— C'est vrai, Henri aime les rouquines, il m'a même fait des avances, il n'est pas dénué de charme malgré sa difformité. Mais serait-il Adonis en personne qu'il n'aurait aucune chance. Tu es mon unique amour. Tes informateurs te l'ont-ils appris ?

Pourquoi prétendre s'intéresser aux derniers ouvrages d'Armand Charpentier et d'Abel Hermant ? Il ne parvenait pas à s'y mettre. Joseph rafla sur le comptoir plusieurs bulletins de commandes. Victor tenta de se concentrer, impossible, ses pensées l'entraînaient rue Fontaine. Il était surpris de ressentir une telle plénitude, il lui semblait que son existence s'était brusquement remise en mouvement : « Tu es mon unique amour. » Une longue étreinte avait suivi la déclaration de Tasha. Rassuré, il s'était détendu, prêt à lui avouer sa propre présence au Moulin-Rouge. Il s'était retenu de justesse, il aurait tout gâché. Inutile de trahir son engouement pour une nouvelle enquête, elle détestait qu'il se livre à ce jeu. Et, quand elle s'était interrogée sur le prochain locataire du salon de coiffure, il avait siffloté.

Il devait la retrouver à l'atelier vers dix-neuf heures puis l'accompagner au *Chat-Noir* où elle souhaitait croquer un jeune écrivain.

— Patron, j'ai terminé la vitrine, que des histoires à l'eau de rose. *C'était beau, mais c'était triste, le capitaine des pompiers en pleurait dans son casque*, chantonna Jojo. Je boucle la cambuse.

Muni de sa pomme et de son carnet, il s'apprêta à parcourir les quotidiens.

— Vous allez tomber malade, à ce régime, remarqua Victor soudain empli de sollicitude.

— Vous bilez pas, j'engraisse le soir, et pas qu'un peu, ma mère veille au grain. Je ne vous empêche pas de déguster vos écrevisses à la bordelaise. Si M. Mori vous en laisse... Que dites-vous de *Sang et trahison*? C'est le titre de mon roman.

— Accrocheur. Vous renoncez à... *Amour et sang*?

— Oui, trop sentimental. Je fourmille d'idées aux petits oignons, je vais utiliser des faits divers sans lien les uns avec les autres et mitonner une énigme à s'emmêler les méninges.

— Méthode aléatoire, murmura Victor.

— C'est ça, une trame à tiroirs, reste à fignoler la clé du mystère. Je recherche les émotions fortes. Mon point de départ s'inspire de l'assassinée du carrefour des Écrasés, je la nomme Cendrillon la Rouge. Je greffe là-dessus des anecdotes que je conserve au chaud depuis des années. C'est fou le nombre d'événements qui se produisent à Paris, le truc c'est d'avoir l'œil américain. Tenez, aujourd'hui j'ai déniché une perle, écoutez voir :

UN CADAVRE PRISONNIER D'UN TONNEAU DE VIN

« Hier matin, avant l'ouverture, un employé de la halle aux vins... »

— Victor, votre déjeuner! cria Kenji, la bouche pleine.

— Je viens.

D'un geste las, Joseph referma son carnet.

— Je gaspille ma salive. La boustifaille, voilà ce qui mène le monde!

Il mordit violemment sa pomme.

Le concierge de l'*Eldorado* affichait une mine lugubre. Un bon pourboire lui retroussa la moustache.

— Elle habite à côté du théâtre des Variétés, passage des Panoramas, numéro 1. Vous pouvez vous y rendre à pied, c'est tout près.

— Je sais. Quel étage ?

— Deuxième, je crois.

Victor commençait à connaître le chemin du boulevard de Strasbourg au boulevard Montmartre. Il constata, non sans appréhension, que le domicile de Noémi Gerfleur était proche du carrefour des Écrasés. Il enfila le passage où des librairies chères aux bibliophiles jouxtaient des magasins de parfumerie et de confiserie. Il stationna devant la boutique d'un maître éventailliste, se demandant si une monture imitation XVIIIe séduirait Tasha, et surtout si une entrevue avec Noémi Gerfleur s'imposait réellement. Finalement, l'essentiel était qu'Élisa fût chez sa mère, saine et sauve. Mais comment en avoir la certitude sinon en s'en assurant auprès de l'intéressée ?

Au moment où il s'engageait dans l'escalier, un homme en pardessus d'alpaga, le chapeau vissé sur le front, marmonna une excuse, se faufila devant lui et gagna les étages supérieurs en gravissant les marches deux par deux.

Victor sonna. Les yeux plissés au-dessus d'un nez enchifrené, le tablier taché, la soubrette n'avait rien d'avenant.

— Je désire m'entretenir avec Mme Gerfleur.

— Elle est pas là.

— Rentrera-t-elle bientôt ?

— Quand elle va chez sa modiste ça lui prend la journée, parce que avec toutes les fanfreluches qu'elle commande pour ses bagnolets y aurait de quoi contenter une mascarade.

— Une mascarade ?

La soubrette humecta son doigt et se baissa pour ramasser une miette égarée sur le tapis.

— Ben oui, dit-elle en se redressant, des fruits, des fleurs, des plumes et tout le tremblement.

— Peut-être sa fille pourrait-elle me recevoir.

— Sa fille ?

— Oui. Mlle Gerfleur. Ou Fourchon, Élisa.

Elle le scruta un instant, puis se détendit et renifla.

— De quoi que vous causez ? Elle en a pas, de fille !

— Vous en êtes certaine ?

— Elle me dit pas tout, alors non, je suis pas certaine. Ce que je sais, c'est qu'officiellement Mme Gerfleur est célibataire. Laissez-moi votre carte, j'lui f'rai la commission.

Elle eut un sourire de connivence et repoussa lentement la porte.

— Je repasserai, dit Victor.

Penché par-dessus la rampe du troisième, l'homme en alpaga qui avait devancé Victor le regarda redescendre, la main droite enfoncée dans l'une de ses poches où elle caressait le manche d'un couteau. Cela le réconfortait de garder sur lui ce fétiche qui ne l'avait jamais quitté depuis des années. S'en servirait-il encore ? C'était égal, quel apaisement de sentir son poids alourdir son pardessus comme un soldat fidèle prêt à le seconder ! Voilà au moins un compagnon sur qui compter, à défaut d'un ami véritable. Ainsi donc Noémi était absente. Cela contrariait son plan, qu'importe, il suffirait de remettre ce charmant rendez-vous. Après tant d'années, il pouvait bien se permettre de patienter quelques heures. Amusé, il songea à ce qu'avait répondu la femme de chambre : « Elle en a pas, de fille ! » Cette affirmation comportait une légère erreur, il fallait nuancer la négation : « Elle en a plus, de fille ! »

En proie au doute, Victor attrapa le boulevard Montmartre et héla un fiacre.

Rue Fontaine, il avisa sur le trottoir opposé le peintre contrefait à lorgnon. Sortait-il de chez Tasha ? Elle peignait, vêtue de la blouse maculée sous laquelle elle ne portait rien.

— Je dois halluciner, j'ai cru apercevoir Lautrec.

— Tu l'as raté, il était ici il y a deux minutes. C'est

mon voisin, il a emménagé au numéro 21, en avril. Je me change en vitesse.

Se moquait-elle de lui ? Ne comprenait-elle pas son émoi à la pensée qu'elle avait reçu chez elle ce rapin, et dans cette tenue ?

Il ne put résister à l'envie de dévoiler la toile en cours. Ce qu'il découvrit raviva son inquiétude. Une danseuse échevelée esquissait une figure de cancan en brassant l'écume de ses jupons d'où fusaient des bas noirs. Cela imitait le style de Lautrec sans en avoir la force, c'était figé, sans âme. Pourquoi avoir choisi un sujet pareil ? Elle revenait, il n'eut que le temps de rabattre le tissu.

— Je te plais ?

Chapeautée de son inusable bibi, elle avait revêtu un corsage russe à manches froncées aux poignets, et une jupe noire. Elle étrennait le collier de lapis-lazuli qu'il lui avait offert pour son anniversaire, et des gants brodés appartenant à sa mère. Son buste, que ne comprimait nul corset, révélait la plénitude de ses courbes.

— Tu es ravissante.

Subitement calmé, il effleura son cou d'un baiser en l'aidant à enfiler un manteau.

Cinq minutes les séparaient de la rue Victor-Massé où l'ex-atelier du peintre belge Alfred Stevens abritait depuis 1885 le cabaret du *Chat-Noir*. Victor admira la façade. Un chat géant en terre cuite adossé à un soleil rayonnant masquait la fenêtre du second étage. Deux énormes lanternes éclairaient une enseigne de bois où il parvint à lire les premiers et les derniers mots d'un texte tracé en lettres jaunes :

Passant, arrête-toi ! [...] Sois moderne !

Ils escaladèrent une volée de marches et se heurtèrent à un suisse en tenue d'apparat, portant hallebarde et canne à pommeau d'argent, qui les précéda le long d'un couloir terminé en perron.

— Merci, Bel-Ami, dit Tasha.

Une fois seuls, ils visitèrent les pièces du rez-de-chaussée, la salle François-Villon puis la salle des Gardes, une taverne superbement décorée. Un vitrail de Willette représentant le culte du veau d'or reflétait le feu flambant dans l'âtre d'une monumentale cheminée. Perché au sommet d'un palmier en pot dormait un chat noir en chair et en os.

Ils grimpèrent un large escalier de chêne. Tasha désigna une porte close.

— Voilà où se tient le conseil de rédaction.

— Tu es une habituée ?

— Il m'arrive de vendre des dessins au journal, il tire parfois jusqu'à vingt mille exemplaires. Entre Willette et moi c'était la guerre. Maintenant je m'en fiche, il est fâché avec le propriétaire des lieux.

Ils poursuivirent leur ascension et pénétrèrent au sein de la salle des fêtes où se déroulait le spectacle. Une dizaine de spectateurs étaient déjà installés. Un homme à carrure d'athlète, les cheveux et la barbe roux, vêtu d'une redingote sans revers cintrée à la taille, les accueillit d'un tonitruant :

— Bien le bonsoir ! Vos altesses électorales ont-elles voyagé en train de plaisir ? Prenez place !

Victor paya. Un serveur costumé en académicien les conduisit à leurs sièges.

— Qui est ce braillard ?

— Rodolphe Salis. Les mauvaises langues l'appellent l'Âne rouge. Un bonimenteur génial qu'on déteste ou qu'on adore.

— Et toi ?

— Pour ne pas alimenter ta jalousie, disons que je l'estime. C'est lui qui a créé ce cabaret et qui a redonné droit de cité aux chansonniers.

Victor imaginait trouver un billard, des joueurs de cartes ou de dominos et non cet intérieur bourgeois où trônait un piano près duquel se tenait une blonde souriante, Mme Salis. Des bibelots de faïence, un bric-à-brac en cuivre évoquant un Moyen Âge factice mangeaient le peu d'espace laissé par les tableaux, les dessins, les gravures accrochés aux murs. Sur une énorme composition de Willette, intitulée *Parce Domine*, se déchaînait une ribambelle de Pierrots et de Colombines échappés des cabarets de Montmartre.

La salle se remplissait d'hommes en habit gentiment maltraités par Salis qui s'exclamait d'un ton rauque :

— Que d'épiciers, ma parole ! Salut, amiral, pardonnez-moi, je vous avais pris pour cette canaille de sous-préfet.

Il raillait aussi les députés d'un air bon enfant qui, selon Tasha, était loin d'égaler les injures de collignon chères à Bruant.

— Mesdames et messieurs, annonça-t-il, nous avons ce soir le bonheur d'héberger notre excellent camarade Louis Dolbreuse, en l'honneur de qui les nymphes de la butte ont tressé des couronnes ! Il va monter à la tribune et vous régaler d'un de ses poèmes !

Tout en sachant que Dolbreuse se produisait au *Chat-Noir*, Victor ne s'attendait pas à le revoir si tôt. Le séducteur au sombrero se campa devant le piano.

— Bien qu'elle ne sévisse pas plus ici qu'au *Mirliton*, la censure est une dame fort hostile aux artistes. Nos collègues du théâtre et du café-concert en font chaque jour l'expérience. Voilà pourquoi je leur dédie mon *Anastasie*, annonça Dolbreuse.

Puis il se mit à déclamer :

Comment la presse doit-elle éclairer l'opinion ?
Avec une lanterne sourde.
Pourquoi la presse doit-elle éclairer l'opinion avec
une lanterne sourde ?
Parce que toute vérité n'est pas bonne à dire.
Même lorsqu'il s'agit de scandales nationaux ?...

— C'est lui, ta personnalité des nuits parisiennes ? chuchota Victor.

— Non, lui, je ne le connais pas. Chut, écoute-le.

... Et que pense le journaliste affamé de vérité?
Il pense que qui dort dîne.
Ventre affamé n'a pas d'oreilles!

Louis Dolbreuse souleva son sombrero sous les rires et les applaudissements, puis s'approcha d'un spectateur en macfarlane avec lequel il s'entretint en aparté. Victor fit des vœux pour qu'il n'ait pas remarqué sa présence, il préférait demeurer discret quant à ses activités de la soirée précédente.

— Montmartre, mamelle granitique où viennent s'abreuver les générations éprises d'idéal! Montmartre, cerveau du monde! Jamais tu n'as ouï une œuvre semblable à celle que nous allons admirer! rugit Salis.

Un pianiste s'installa au clavier.

— Et voici notre maestro Charles de Sivry, ainsi que notre fameux auteur et récitant, Maurice Donnay!

— C'est lui que je dois caricaturer, précisa Tasha quand un jeune homme aux traits chevalins et à la moustache en pointe eut rejoint le compositeur.

— Ne cherchez pas l'illustrissime Henri Rivière[1], créateur des figures et des jeux de lumières qui vont vous enchanter, il opère en coulisse. Place au rêve, place à *Ailleurs*, poème gaulois, mystique, socialiste et incohérent en vingt tableaux, dédié à notre maître à tous, Paul Verlaine!

L'éclairage au gaz diminua, le piano entama un couplet guilleret. Le rideau s'ouvrit, révélant la tache pâle d'un écran circulaire. Des décors de zinc montés sur des châssis apparurent devant ce fond peu à peu noyé par un ciel scintillant d'étoiles. Une lueur cuivrée nimbait Paris et le terre-plein de l'Institut où trônait la statue de Voltaire. Un silence étonné succéda aux gloussements et

---

1. Peintre français (1864-1951), auteur de lithographies, d'eaux-fortes et d'aquarelles. *(N.d.A.)*

aux chuchotements. La statue de Voltaire venait de sauter à bas de son piédestal et rencontrait un poète nommé Terminus. Ruiné, découragé, Terminus se jetait dans la Seine, entraînant Voltaire dans les abysses du fleuve. Leurs ombres, baignées d'une clarté lunaire, surplombaient des édifices, des rochers, des arbres malmenés par le vent. D'une voix dénuée d'inflexions, Maurice Donnay lisait un texte : *Adolphe ou Le jeune homme triste,* aux accents d'une marche funèbre, œuvre d'un certain *Chopinhauer.*

> *Il était laid et maigrelet*
> *Ayant sucé le maigre lait*
> *D'une nourrice pessimiste*
> *Et c'était un nourrisson triste...*

Pendant qu'Adolphe devenait tour à tour opportuniste, « toutouriéniste[1] » et « aquaboniste[2] », un homme vint s'asseoir près de Victor. Tournant légèrement la tête, il reconnut Louis Dolbreuse.

— Eh bien, cher ami, vous visitez les cours de récréation de la capitale ? Hier le Moulin-Rouge, aujourd'hui le *Chat-Noir*, bel itinéraire pimenté ! À moins que vous ne soyez sur la piste de Gaston Molina ?

— Je suis ici pour le plaisir, marmonna Victor, contrarié.

Tasha ne réagit pas, mais son expression perplexe accompagnée d'un bref froncement des sourcils ne présageait rien de bon.

Lorsque, au milieu des vivats, les lumières se rallumèrent, Salis vociféra :

— Entracte d'un quart d'heure ! Je souhaite qu'il soit employé par Vos Seigneuries à absorber des consommations aux prix relativement ridicules !

— Je vous invite à boire un galopin au rez-de-

1. Tout ou rien. *(N.d.A.)*
2. À quoi bon. *(N.d.A.)*

chaussée, proposa Dolbreuse. Soyez sans crainte, ce n'est qu'un bock servi dans un verre à madère !

— C'est que... je ne suis pas seul.

— Oh ! Mademoiselle ou Madame est des nôtres ? Plus on est de fous... Nous sommes-nous déjà croisés ?

— Je m'en souviendrais, répliqua Tasha. Excusez-moi, je vous laisse, je dois interviewer Maurice Donnay.

— Exquise, lança Dolbreuse, précédant Victor. Une journaliste ?

La salle des Gardes était bondée. Ils parvinrent à se caser sous un hymne pictural de Steinlen dédié à la gent féline, *L'Apothéose des chats.*

— Buvez, mes amis, buvez, c'est votre contribution à nos prouesses artistiques ! braillait Salis.

Un verre de bitter à la main, le spectateur au macfarlane glissa un mot à l'oreille de Dolbreuse et se fondit parmi les consommateurs.

— C'est Navarre, une relation qui intéresserait votre amie. Il va éditer une revue littéraire. Voilà trois mois qu'il participe régulièrement à nos soirées. Il a de l'entregent à *L'Écho de Paris,* il m'a prié de lui donner des textes. Je vous l'amène ?

— Inutile, marmotta Victor, inquiet de savoir si Tasha avait saisi l'allusion au Moulin-Rouge.

Sans attendre Dolbreuse, il regagna la salle des fêtes où la jeune femme achevait une esquisse de Maurice Donnay, ingénieur frais émoulu de l'École centrale, davantage attiré par la poésie que par l'industrie.

Victor espérait être débarrassé de Dolbreuse mais quand vers minuit, le spectacle terminé, il suivit Tasha à l'intérieur d'une sorte de moucharabieh accroché à la paroi derrière la scène, il l'entrevit au fond de la salle.

L'espace exigu contenait des échelles permettant d'accéder à trois plates-formes superposées, l'une destinée aux instruments de musique, l'autre aux machinistes actionnant les plaques de verre coloré, la plus haut perchée étant réservée aux manipulateurs. Le nombre de ficelles était impressionnant.

— C'est complexe, pourtant il ne se produit jamais la moindre erreur, expliqua Henri Rivière, qui régnait sur son équipe comme un capitaine sur ses matelots. Tout doit être d'une précision rigoureuse, il faut manœuvrer simultanément les trois plans des silhouettes de zinc et orienter les miroirs de façon à recréer un lever de soleil ou une tempête.

Victor écouta distraitement les explications du peintre, il observait Tasha. Avait-elle oui ou non entendu les propos de Dolbreuse ?

— Comment faites-vous scintiller les étoiles ? demanda-t-elle.

— En agitant un cache devant ce carton percé de trous d'épingle.

— Et les éclairs ?

— Enfantin : on enflamme du papier salpêtré qu'on envoie ensuite en l'air.

L'attention de Victor achoppa sur cet adjectif : salpêtré. Cela lui rappela soudain la note trouvée la veille dans le placard de Molina : *sale pétriaire*. Sur le moment ces deux mots lui avaient paru absurdes. Maintenant ils prenaient un sens : la Salpêtrière, l'hospice érigé à l'emplacement du Petit-Arsenal de Louis XIII.

Ils prirent congé d'Henri Rivière. Tenace, Dolbreuse voulut absolument leur offrir le coup de l'étrier. Ils refusèrent. Victor n'appréciait pas les regards appuyés qu'il décochait à Tasha.

— Et le rébus de Gaston Molina, en avez-vous la clé ?

— Je sèche, ça n'a aucun sens, grommela Victor.

— Allons, faites un effort ! insista Dolbreuse.

Si Victor savait maîtriser sa colère, il n'était guère habile à dissimuler son exaspération. Dolbreuse s'en rendit compte, il s'inclina en souriant.

— Voici venir des amis moins effrayés que vous à la perspective d'une goguette nocturne ! clama-t-il en accueillant plusieurs visiteurs qui s'engouffrèrent dans la salle des Gardes.

— Jean Richepin, Jules Jouy, Xanrof[1], Maurice Vaucaire, la fine fleur de la chanson moderne, énuméra Tasha. Et celui-là, déjà ivre, tu le remets ?

— Verlaine, riposta Victor, rassuré de constater qu'elle ne semblait pas d'humeur vindicative.

Mais à peine avaient-ils parcouru dix mètres qu'elle fit volte-face.

— Pourquoi as-tu omis de me dire que tu étais au Moulin-Rouge hier soir ? Tu m'espionnais ? Qui est ce Gaston Molina ? Tu m'accuses de duplicité alors que c'est toi qui mènes une double vie !

Il encaissa sans broncher une pluie de reproches acérés. Il se tenait rigide près d'elle, essayant d'inventer une explication plausible. Il eut le sentiment qu'un autre Victor se substituait à lui lorsqu'il s'entendit répondre :

— J'ai simplement voulu tirer d'embarras un ami.

— Lequel ? Joseph ? Kenji ? Des amis ? Tu n'en as aucun.

— J'avoue. Il s'agit de Jojo. Je craignais qu'il fasse une bêtise. Il est fou furieux contre Boni de Pont-Joubert, celui qui a épousé Valentine de Salignac. Il savait pouvoir le trouver au Moulin-Rouge. Je l'ai suivi. J'ai réussi à le convaincre de rentrer se coucher.

Les paroles qu'il prononçait venaient spontanément.

— Tu m'as vue en compagnie de Lautrec ?

— Non, tu sais que je supporte mal la promiscuité, je suis reparti très vite.

— Et Gaston Molina ?

— Une relation de Boni, il a envoyé à Joseph une lettre de menace le sommant de ne revoir Valentine sous aucun prétexte, d'où la rage de Joseph. Je n'ai débusqué ni Molina ni Pont-Joubert.

En dépit du temps frisquet, il transpirait. Il se

---

1. Chansonnier, de son vrai nom Léon Fourneau, nom latinisé en « Fornax » puis « russifié » en inversant les lettres = Xanrof. (N.d.A.)

comportait en écolier qui s'enferre après une semonce de l'instituteur. Il avait rarement débité autant de mensonges. L'ennui, c'est que Tasha allait probablement cuisiner Joseph à qui il faudrait casser le morceau en échange de sa complicité et l'associer ainsi à sa nouvelle enquête.

— Tasha, tu m'en veux ?

— Je ne suis ni rancunière ni jalouse, tandis que toi...

Il la musela d'un baiser.

Le vent soufflait en bourrasques boulevard de Strasbourg. Les doigts serrés sur son turban hérissé d'aigrettes, Noémi Gerfleur se hâta de rejoindre le cabriolet qui l'attendait à la fin de son tour de chant pour la reconduire à son domicile. Avant de monter elle inspecta attentivement les abords de l'*Eldorado*. Redressée en une attitude de défi, elle scrutait les passants. L'expéditeur des roses, la guettait-il sous un porche ? Elle était obsédée par l'idée qu'il se manifesterait tôt ou tard. Eh bien, qu'il ose ! S'il tenait à remuer ces histoires anciennes, elle saurait le recevoir. Elle heurta la capote du manche de son parapluie, le cocher perçut le signal. Elle se blottit sur la banquette et fredonna une chanson de son enfance :

> *À l'homme, à l'oiseau sur la terre*
> *Dieu dit tout bas : Faites un nid !...*

Elle avait eu une jeunesse difficile, sa mère et sa sœur étaient mortes quand elle avait cinq ans, son père, mineur, avait été tué en juin 1869 lors des grèves de La Ricamarie. Elle était allée vivre à Lyon avec la tante Suzanne Fourchon, cuisinière chez des patrons tisserands, et avait été engagée à la filature. Elle se souvenait encore du garçon rustaud qui l'emmenait faire la tournée des beuglants. Le tenancier de la *Taverne des Jacobins* avait remarqué sa jolie voix. Rapidement elle avait acquis une certaine notoriété, le public se déplaçait pour applaudir la sémillante Léontine Fourchon. Lorsque Élisa vint au monde, elle ne chercha pas à savoir qui était le père et refusa de se séparer de l'enfant :

> *À l'homme, à l'oiseau sur la terre*
> *Dieu dit tout bas : Faites un nid !*

Elle avait scindé son existence en deux, consacrant ses journées à sa petite, le soir poussant la ritournelle au café chantant. Puis elle avait placé Élisa en pension, chez les demoiselles Veuillot où l'on enseignait le piano, l'anglais et les bonnes manières. À vingt-deux ans, elle était bourrée d'ambition, elle se savait séduisante, elle attirait les hommes, elle voulait croquer l'existence à belles dents, changer d'horizon, devenir une dame...

Le cabriolet peinait au milieu de la cohue, mais le bruit de la circulation, le brouhaha des spectateurs évacuant le théâtre du Gymnase où ils s'étaient délectés de *Numa Roumestan*[1] ne pouvaient détourner Noémi du cours de ses pensées. Huit ans, cela lui avait pris huit ans d'efforts, pour élaborer la solution qui ferait d'elle une femme libre. Elle avait conçu un scénario sans faille, choisi le pigeon idéal, mené l'affaire rondement, le résultat avait surpassé ses désirs les plus fous. Et voilà que cet imbécile réapparaissait, risquant de flanquer sa vie en l'air ! Elle se sentait épiée, aussi épuisée que si on l'avait rouée de coups. Quelle erreur d'avoir cédé au mal du pays ! À Londres elle était en sécurité. Qu'espérait-il ? Récupérer sa part ?

« Tu peux te l'accrocher, mon bonhomme ! Tu n'as aucune preuve, si tu t'imagines me faire chanter, bernique ! »

Une averse avait vidé la terrasse du *Grand Café de Suède*, la salle des Variétés fermait ses portes. Au carrefour, les curieux qui piétinaient autour du lieu où l'on

---

1. Pièce (et roman) d'Alphonse Daudet. *(N.d.A.)*

avait découvert le cadavre d'une inconnue vitriolée s'écoulaient le long des trottoirs, semblables à un troupeau regagnant l'étable. Elle les exécrait autant que les hommes bêlant au seuil de sa loge. Qu'on les mène donc à l'abattoir, ces veaux amateurs de chair fraîche !

Le cabriolet la déposa à deux pas du passage des Panoramas. La pluie la glaça. Elle atteignit le numéro 1, se retournant régulièrement afin de s'assurer que personne ne la suivait. Le passage était désert. Elle s'obligea à gravir l'escalier obscur. Mariette lui ouvrit en bâillant. Une fois de plus, Noémi voulut la sommer de mettre la main devant sa bouche, elle y renonça, trop lasse pour tenter d'inculquer quoi que ce soit à cette fille mal dégrossie que rien ne pourrait guérir de ses habitudes de souillon. Elle se contenta d'exiger un thé au lait et des rôties, puis courut se réfugier dans sa chambre.

Le papier peint reproduisait à l'infini des flocons duveteux de mimosa, et, parmi cet excès de jaune, les meubles de palissandre prenaient une teinte maladive. Elle laissa glisser sa capeline au sol, écarta les tentures safran de la fenêtre qui donnait boulevard Montmartre. Là, en face, à côté du musée Grévin, cet homme qui faisait le pied de grue près d'une affiche annonçant la reconstitution de l'affaire Gouffé, était-ce lui ? Non ! Une grosse dinde perchée sur des talons qui dérapaient se précipita dans ses bras et l'entraîna vers l'un des restaurants illuminant les trottoirs.

Elle s'installa à sa coiffeuse, approcha son visage du miroir.

« Regarde-toi ! Ce pli à la commissure des lèvres, ces ridules, ces poches sous les yeux... Trente-cinq ans ! »

Combien de fois avait-elle eu envie de balancer aux ordures son éventail, sa mantille, sa perruque, de boucler ses malles et de tout plaquer ! Mais elle manquait de courage. Devenir Noémi Gerfleur lui avait coûté trop de temps, trop de fatigue. Même si elle s'était fourvoyée en voulant piéger le bonheur grâce à l'argent et au succès, elle n'avait plus l'âge de lâcher la proie pour l'ombre. Il lui faudrait désormais se satisfaire d'une gloire déclinante, d'amants éphémères. L'amour ? Un leurre, une chansonnette à quatre sous :

> *Un nid c'est un tendre mystère,*
> *Un ciel que le printemps bénit...*

Elle l'avait pourtant traqué avec acharnement, ce tendre mystère insaisissable. Au bout du compte elle se retrouvait seule, sans une épaule où s'appuyer. Aucun ami à qui accorder sa confiance, excepté Élisa. Dieu merci, elle l'avait toujours tenue soigneusement à l'écart de cette fange afin qu'un jour prochain elle lui déniche un parti fortuné qui ne rechignerait pas à veiller sur l'automne de sa belle-maman.

Mariette entra porteuse d'un plateau. Le thé était crayeux, les rôties brûlées. Noémi soupira. Avait-elle mérité tant d'injustice ?

— Posez-moi ça et préparez mon bain. N'oubliez pas les sels de lavande et cessez de renifler, n'avez-vous donc pas de mouchoir ?

Mariette exhiba un large carré de toile et se moucha en trompetant.

— Désastreux, murmura Noémi. Attendez...

Mariette la fixait de ses yeux de grenouille.

— Vous avez un soupirant ?

— Oh oui, madame, Martial, il est mitron. Tous les dimanches il m'offre une brioche. Quand on se mariera nos enfants auront toujours du pain.

Noémi examina le museau chiffonné de sa bonne, ses cheveux ternes et se dit que décidément la vie était mal faite.

Mariette n'était pas sortie depuis cinq minutes, qu'elle revint, très excitée.

— Madame, vous avez une visite !

— Pas ce soir ! s'écria Noémi en nouant la ceinture de son déshabillé. Il ressemble à quoi ? Jeune ? Vieux ?

— J'en sais rien, madame, le vestibule est sombre. Il affirme être de vos intimes, voici sa carte.

Noémi y jeta un coup d'œil et se laissa choir sur une chaise.

— Vous allez bien, madame ?

— Oui, oui... Introduisez ce monsieur au salon.

— Et votre bain, madame ?

— Montez vous coucher, je m'en occuperai. Allez, allez, caltez !

L'émotion la faisait trembler, elle ne parvenait pas à rajuster sa coiffure. Enfiler un peignoir s'avéra un exploit harassant. Son cœur s'emballait. Elle tituba jusqu'au salon. Debout devant la cheminée, un homme contemplait les flammes, elle ne voyait que son dos. Au son de la porte, il pivota.

— Toi !... C'est toi, souffla-t-elle.

— Bonsoir, madame de Saint-Meslin, je me réjouis de ces retrouvailles, nous allons pouvoir ressusciter notre passé. Avez-vous apprécié mes roses Rubis ? Votre expression me dit que oui.

Il s'exprimait posément, d'une voix monocorde. Elle se soutint au chambranle. Il sourit et lui désigna une bergère.

— Vous devriez vous asseoir, j'ai des nouvelles de votre fille Élisa, je crains fort qu'elles ne soient mauvaises...

CHAPITRE VII

Mardi 17 novembre

Sa longue marche lui procurait un profond apaisement. Il avait traversé des quartiers solitaires. Il était désormais capable d'évoquer sa soirée avec le détachement d'un spectateur.

Tandis qu'il activait la sonnette du domicile de Noémi Gerfleur, il était si tendu qu'il doutait de sa détermination. Lorsqu'elle le rejoignit au salon, il avait recouvré son sang-froid. Elle le reconnut aussitôt. Quant à elle... Se pouvait-il que cinq années aient à ce point altéré ses traits, alourdi sa silhouette ? Celle qui le dévisageait était une inconnue. Il pensa à la jeune femme qu'il avait follement chérie et qui s'appelait encore Léontine Fourchon, il revit l'éclat de sa chevelure blonde, la candeur de son visage, son corps voluptueux. Cette évocation provoqua un reflux de la douleur ressentie quand il avait brutalement réalisé qu'elle s'était moquée de lui. Le salon, éclairé par des candélabres, sembla s'obscurcir, il fallait qu'il se débarrasse de cet aiguillon planté dans sa chair.

Il l'invita à s'asseoir et se délecta à lui conter par le menu les derniers instants d'Élisa, jouissant de la voir se décomposer au fur et à mesure qu'il lui fournissait des détails. Elle garda le silence, elle ne pleura pas, sa détresse était trop intense pour des mots. Elle se leva brusquement, porta une main à sa poitrine et s'effondra. Devant ce corps désormais étranger prostré sur le tapis, quelque chose s'éteignit en lui, il aurait voulu savourer l'ivresse de la vengeance, il n'éprouvait qu'une immense lassitude. Il s'agenouilla près d'elle et noua la bandelette autour de son cou, pressé d'en finir alors qu'elle gisait inanimée. Lorsqu'il se redressa, les muscles de ses jambes tremblaient. Il demeura un moment la tête vide, puis, pareil à l'accord assourdi d'une musique lointaine, le désir de vivre lui revint. Avec la précision d'un acteur habité par son personnage, il effeuilla les roses, déposa l'escarpin, les billets et quitta les lieux.

Le long des rues désertes, il songeait que l'existence n'est qu'un perpétuel changement. À l'image de Paris qui, de l'aube au crépuscule, bruissait d'animation et la nuit devenait ville fantôme, il n'était plus l'homme naïf qui six ans plus tôt avait succombé à des promesses sucrées.

« Te fais pas de mouron, répétait-elle, j'ai tout calculé. Aie confiance, nous mènerons grand train, plus de soucis d'argent. Nous partirons, rien que toi et moi ! »

Jour après jour, semaine après semaine, elle était revenue à la charge encore et encore et il avait cédé, son rôle serait très limité. Elle possédait une imagination débordante associée à un sacré talent de comédienne. Oui, un talent tel qu'elle l'avait floué, lui aussi. Il connaissait par cœur les termes de sa lettre d'adieu :

Ne cherche jamais à me remettre le grappin dessus. Tu sais que je ne ferais pas de mal à une mouche, mais si tu craches le morceau, je jurerai que c'est toi qui as tout manigancé, que tu m'as contrainte à t'obéir, que tu m'as menacée de t'en prendre à mon enfant. Allez au diable, toi et ta sentimentalité de bazar. Tiens ta langue, sinon...

Il avait compris ce que signifiait avoir le cœur brisé. Le plus dur n'était pas qu'elle eût filé avec le magot, mais qu'elle se fût jouée de ses sentiments, elle ne l'aimait pas, elle ne l'avait jamais aimé. Le poison s'était insidieusement frayé un chemin vers son esprit engourdi. Humiliation, désespoir, colère, haine. Un soir, pris de boisson, il avait sauvagement agressé un gardien de la paix. Au cours de sa détention il avait eu le loisir de peaufiner sa vengeance. Mais ce plat qui se mange froid avait aujourd'hui perdu toute saveur.

Il cheminait sans hâte. Au débouché d'une rue, il s'arrêta, étonné d'être arrivé chez lui.

Il régnait un froid humide dans sa chambre à coucher dépourvue de chauffage. Assis près de l'unique fenêtre, il regardait la brume s'effilocher entre les branches dénudées des marronniers. Il prenait plaisir à veiller jusqu'au lever du jour, laissant papillonner en lui une foule d'idées dont deux ou trois surnageraient. La suite de son plan requérait une parfaite maîtrise de soi, les dés étaient jetés. Il décida de ne pas dormir.

Cette vie de bâton de chaise ne valait rien à Victor, il manquait de sommeil et rêvait de traînasser au lit.

« Avec ou sans Tasha ? » se demanda-t-il en franchissant le boulevard. Que signifiait cet attroupement à l'entrée du passage des Panoramas ?

Sa tourtière de pâtés bien d'aplomb sur le crâne, un petit mitron tentait de se faufiler au premier rang des badauds.

— Un accident ? s'enquit Victor.

— Un assassinat, chuchota le gamin.

Avisant un sergent de ville, Victor se fit passer pour reporter.

— Une femme a été étranglée, c'est sa bonne qui a trouvé le corps ce matin, mais vous n'avez pas la primeur, vos confrères sont déjà venus. Comment flairezvous ces choses-là, vous autres ? Une meute de cadors aux trousses d'un tripier ! dit le pandore en tortillant sa moustache.

— À quel endroit cela s'est-il produit ?

— Au numéro 1 du passage. Circulez maintenant.

— Quelle époque ! s'écria une vieille femme cassée en deux. Quand je pense que la semaine dernière on en a trucidé une autre juste à côté !

Un homme intervint :

— En tout cas le vol n'est pas le mobile, il paraît que la serrure est intacte, elle connaissait son meurtrier, c'est sûr, puisqu'elle lui a ouvert.

— Vous teniez la chandelle ? demanda le sergent de ville.

— Vous devriez lire les journaux, ils donnent des statistiques, et moi qui suis comptable je peux vous garantir que les chiffres sont un terrain solide. Soixante pour cent des victimes connaissent leur meurtrier.

— Ça c'est vrai ! s'exclama la vieille. Ces cocottes-là vivent de leurs charmes, et l'engeance masculine n'attire que des ennuis, moi qui vous...

— Mariette a sonné chez ma patronne, elle était folle de peur, l'interrompit une femme de chambre. Elle a raconté qu'un type est venu après minuit, elle n'a pas vu son visage. La Gerfleur a été recouverte de pétales de roses et entre ses seins y avait un escarpin rouge.

Les jambes en coton, Victor se dégagea de la cohue et se précipita vers la station de fiacres. Il n'eut que vaguement conscience de murmurer sa destination au cocher, un nom l'obsédait : Iris.

Jamais Victor n'avait vu Kenji se troubler ainsi. Une seule phrase, longuement mûrie, avait suffi à lui faire lâcher le paquet de fiches qu'il rédigeait à son bureau.

— Iris court un grave danger chez Mlle Bontemps.

— Qu'est-ce que vous dites ? balbutia Kenji, aussi cramoisi que lorsqu'il forçait sur le saké.

— Sa meilleure amie, Élisa Fourchon, a été...

— Qui vous a raconté qu'Iris est en France ?

Victor fit une fois de plus appel à son inspiration. Par bonheur, Joseph livrait des romans au domicile de Mathilde de Flavignol, la boutique était vide.

— Joseph vous a entendu lancer une adresse à un cocher de fiacre le jour où il vous a montré un escarpin qu'on venait de lui déposer. Vous étiez bouleversé, il a cru à une rechute, il m'a mis au courant... je me suis inquiété et j'ai décidé de me rendre à Saint-Mandé.

— C'est donc vous qui avez rapporté ma canne... Vous avez parlé à Iris ? questionna Kenji d'une voix grise.

— Effectivement, j'ai eu un entretien avec votre filleule. Elle m'a avoué avoir prêté une paire de souliers à Élisa Fourchon. Or je crains que cette jeune personne ait été victime d'un accident fatal. D'autant que sa mère, la chanteuse Noémi Gerfleur, vient d'être assassinée.

— Comment le savez-vous ?

— Les journaux.

Kenji se leva. Victor remarqua que ses cheveux blanchissaient et que ses yeux étaient cernés. Il réprima un élan de tendresse.

— Il faut aller chercher votre filleule sur-le-champ. Je lui céderai mon appartement et j'irai loger chez Tasha. Il est grand temps que je devienne indépendant, cela ne changera rien à notre collaboration.

Kenji faisait les cent pas, frappant l'une contre l'autre deux fiches qu'il avait gardées en main. Il se planta devant Victor.

— Vous me contraignez à vous dévoiler une vérité que j'eusse préféré taire. Au fond, cela me soulage. Iris est ma fille.

— Je m'en doutais. Le sait-elle ?

— Non... Oui, depuis peu. Sa mère est morte quand elle avait quatre ans, c'était une femme mariée. Iris n'en conserve aucun souvenir. J'ai voulu lui épargner les retombées d'un scandale.

— Pourquoi me l'avoir dissimulé ?

— La grenouille dans un puits ne sait rien de la haute mer et elle n'en souffre pas.

— S'il vous plaît, Kenji, sevrez-moi de votre sagesse orientale et exprimez-vous clairement.

— À l'époque vous étiez un jeune homme introverti, nerveux et possessif, votre mère vous avait confié à mes soins, je me sentais responsable de vous, pour quelle raison vous aurais-je fait partager mes soucis ?

— Mais depuis j'ai grandi. Vous êtes décidément un homme très compliqué. Mesurez-vous la conséquence de vos cachotteries ? J'étais persuadé qu'Iris était votre maîtresse.

Kenji s'humecta les lèvres.

— Une enfant de cet âge... Vous êtes fou ! Vous m'avez surveillé ?

— Certes non ! Seulement vous êtes un piètre conspirateur. Rappelez-vous ce proverbe : Ensevelis la vérité, tôt ou tard elle parviendra à pointer son nez.

— Évitez de m'infliger ces dictons de votre cru et promettez-moi de ne divulguer cette confidence à personne, pas même à Tasha.

— C'est promis.

Kenji enfila sa redingote, se coiffa de son melon, saisit sa canne et sortit, tenant encore ses deux fiches. Guilleret, Victor s'adressa au buste de son Molière :

— Mais si, Tasha, cette petite est sa maîtresse, je dois leur laisser le champ libre, je n'ai guère le choix...

— Une gamine de seize ans ! s'indigna Tasha. Ah, les hommes ! Quel que soit leur âge, ils n'ont qu'une obsession : prouver leur virilité !

— Pas tous. Félicite-toi d'avoir rencontré l'oiseau rare.

Lorsque Victor l'enlaça, elle se débattit un peu, pour la forme.

— Je suis sûre que tu lui ressembles, murmura-t-elle. Une liaison officielle, dix aventures clandestines.

— Ma chérie, qualifier notre liaison d'officielle est un tantinet optimiste. Jusqu'à ce jour nous nous sommes aimés entre deux portes, ne sens-tu pas les courants d'air? Nous risquons d'attraper froid.

— Si tu désires ronronner en permanence près du poêle, évite les allées et venues de la rue des Saints-Pères à la rue Fontaine.

— Non, c'est vrai, tu veux cohabiter?

Elle eut un geste éloquent vers le fouillis qui investissait l'atelier.

— Mon désordre me rassure, toi, tu es méticuleux, tu te vois loger ici? Nous nous chicanerions pour des vétilles. Je déteste cuisiner, le ménage me barbe, la peinture est ma seule passion.

— Et moi?

— Toi, je t'adore, mais tu es jaloux. J'ai besoin de fréquenter des peintres, de confronter mes recherches aux leurs.

— Je tiens la solution. Loger de l'autre côté de la cour facilitera les choses. Nous aurons chacun notre territoire, je pourrai développer mes photos et tu créeras en toute sérénité. Régulièrement, nous aurons rendez-vous. Le samedi de dix-sept heures à dix-neuf heures, ça te convient?

— Qu'est-ce que tu racontes?

— J'ai loué le salon de coiffure et l'appartement attenant.

— Tu as...

— Ferme la bouche, chérie, on dirait un mérou.

L'homme en alpaga gris but à la régalade une lampée de rhum, s'essuya les lèvres d'un revers de manche et enfonça la flasque dans sa poche. La brusque embellie lui avait donné la pépie. Il longea des grilles rouillées et pénétra dans le Jardin des Plantes. Après avoir traversé une aire de chrysanthèmes, il gravit le chemin montueux du labyrinthe. Au sommet de l'éminence, il embrassa du regard la haute coupole du Panthéon, puis il s'assit au milieu du banc circulaire qui entourait un cèdre du Liban. Buffon l'avait planté plus d'un siècle et demi auparavant, l'arbre avait vu le Premier Empire succéder à la royauté et à la Révolution, la Restauration chasser l'Empire, le Second Empire balayer la IIe République, et, finalement, dérouler un tapis rouge pour la IIIe. Des millions d'hommes s'étaient entre-tués au nom d'idées qui n'avaient plus cours, l'arbre était toujours là.

« Moi aussi, je suis là, libre de mes mouvements, et je compte fermement le rester. »

En dépit des meurtres qu'il avait perpétrés, il avait très envie de vivre et entendait ne rien négliger afin de s'assurer l'impunité. Il observa le manège d'une corneille qui s'acharnait à picorer des papiers gras qu'elle extrayait un à un d'une corbeille. Il sourit à la pensée qu'on accuserait un quelconque promeneur d'avoir souillé la pelouse. « Certains cassent les pots, les innocents les payent, c'est la vie ! » Il tira sa montre de son gousset : quinze heures trente. Il était temps de vérifier si le vieux, dont il notait les déplacements depuis une semaine, se conformait à son itinéraire.

Il le repéra dans l'enclos des cerfs, caressant une biche après lui avoir changé sa litière. Il s'était habitué à son visage plissé et à sa moustache de phoque. À force de veiller sur les animaux, le vieux bonhomme avait fini par devenir semblable à ses pensionnaires, flegmatique, effarouché, renfermé. Chaque après-midi il effectuait régulièrement le même trajet. Il passait devant les antilopes et les bisons, suivait une allée qui conduisait aux volières. Là, il marquait une pause et contemplait les peintres du dimanche s'appliquant à reproduire les becs crochus des vautours et les silhouettes hiératiques des marabouts.

Le vieux bonhomme échangea quelques mots avec une petite femme maigrichonne qui s'évertuait à modeler une boule de glaise informe en un gypaète. Il hocha la tête d'un air dubitatif, continua vers le bassin des crocodiles, contourna la fosse aux ours et termina son inspection par la galerie des animaux féroces, une vingtaine de loges ceintes de doubles barreaux où les fauves, confinés, dépérissaient lentement.

Satisfait, l'homme en alpaga gris s'assit sur une chaise de fer, non loin d'une nourrice qui feuilletait le *Journal des Modes* tout en imprimant des vibrations à un landau du bout de sa bottine. D'une chiquenaude, il épousseta les revers de son pardessus et révisa son plan : se laisser boucler à l'heure de la fermeture, enfantin. En revanche, escalader les grilles pour sortir présentait un obstacle majeur : on pouvait le voir. Il avait enfin résolu le problème. À l'instar de tous les lieux publics, le Jardin des Plantes recevait la visite nocturne des équipes employées au nettoiement de la capitale.

« Je n'aurai qu'à me faufiler parmi eux. Deux jours pour me procurer un chapeau de paille, une blouse et me transformer en salarié de la voirie, c'est plus qu'il n'en faut. »

L'occupant du landau, visiblement trop chahuté, se mit à glapir. Les nerfs à vif, l'homme se leva et jeta à la nounou :

— Donnez-lui donc du bromure !

Les nuages se gonflaient en de gros sacs sombres qui s'effilochaient au-dessus des toits. Un pauvre diable, famélique, dépenaillé, haletant, courait cheveux au vent, coudes au corps, derrière un fiacre remontant la rue des Saints-Pères. Mme Ballu, la concierge, se replia vivement sous le porche, sans pour autant échapper aux éclaboussures lorsque le fiacre se rangea le long du caniveau.

— Vandales, grogna-t-elle en ramassant son balai.

Postée poings aux hanches à l'entrée de *sa* cour, elle vit M. Mori sauter de la voiture et aider à en descendre une demoiselle qu'elle ne connaissait ni d'Ève ni d'Adam. Croulant sous une pile de cartons à chapeaux, le fils Pignot suivait en titubant. Aussitôt le type famélique se précipita et hissa une énorme malle sur ses épaules.

— Ben v'là aut'chose ! Ce bagotier[1] va tout d'même pas monter dans mes *escayers* que j'viens d'frotter à m'en désosser la colonne ! s'indigna la concierge.

— Laissez, madame Ballu, il a la permission, dit Kenji Mori en soulevant son melon.

— Permission, permission, j't'en ficherai, moi, d'la permission ! Qu'est-ce que c'est qu'ces mœurs, il installe une cocotte ? Qui c'est qu'est en charge, ici ? grommela la concierge en leur emboîtant le pas. Surtout n'essuyez pas vos pieds, hein ! aboya-t-elle à la figure de Joseph qui dévalait les marches deux par deux.

— M'sieu Legris, ils sont là-haut, annonça-t-il en s'engouffrant dans la librairie. Entre nous, à mon avis, la demoiselle est bien jeunette pour... pour... Bon, vous me comprenez. Elle va rester longtemps ?

— Je l'ignore, Joseph. Je vous trouve un rien fouineur.

— Ah mince alors, fouineur, moi ! C'est vous qui dites ça, vous qui furetez partout ? Et vous voulez me faire porter le chapeau ?

— Il faut croire que vous avez une tête à chapeau. À plus tard, Joseph, on m'attend.

Côte à côte dans la cuisine, le père et la fille préparaient du thé. Au contraire de Kenji, plutôt embarrassé, Iris affichait une attitude enjouée.

— Monsieur Legris, c'est très gentil à vous de me céder votre appartement ! Je vais enfin découvrir comment vit parrain.

Elle pouffa.

---

1. Ou *pisteur*. Homme qui courait derrière les fiacres afin d'aider les voyageurs à monter leurs bagages à domicile. *(N.d.A.)*

— Les gens vont jaser... Aucune importance, on s'en moque, je suis si heureuse !

— Je vous laisse la place, mademoiselle, le temps de rassembler des vêtements et de boucler ma valise.

Victor inspecta son appartement, repêcha des bricoles oubliées par Tasha. Encombré de gants, de fusains et d'esquisses froissées, il déversa sa moisson sur la courtepointe. Puis il plia soigneusement chemises, gilet, pantalon et se souvint brusquement du tableautin posé sur le buffet de la salle à manger. Ce nu de Tasha risquait de choquer Iris. Il cherchait un endroit où le dissimuler lorsque celle-ci fit irruption.

— J'ai exploré le domaine de parrain, amusant, ce mélange de styles. Je voulais vous tranquilliser. Ce tableau de femme à sa toilette, que j'ai entraperçu, laissez-le où il est... C'est votre chère et tendre, n'est-ce pas ?

— Je ne sais si... Votre parrain...

— Vous êtes ici chez vous, et je ne suis plus une enfant, dit-elle en le suivant dans la chambre à coucher. Elle est très belle, quel est son nom ?

— Tasha, murmura Victor.

— Le thé est prêt, annonça Kenji qui avait entendu et opérait une diversion.

— Et cette femme, qui est-ce ? demanda Iris en arrêt devant le portrait de Daphné Legris. Elle a une physionomie douce et pensive.

— C'était ma mère, répondit Victor en désignant le cadre ovale au-dessus de son lit.

Kenji s'éclipsa furtivement, courut à son appartement qu'il traversa d'un trait, se rua dans sa salle de bains, s'empara de la photo de Daphné et Victor enfant, et alla l'enfouir dans le coffre à ferrures, au pied de son futon.

Le menton au creux de la main, Joseph étudiait les châssis empilés contre les murs de l'atelier. Mlle Tasha progressait sérieusement, peut-être la prierait-il d'illustrer ses romans, le jour où il serait un auteur confirmé.

« Qu'est-ce qu'il fabrique, le patron ? Il a balancé sa valise dans l'alcôve avant de repartir. Je reviens tout de suite, qu'il a dit. Tout de suite, tout de suite... Ça fait une éternité ! »

Il écarta du poêle le palmier en pot qu'il avait offert à Tasha au printemps précédent, il s'était drôlement développé et s'il prenait un coup de chaud il finirait par crever la verrière !

— Ah, le v'là, pas trop tôt, grogna-t-il lorsque la serrure grinça.

Victor entra sans un mot, se laissa choir sur une chaise et déplia *Le Passe-partout*.

— Quoi de neuf, patron ?

Le journal titrait :

UNE NOUVELLE FRITURE DANS LE STYX
Noémi Gerfleur assassinée à son domicile

L'article, signé Virus, relatait la biographie de la chanteuse qui, après de timides débuts à Lyon, avait triomphé à Londres et à Brighton. Revenue à Paris lors de l'Exposition universelle, elle faisait un tabac à l'*Eldorado*. Le monde du spectacle était brutalement privé de son talent, car, à l'aube, on l'avait trouvée étranglée dans son salon, recouverte de roses rouges. Sur sa poitrine reposait un escarpin confectionné en Angleterre, estampillé *Dickins & Jones, Regent Street, London W.* Fait curieux, cet escarpin n'était pas à sa pointure.

— Mince ! C'est la marque du soulier déposé chez nous par l'énergumène ! s'exclama Joseph penché sur l'épaule de Victor.

Celui-ci replia le journal avec agacement, mais se reprit aussitôt et considéra aimablement son commis.

— Dites-moi, Joseph, à quand remonte notre dernière collaboration ?

— Vous êtes lancé sur une enquête, patron?

— Oui et non... Figurez-vous que c'est moi qui ai préconisé à M. Mori d'installer sa... Mlle Iris rue des Saints-Pères. J'étais soucieux de sa sécurité.

— Pourquoi, patron?

— Une de ses condisciples, Élisa, a disparu de leur pension. Mlle Iris lui avait prêté une paire de souliers rouges, ils étaient un peu grands et...

Joseph se prit le front à deux mains.

— J'ai compris! Élisa, c'est elle!... C'est la fille du carrefour des Écrasés! Et son assassinat est en rapport avec celui de Noémi Gerfleur. J'ai raison?

— On ne peut rien affirmer. Je suis une piste qui m'a mené au Moulin-Rouge. L'amoureux d'Élisa y travaillait. L'ennui, c'est que Tasha m'a vu. Vous savez qu'elle déteste me savoir pratiquer ce violon d'Ingres, aussi lui ai-je servi une histoire de filature vous concernant vous et...

— Me concernant moi et qui?

— Boni de Pont-Joubert.

— Ah, ça! Vous m'avez associé à ce gommeux! Et j'étais supposé faire quoi, au Moulin-Rouge?

— Le provoquer en duel.

— Vous ne manquez pas de souffle! En duel? Eh, doucement! Je tiens à la vie, moi! Vous voulez que j'abonde dans votre sens, c'est ça! Et j'y gagne quoi?

— Vous me secondez.

— Parole d'homme?

— Parole d'homme.

Dès que Joseph eut vidé les lieux, Victor examina le bristol subtilisé dans la loge de Noémi Gerfleur : ... *souvenir de Lyon...*

Lyon, c'est là qu'avait débuté la Gerfleur. Voyons, que disait le papier dégoté dans le vestiaire de Gaston Molina?

Charmansat ché ma tante. Aubertot, goche cour manon sale pétriaire. Rue L. rdc 1211...

Hormis l'indication « Salpêtrière », rien à en tirer pour l'instant.

— Cour Manon, marmonna-t-il le nez collé à la vitre.

Face à lui, l'arrière-boutique du coiffeur le contemplait de sa vitrine opaque.

« Contacter un décorateur dès demain... D'ici Noël je serai dans mes meubles. »

CHAPITRE VIII

Jeudi 19 novembre

Un brusque souffle d'air éparpilla les fiches que Kenji venait de classer. Des fleurs, des plumes, des bijoux, exhibés avec une audace triomphante par une femme brune, tourbillonnèrent à travers la librairie.

— Monsieur Mori... Vous me remettez ?

Kenji eut du mal à se remémorer où il avait aperçu ces yeux noirs, cette bouche gourmande, puis bégaya :

— Mademoiselle... Mademoiselle... Allard ? Vous... vous avez embelli !

— Eudoxie. Merci du compliment. Est-il sincère ?

— Oui... Oui, in... indubitablement. Je... Asseyez-vous...

Elle s'amusa de son trouble, et, lorsqu'il parvint à lui avancer une chaise, s'approcha de lui jusqu'à le toucher. Il tenta de regrouper ses fiches, mais sa maladresse était telle qu'elles lui échappèrent des mains.

— Je souhaiterais rencontrer M. Legris. Il est absent ?

— Il développe des photos dans sa chambre noire, je l'appelle.

Eudoxie s'empara au hasard d'un catalogue qu'elle ouvrit devant son visage au moment où Victor remontait. Sans méfiance, il se dirigea vers cette cliente studieuse. Avec un gloussement, elle envoya promener son masque. Impossible de fuir.

— Eh bien, mon chou, vous en faites une mine! Votre associé est plus galant, lui au moins m'a proposé un siège.

— En ce cas, profitez de l'aubaine. Vous me prenez de court, je n'ai pas grand-chose à vous offrir.

— Détrompez-vous. Accordez-moi un entretien et je vous ferai changer d'avis, ajouta-t-elle assez fort à l'intention de Kenji qui se retrancha derrière son bureau.

Elle eut un sourire moqueur et effleura de son gant la joue de Victor.

— Mon chou, je vous mets au défi! Mais vous voilà métamorphosé en ours! Vous étiez autrement luné avant-hier soir. Dommage, moi qui vous apportais des nouvelles de Gaston Molina!... Ah! Votre expression se radoucit, je vous préfère ainsi. Que me conseillez-vous, monsieur Mori? Dois-je accepter votre chaise et débiter mon histoire au vilain Victor?

— J'ignore à quoi vous faites allusion, bougonna Kenji.

— Tiens donc, comme on peut se leurrer! J'aurais parié que vous n'aviez aucun secret l'un pour l'autre! Victor vous a caché l'embarras qui bouleverse la fille d'un de ses clients? Qu'est-ce qui se passe là-haut? Vous déménagez?

Kenji redressa vivement la tête. Au premier, Iris virevoltait, occupée à réaménager les pièces à son goût. Victor fut saisi d'un violent accès de toux.

— Vous avez pris froid? Au Moulin, c'est certain, quand nous levons la jambe au cours du quadrille, très mauvais, ça. Grille d'Égout affirme que cette atmosphère viciée gangrène le cerveau des hommes. Pauvre Gaston, peut-être est-ce la cause de son trépas précoce.

— Il est mort? s'écria Victor.

— Il a cassé sa pipe aussi vrai que je vous vois.

Soyez sans crainte, il n'est parti ni de la caisse ni de la caboche. Un mauvais plaisant l'a gratifié d'une Légion d'honneur à l'épigastre, sans doute en récompense de service rendu. Josette a été convoquée à la morgue, elle a identifié son amant en versant des larmes de crocodile, puis elle l'a agoni d'injures. Dame, la voilà sans soutien, délestée de ses petites économies. Réjouissez-vous, la fille de votre client est hors de danger. Au fait, a-t-elle rejoint le nid familial ?

Eudoxie s'éventait nonchalamment avec un buvard ramassé sur la table. Victor eut un geste évasif.

— Je vous sais gré de m'avoir confié ce renseignement, j'en ferai part à mon client, grommela-t-il.

— Taratata ! N'essayez pas de rouler Fifi Bas-Rhin ! Celui qui me mènera en bateau est loin d'avoir vu le jour. Ma main à couper qu'il s'agit d'autre chose que d'honneur perdu. Allez, dites-moi tout, c'est encore à propos d'une de vos enquêtes ?

— Ce n'est pas la main, c'est la langue qu'il faudrait vous couper, lui chuchota Victor, la bouche en coin, en jetant un regard éloquent vers Kenji courbé au-dessus de ses fiches.

— Ah, je vois, on conspire en douce. Alors donnant, donnant, mon silence en échange de quelques cinq à sept.

Elle avait baissé la voix jusqu'à ce qu'elle fût un murmure. Il lui répondit sur le même registre :

— J'avais cru deviner que vous aviez une relation privilégiée avec M. Dolbreuse.

— Ça vous pose problème, mon chou ? Louis est un brave garçon, mais c'est un parfait égoïste, il ne parle que de lui, il m'explique de long en large ce qu'il a fait, ce qu'il fait, ce qu'il va faire et combien il est talentueux, c'est d'un monotone !

— Autant vous prévenir, je suis déjà...

— Chut ! Il ne faut jamais dire fontaine je ne boirai de ton eau... Tenez, voici mon adresse... Qui sait ?... Je pourrais vous aider à secourir d'autres jeunes mijaurées en détresse...

Eudoxie Allard
16, rue d'Alger, Paris Ier

Après avoir lu la carte, il s'inclina, lui fit un baise-main et se rua au sous-sol.

— Décidément, monsieur Mori, les hommes sont une énigme. Ils vous implorent de leur rendre service, vous vous exécutez, et ils vous envoient paître ! Je gage que votre librairie doit être emplie de romans traitant de la sottise des femmes. Comment définir celle des hommes ?

— La femme que l'homme aime le plus, c'est celle qui ne l'aime pas encore.

— Vraiment ? Je serais curieuse d'expérimenter votre philosophie, malheureusement je suis pressée. Accepterez-vous ce billet de faveur ? Si vous ne le connaissez déjà, ce sera l'occasion de découvrir le Moulin-Rouge, et de m'éclairer sur le comportement intime des Orientaux. Habillez-vous chaudement, surtout, je m'en voudrais d'être responsable d'un refroidissement !

Elle avait à peine franchi le seuil de la librairie que Victor déboula de l'immeuble.

— D'où sortez-vous ? Un diable de sa boîte !

— Eudoxie, excusez-moi, mon accueil a manqué de cordialité.

— Cette figure de style est-elle un euphémisme ?

— Je ne désirais pas parler en présence de mon associé. Je suppose que la police enquête sur le meurtre de Molina.

— En effet, le Moulin s'est honoré d'une visite de cet adorable inspecteur Lecacheur. Dieu merci, il ne m'a pas remise, sinon je serais la suspecte numéro un, il garde un souvenir saumâtre de ses relations avec *Le Passe-partout*.

— Savez-vous si mon nom a été évoqué ?

— Vous n'êtes pas célèbre au point que les bals se gargarisent publiquement de votre venue ! Rassurez-vous, ni Lucienne ni Josette n'ont été capables de décrire le beau brun lancé aux trousses de Gaston. En revanche, si les interrogatoires se prolongent, la police risque de cuisiner Alcide, Louis ou moi, et...

— Il est capital que je conserve l'incognito ! gronda-t-il en lui pressant le bras.

— Méchant, vous me faites mal ! Lorsque l'on formule ce genre de requête à une dame, il est recommandé d'y mettre la forme et de montrer de la délicatesse.

Elle se dégagea, affectant de bouder.

— Je viens de vous expliquer... commença Victor qui se détourna soudain et fit mine d'extraire de sa poche son étui à cigarettes, au moment où Joseph revenait d'une livraison en sifflotant.

— Vous avez de drôles de manières. Seules les rouquines y sont-elles sensibles ?... Allons, Victor, quittons-nous bons camarades, je ferai de mon mieux pour préserver votre anonymat. Après tout, cher ingrat, qui au Moulin s'intéresse assez à vous pour rester muette même sous la torture ? moi !

Quand Victor regagna la librairie, Joseph luttait contre un rouleau de ficelle servant à empaqueter des livres. Les voix assourdies de Kenji et d'Iris se mêlaient à l'étage.

— Une autre livraison ?

— Ah, malheur ! L'œuvre intégrale de Zénaïde Fleuriot[1] destinée à une certaine Salomé de Flavignol, la cousine de Mme Mathilde, qui demeure à Passy ! Flûte, zut et re-zut, c'est la plaie ! grogna Jojo en s'efforçant vainement de nouer une rosette.

Victor appuya son index sur la ficelle afin de lui faciliter la tâche.

---

1. Écrivain français (1829-1890). Elle a collaboré au *Journal de la Jeunesse* et à la *Bibliothèque rose*. (N.d.A.)

— Merci, patron. Dites, vous savez qui était Diogène ?

— Un philosophe grec pas fier qui avait élu domicile dans un tonneau. Pourquoi ?

— Eh ben, le type retrouvé dans un tonneau à la halle aux vins, c'est comme ça que m'sieu Gouvier l'a baptisé dans son article, mais en réalité on sait qui c'est, la police a établi son identité, il était fiché. Vous voulez en savoir plus ?

— Poursuivez.

— Parce que ça va me servir à écrire mon feuilleton. Il se nommait Gaston Molina, un escroc sans envergure, alors j'ai pensé l'introduire dans mon roman, je changerais son nom, il pourrait s'enticher de...

— Excellente idée ! lança Victor en se ruant vers la sortie.

— Ça me fera les pieds ! Il s'en fiche ! Il verra, quand je serai célèbre ! grommela Joseph qui se vengea en achevant de ficeler le plus navrant paquet de livres jamais porté à son actif.

Le Passe-partout sous le coude, Victor arpentait la rue des Saints-Pères, absorbé par ce qu'il venait de lire. Isidore Gouvier relatait la découverte, halle aux vins, d'un homme poignardé, immergé dans un tonneau où il avait séjourné plusieurs jours. Ce Gaston Molina, né à Saint-Symphorien-d'Ozon en 1865 d'un père canut et d'une mère blanchisseuse, était connu des services de police. Surpris en flagrant délit de vol, il avait écopé de six mois de prison purgés à Lyon au début de 1891 et aurait moisi en cellule beaucoup plus longtemps si l'on avait pu prouver sa participation à une série de cambriolages dans la région de Saint-Étienne trois ans plus tôt. Mais l'unique témoignage susceptible de l'accabler émanait d'un colporteur trop épris de la dive bouteille, et donc irrecevable.

Victor s'acharnait à démêler l'écheveau. Molina était

l'amant d'Élisa, la fille de Noémi Gerfleur. Pour quelle raison les avait-on assassinés ? Il relut le bristol empoché dans la loge de la Gerfleur à l'*Eldorado*. La réponse était là, il le sentait :

> *À la môme Bijou, baronne de Saint-Meslin. En souvenir de Lyon, ces quelques roses Rubis. Hommages d'une vieille relation. A. Prévost.*

Sur le point de traverser face à la librairie, il vit Jojo ôter la poignée de la porte et placer la pancarte : *Fermé jusqu'à quatorze heures trente.* Pour un peu il en oubliait son déjeuner avec Tasha !

Boulevard de Clichy, il avait acheté deux portions de choucroute et du vin blanc cacheté dans une brasserie alsacienne. Fredonnant *En passant par la Lorraine,* le col de sa redingote relevé à cause du froid piquant, il se hâta vers l'atelier. Mais il s'immobilisa sur le seuil : Tasha avait de la compagnie. Près d'elle, campé devant le poêle, affichant une attitude de propriétaire, un homme coiffé d'un sombrero prenait une pose avantageuse : le séducteur du *Chat-Noir* rencontré au Moulin-Rouge, Louis Dolbreuse. Décidément, cet individu suivait Tasha à la trace ! Aussitôt, ses soupçons se muèrent en certitude : elle le trompait avec ce bellâtre !

— Vous apportez le déjeuner ? Vous tombez à pic, j'ai l'estomac dans les talons ! s'écria Dolbreuse.

— C'était supposé être un tête-à-tête, marmonna Victor.

— Oh ! Je ne vous dérangerai pas, je vais m'asseoir dans l'alcôve.

— En ce cas, il vous faudra acheter une part supplémentaire.

— Montrez ? C'est bien assez copieux pour trois ! Voyez-vous, je n'ai pas honte de l'avouer, je suis ratissé, aussi votre provende me comble-t-elle. Savez-vous de quoi je me nourris depuis une semaine ? D'épinards en branches gracieusement livrés par ma logeuse. Sans crème fraîche — un luxe au-dessus de mes finances—, c'est amer comme chicotin !

— Vous mentez, j'en suis convaincue, dit Tasha en riant. Prenez une assiette dans le buffet, emplissez-la et allez vous installer sur le lit. Tâchez de manger proprement !

Victor attendit que Dolbreuse se fût éloigné.

— Pourquoi est-il ici ? murmura-t-il avec indignation.

— Il a eu mon adresse par Salis, il est passé hier après-midi voir mes tableaux, il apprécie mon style. C'est une relation intéressante, il a de l'entregent dans le monde du spectacle, il me conseille de m'essayer à la réalisation de décors. Je lui ai proposé de revenir aujourd'hui, je veux crayonner une ébauche de son visage.

Victor était tellement furieux qu'il ne parvenait pas à déglutir. Il crut un instant qu'il allait s'étouffer avec une bouchée de choucroute. Lorsqu'il put enfin respirer, il remarqua sèchement :

— Il ne te paiera pas son portrait, il est fauché.

— Peu importe, j'ai besoin de modèles.

— Ma parole, il t'a tapé dans l'œil !

— Victor, calme-toi, je t'en conjure, tu t'imagines toujours...

— Hé, monsieur Legris ! Vous avez lu le journal ? Le gars que vous cherchiez, Gaston Molina, il a avalé son bulletin de naissance, on a repêché son cadavre dans une barrique de vinasse. Drôle de coïncidence, non ? lança Dolbreuse du fond de la pièce.

— Gaston Molina... N'est-ce pas le nom que vous avez cité au *Chat-Noir* ? demanda Tasha en fronçant les sourcils. Et il est mort, dites-vous ? Victor, qu'est-ce que tu mijotes ?

C'en était trop. Submergé par la jalousie et l'inquiétude à la perspective d'essuyer un feu roulant de questions, Victor posa son assiette, saisit son chapeau et mâchonna une vague histoire d'achat de livres. Tasha le regardait avec consternation.

— Vous ne finissez pas votre choucroute ? brailla Dolbreuse.

La porte claqua.

Victor courut s'échouer dans un café où il se requinqua d'un grog au citron. Chasser de son esprit Tasha et les hommes qui lui tournaient autour, vite, sinon il allait perdre la boule. Il se contraignit à dérouler un quotidien fixé à un manche de bois. C'était une édition spéciale du *Passe-partout*.

Signé Virus, l'article de première page était consacré à la suite de l'affaire Gerfleur et décrivait la mise en scène du meurtre. Près de la malheureuse chanteuse on avait retrouvé un escarpin rouge contenant deux messages sibyllins qui allaient probablement servir de fil conducteur à la police. Cette nouvelle énigme intriguait tant Victor qu'il en oublia son déjeuner raté, et décida de se rendre sur-le-champ rue de la Grange-Batelière.

C'était l'apogée du charivari. Au coin de la rue Montmartre et de la rue du Croissant, Victor jeta un coup d'œil au buste d'Émile de Girardin et s'attarda à la devanture d'une des nombreuses librairies populaires bariolées d'affiches. À l'entrée des imprimeries, le trottoir s'encombrait des ballots des prochains tirages gainés de gros papier jaune, où le titre du journal se détachait en majuscules de réclames. Cahotant sur leurs roues très hautes qui ébranlaient le pavé, des charrettes venaient décharger leurs paquets de bouillons.

L'immeuble du *Passe-partout* s'élevait rue de la Grange-Batelière, à deux pas de l'hôtel des ventes.

Victor longea la salle de composition en effervescence qui jouxtait de plain-pied les bureaux de la rédaction.

— On est à la traîne, bougonna un metteur en pages.

Des journaux voués à la morsure fatale des ciseaux parsemaient les planchers. Des télégraphistes porteurs de dépêches cavalaient d'un étage à l'autre. *Le Passe-partout* employait une vingtaine de personnes, dont cinq journalistes.

Quand Victor pria une secrétaire à faciès de lapin de le présenter à celui qui signait Virus, il fut introduit dans le bureau du directeur.

Vêtu d'un costume anglais de la meilleure coupe, justifiant ainsi son sobriquet de *beau Brummel*, chaussé de bottines vernies, la cravate agrémentée d'un nœud — véritable objet d'art —, Antonin Clusel dictait un éditorial à une blonde et pulpeuse dactylographe.

— Mon bon, quelle surprise ! s'exclama-t-il en s'avançant vers Victor. Laissez-nous, Eulalie.

— Alors, Virus, c'est vous ?

— Je cumule, il le faut, on n'est jamais mieux servi que par soi-même ! Non que Gouvier et les autres ne fournissent pas de la belle ouvrage, mais je me suis aperçu que le public prise particulièrement la prose incisive du dénommé Virus, surtout si Lecacheur et ses acolytes en font les frais. Cigare ?

— Non, merci, je dois filer à la salle des ventes, je voulais voir votre installation. Qu'entendez-vous par « en font les frais » ? Auriez-vous des précisions sur l'assassinat de Noémi Gerfleur ?

Clusel eut un large sourire. Il emplit de cognac deux petits verres et en tendit un à Victor.

— Droit au but, hein ! Je reconnais là votre péché mignon. Calez-vous dans mon fauteuil, on y éprouve un merveilleux sentiment de plénitude, dit-il en repoussant les deux téléphones et les papiers qui parsemaient son bureau, sur lequel il s'assit. Vous parlez d'un scandale ! La Gerfleur a laissé d'excellents souvenirs dans les théâtres londoniens de 86 à 89. Depuis son retour à Paris, elle remportait chaque soir un triomphe à l'*Eldorado*, dommage.

— Ces messages abandonnés dans un soulier, pourquoi ne pas en avoir divulgué la teneur?

— Oh, je vous vois venir, mon bon, vous tentez de ramasser du sable avec un filet à papillons, mais vous ne récolterez aucun tuyau de ma part. « Le silence est d'or », telle est ma devise. L'information doit rivaliser avec les feuilletons qui passionnent le public. Dévoiler les faits un à un, voilà le secret du succès, car deux mots magiques attirent le client lambda vers son kiosque favori pour y acheter notre journal : *à suivre*.

— Ces messages, est-ce du solide?

Clusel alluma un havane, visiblement il s'amusait.

— Allez savoir. Ce brave inspecteur adopte des mines de conspirateur chaque fois qu'il piétine lors d'une enquête — et c'est souvent! Le problème, c'est que ces textes titillent les méninges de la police, les miennes, celles de mes collègues, et, bientôt, ils éveilleront l'intérêt de mes lecteurs. Au fait, cachottier, vous me laissez bavasser mais vous êtes d'une discrétion... Et Fifi Bas-Rhin? Ne vous raidissez pas comme un clergyman! Avez-vous admiré ses bacchanales? Non? Si j'ai un conseil à vous donner, courez-y et ne loupez pas le chahut. Sublime, cette chère Eudoxie, ça ne m'étonnerait pas qu'elle épouse un grand-duc!

Victor comprit qu'il n'obtiendrait guère plus d'Antonin Clusel, il prit congé et replongea dans l'ébullition de la salle de rédaction.

— Mon papier doit absolument passer aujourd'hui!

— Non, il va manger presque toute la « deux » à lui seul.

— Sacrifiez la chronique sur les équipements de l'armée.

— Vous êtes bouché ou quoi? Raccourcissez votre boniment, nom d'un pétard! Ce qu'il nous faut, ce sont des idées. Des idées neuves, des idées brillantes.

Victor identifia aussitôt cette élocution lente, ce

timbre de voix. Il se dirigea vers la silhouette replète en train de gesticuler à l'extrémité de la salle de rédaction.

— Bonjour, monsieur Gouvier.

— Ah, m'sieu Legris ! Vous tombez mal, on est à la bourre. Encore un as de l'info qui fait une jaunisse si on ose lui rogner une virgule, ça me fatigue. Content de vous revoir, qu'est-ce qui vous amène ?

— J'ai besoin de vos lumières.

— Toujours votre récit d'investigation criminelle, vous ne l'avez pas terminé, depuis le temps ?

— Je le dégraisse, je suis à l'école de Flaubert. C'est à propos de cette chanteuse, Noémi Gerfleur, l'histoire m'intéresse.

— Et vous espérez me tirer les vers du nez ? Tout ce que je peux vous dire, c'est que Lecacheur est sur une piste.

— Ah oui ?

— Non, non, m'sieu Legris, inutile de faire votre chattemite, je ne vous lâcherai aucun renseignement, vous seriez capable de vous empêtrer dans de nouveaux ennuis.

— Soyez chic, Gouvier, vous savez bien que le mystère est mon cheval de bataille.

— « Attendre et voir venir... » Demain, *Le Passe-partout* vous fournira tous les détails.

— Que voulez-vous que j'entreprenne d'ici demain, je ne suis pas Sherlock Holmes.

— Qui c'est celui-là ?

— Un héros de roman.

— Ah ! Vous et vos bouquins à énigmes ! Non, non, je répète et je réitère, vous ne tirerez rien de moi.

— Allons, Isidore, un beau geste, on est amis depuis longtemps. Que vous a révélé votre indicateur de la préfecture ?

— Bon, ça va, ça va. À condition que vous ne le colportiez pas avant l'édition du matin, je cède, je vous casse le morceau, mais motus, hein ! Pas un mot à dandy

151

Brummel, ajouta-t-il en désignant le bureau de Clusel. Paraîtrait que la goualeuse a été étranglée à l'aide d'un bandage médical, Aristide Lecacheur s'accroche à ce fil d'Ariane.

— Et alors ?

— Alors, alors, c'est pourtant simple, cessez de jouer les benêts avec moi, je ne suis pas né de la dernière pluie. Un bandage médical, cela signifie que l'assassin est éventuellement médecin ou pharmacien.

— Et il aurait semé un indice aussi flagrant ?

— Les criminels ne sont pas tous infaillibles.

— C'est tout ?

— Vous êtes le type le plus entêté que je connaisse. Non, ce n'est pas tout. Près du corps de la Gerfleur y avait une chaussure made in England mais pas à sa pointure, et puisque la pauvre fille a séjourné à Londres, Lecacheur s'est empressé de diligenter deux de ses sbires fouiller son passé en Albion. Et puis...

— Et puis ?

— Y avait aussi deux billets doux.

Isidore Gouvier finit par dénicher au fond de ses poches des prospectus chiffonnés.

— Je les ai notés, tenez, voilà le premier :

Ma chère reine à l'Hôpital, comme la plus infâme de toutes les créatures...

« Et voilà l'second :

La très chère était nue, et, connaissant mon cœur, elle n'avait gardé que ses bijoux sonores.

« C'est signé *A. Prévost.* Je vous parie que cette enclume d'inspecteur va cuisiner les Anatole, Alphonse, Auguste et Anselme Prévost des hôpitaux de France et de Navarre ! En pure perte, évidemment, car A. Prévost est sans conteste un pseudonyme. Vous savez ce que je pense, m'sieu Legris ? Le meurtrier teste nos capacités, il nous refile des indices sous forme de devinettes, il se fiche de nous, quoi! Nous sommes confrontés à un criminel poète habile à manier les alexandrins. À moins qu'il ne les ait copiés. Vous qui êtes érudit, ça vous évoque quelque chose?

— Non, souffla Victor, qui se garda de dire qu'en revanche il avait déjà lu le nom du signataire, A. Prévost.

Il était très ému. Ainsi, une fois de plus, il bénéficiait d'une longueur d'avance sur la police et sur la presse. Car, tout matois qu'il fût, Isidore Gouvier paraissait ignorer que Noémi Gerfleur avait une fille.

Son carnet ouvert sur le comptoir, Joseph dodelinait de la tête. L'arrivée de Victor manqua le précipiter à bas de l'escabeau.

— Ah! Ce n'est que vous, grommela-t-il.

— Vous semblez exténué.

— Pas étonnant, deux livraisons dans la journée, et comble de malchance, une des moukères, Raphaëlle de Gouveline, m'a tenu la jambe des heures à cause d'un accident survenu à Bullier.

— Quel genre d'accident?

— Une collision. Mme de Flavignol a percuté Helga Becker. Elles chevauchaient toutes deux leurs machines infernales. Résultat: une entorse pour la Fräulein, les deux chevilles foulées pour la moukère. On vous prie instamment de leur faire parvenir des romans palpitants afin de les distraire pendant leur convalescence.

— J'y veillerai. Où est Kenji?

— Là-haut. Il n'en descend plus, une certaine personne requiert ses soins constants.

Le ton et la physionomie de Joseph étaient tellement funèbres que Victor en éprouva de la compassion

— Croyez-vous qu'Helga Becker aimerait lire les *Contes des bords du Rhin,* d'Erckmann-Chatrian?... Quant à Mme de Flavignol, elle apprécierait peut-être *Voyage autour de ma chambre,* de Xavier de Maistre, ou *Point de lendemain*, de Vivant Denon. Mais je me tâte, elle pourrait soupçonner un rapport liant ces titres à son avenir vélocipédique. À propos de rapport, vous aviez raison, il y en a effectivement un entre Noémi Gerfleur et la morte du carrefour des Écrasés, dit-il avec nonchalance.

L'œil de Joseph refléta une lueur d'intérêt.

— Vous me servez un boniment dans l'espoir d'acheter mon silence en ce qui concerne votre escapade au Moulin-Rouge.

— Vous vous méprenez ! Je suis sincère, la preuve, je vais vous révéler ce que j'ai découvert, parce que de toute façon vous finiriez par m'avoir à l'usure.

— C'est normal de m'informer, avant-hier vous m'avez juré, parole d'homme, que je vous seconderai.

— Vous devez observer un mutisme absolu, la sécurité de Mlle Iris est en jeu.

Aussi frais qu'un gardon, Joseph sauta de son siège et se planta à deux doigts de Victor. À peine s'il ne claqua pas des talons en murmurant :

— Patron, vous pouvez vous fier à moi, « le lion en chasse ne rugit pas », c'est un proverbe peul, et c'est pas peu dire ! Je suis tout ouïe.

Un grognement caverneux effaroucha une flopée de moineaux juchés sur une cage. Successivement, deux, trois, quatre feulements formidables lui firent écho. Les mains dans le dos, Basile Popêche contemplait avec satisfaction la ménagerie dont les pensionnaires repus agrémentaient leur digestion d'un concert tonitruant.

— N'ont pas l'air commodes, couina la femme sculpteur maigrichonne qui avait renoncé à modeler un gypaète et se consacrait au lion Tibère.

— Ne craignez rien, ma petite dame, c'est quand ils sont repus que les lions sont le moins dangereux. Seulement, au lieu de se laisser glisser un godet derrière la cravate, comme vous et moi, ils manifestent leur contentement à pleine gueule.

— Oui, mais on ne s'entend plus et on n'y voit goutte, alors je plie. Bonne soirée !

Les peintres et les dessinateurs remballaient leur attirail et se dirigeaient vers la sortie, mêlés aux rares visiteurs assez téméraires pour s'aventurer à travers le Jardin des Plantes malgré l'humidité pénétrante. Les réverbères s'allumaient. Basile Popêche ressentait une étrange euphorie à reprendre possession de son territoire. Pendant le laps de temps précédant son départ, il avait tout loisir de s'imaginer maître après Dieu d'une arche voguant au cœur de la capitale. Il longea les grilles, saluant au passage le gros Tibère, la belle Cléopâtre, la souple Mercédès et ses deux lionceaux, Castor et Pollux, le vieux Némée, et le très jeune Scipion.

— Tiens, qu'est-ce qu'il a à tourner en rond, celui-là, il gronde, on jurerait qu'il a faim... J'deviens maboul ou quoi ? Je suis pourtant sûr de lui avoir jeté son quartier de bidoche.

Il se colla aux barreaux. Pas de doute, l'attitude du fauve était anormale. Il fouettait le plancher de sa queue à la manière d'un chat en colère et se grattait frénétiquement de sa patte postérieure.

— Y a pas à tortiller, un truc le gêne. Bizarre, aucune trace de viande.

Il entra dans le bâtiment et s'engagea dans le couloir qui courait le long des cages. À la hauteur de celle marquée Scipion, il réfléchit un instant. Il s'agissait d'être rapide, juste un ou deux pas, histoire de comprendre ce qui perturbait l'animal, ensuite, aller si besoin quérir de l'aide. Il sortit son trousseau de clés, ouvrit la porte le plus doucement possible et s'avança. À l'autre bout de la cage, Scipion, tout à sa hargne, poursuivait son va-et-vient, s'immobilisait, lustrait frénétiquement sa fourrure en décrivant des cercles. Basile Popêche entrevit un éclair au milieu de son flanc droit. La curiosité le poussa à s'approcher davantage.

— Qu'est-ce que c'est que ce machin-là ? On dirait...

non, je rêve, on dirait une fléchette ! Quel est l'enfant de salaud qui lui a fait ça ?

Un claquement sec retentit. Il fit volte-face. La serrure venait de se refermer. Plus de trousseau. S'efforçant de ne pas céder à la panique, il actionna doucement la poignée. Elle résista. Un râle lui signala que le fauve avait remarqué sa présence. Basile pivota lentement, jusqu'à affronter l'animal. Surtout ne pas laisser transparaître sa frayeur.

— Ça ira, ça ira, se rassura-t-il, là, là, tout doux, Toto, tout doux...

Scipion s'aplatit au sol et recommença de lustrer sa fourrure de la langue de plus en plus furieusement quand un bruit, tout proche, l'arrêta court. Il se figea, tandis que ses oreilles cherchaient à localiser le crissement au-delà de la cage. Quelqu'un venait du jardin. Basile Popêche se plaqua à la porte. Lui aussi avait perçu un pas feutré. Crier pouvait alarmer le lion qui fixait l'allée. Risquant le tout pour le tout, Basile se coula vers les barreaux extérieurs.

— Au secours, chuchota-t-il, je suis prisonnier, délivrez-moi !

Soudain, son corps entier lui sembla se congeler tandis que des ténèbres émergeait un visage qu'il reconnut avec terreur. Sous la lueur d'un réverbère, un balayeur le considérait avec une expression de profonde commisération. Le balayeur leva un bras, puis le détendit vivement. Son geste fut suivi d'un râle de souffrance. Une seconde fléchette venait de s'enfoncer dans la chair de Scipion. Alors, fou de douleur, affamé, le lion banda ses muscles et se ramassa sur lui-même. Basile Popêche se recroquevilla et hurla.

Une pile de livres s'écroula. Joseph pesta contre cette avalanche et glana les bouquins épars. Chargé de sa moisson, il alla la déverser sur la vieille caisse lui servant de bureau. Pelotonné dans son fauteuil bancal, il feuilleta un premier recueil. Une bougie à la main, une ombre volumineuse coiffée d'un bonnet de nuit se faufila dans la remise.

— Tu as vu l'heure, mon minet ? brama Euphrosine Pignot.

— Maman ! Tu m'as fait une de ces peurs ! J'croyais que tu dormais.

— Au plume, et fais vinaigre, c'est une glacière ici, tu vas attraper la mort et demain tu ne pourras pas aller travailler. Je vais te supprimer tous ces romans, moi, tu finiras par devenir aveugle !

— Tu oublies que je suis commis de librairie...

— Et après ? Personne ne t'oblige à lire les ouvrages que tu vends.

— Et comment conseiller la clientèle ?

— La clientèle, elle n'a qu'à faire comme moi, se fier au titre, tiens, par exemple, *Les Amours d'Olivier,* voilà qui vous affriande, mais *Roger-la-Honte* [1], ça non !

— Maman, tu dis n'importe quoi.

— Un peu de respect, mon minet, et couche-toi, j'ai mis une bouillotte dans tes draps.

Joseph obtempéra de mauvaise grâce. Il se déshabilla en ressassant à voix haute le début du message transmis par Victor.

— La très chère était nue... la très chère était nue...

Adossée à son polochon, l'oreille à l'affût, Euphrosine Pignot écoutait. Elle se dressa sur son séant et bougonna :

— Et en plus, il lit des livres cochons ! Ah, j'la porte, ma croix !

---

1. Xavier de Montepin, 1881. Jules Mary, 1886. *(N.d.A.)*

CHAPITRE IX

Assis entre Mélie Pecfin et Nini Moricaude, Berlaud s'ennuyait. Il regardait piétiner les six chèvres impatientes de regagner leurs pénates, et ne comprenait pas la raison de cette halte prolongée. Il se redressa, s'étira, claqua des mâchoires en direction d'un pigeon beaucoup trop insolent, puis décida d'abandonner son poste le temps d'aller marquer son territoire sur une portion de la place Valhubert.

— Sainte Viarge, qu'est qu'il fabrique, le Basile ? grommela Grégoire Mercier en agitant le bol qu'il devait emplir du lait de Pulchérie. Hé ! Berlaud, cesse tes fredaines, carogne ! Ce godelureau devient gâteux, il s'esbigne de plus en plus souvent au lieu de rester en faction, une vraie girouette quand l'envie d'lever la patte le tenaille. Monsieur ! Monsieur ! cria-t-il en courant vers la grille du Jardin des Plantes derrière laquelle passait un gardien. J'viens quérir M. Popêche, vous l'auriez vu par hasard ?

— Popêche ? De la fauverie ? Un lion lui a sauté dessus hier au soir, vilaines blessures, on l'a transporté d'urgence à la Pitié. Vous voulez entrer une minute ?

— Non, non... Pauvre Basile, c'est affreux! Vous croyez qu'il s'en sortira?

— Je ne saurais vous dire, jeta le gardien en quittant le chevrier désemparé.

— Mon Guieu, qu'est-ce que j'vas faire? J'suis son seul parent...

Grégoire Mercier fourra son bol dans une sacoche et siffla longuement Berlaud, qui s'élança, tout frétillant, en bonds désordonnés, la langue pendante.

— Vieux galvaudeux, calme-toué donc, à la fin! Tu veux jouer les jeunots comme notre benjamine, Pervenche, mais t'as plutôt l'âge d'imiter Mémère, elle au moins elle a de la dignité! Mets-toi à côté d'elle, là c'est bien, qui s'ersemble s'assemble, et allons-y sans lanterner!

Ils prirent la rue Buffon, que de mémoire d'homme jamais un troupeau de chèvres n'avait remontée si rapidement, enfilèrent la rue Geoffroy-Saint-Hilaire, et longèrent la Pitié jusqu'à la rue Lacépède où s'élevait la porte monumentale de l'hôpital.

— Berlaud, s'agit de te comporter en brave. Je te confie nos fifilles, protège-les comme tes propres péquiots, et si quand j'reviens tout à l'heure t'as été une bonne sentinelle, j'te promets une goulée qu't'auras plaisir à t'enfourner dans l'guéniau!

Inquiet, Grégoire Mercier se retourna plusieurs fois avant de s'engager dans le bâtiment où il repéra un interne capable de l'aider à dénicher Basile Popêche parmi les six cents lits de l'hôpital. Après pas mal d'errances d'un pavillon à l'autre, se bouchant le nez pour se soustraire aux odeurs de phénol, le chevrier réussit à découvrir un homme enveloppé de bandages échoué au fond d'une salle dont les fenêtres donnaient sur le Jardin des Plantes. Un docteur venait d'ausculter le blessé et s'apprêtait à partir.

— Ne le fatiguez pas, sa vie tient à un fil! chuchota-t-il.

Grégoire Mercier ôta son chapeau qu'il malaxa entre ses doigts, et s'approcha timidement de la momie au souffle presque imperceptible.

— Basile ? C'est toi ?

— De qui est-ce ? De qui est-ce donc ? J'ai déjà lu ça, nom d'un chien, mais chaque fois que je crois tenir le poète, il s'évapore ! « La très chère était nue, et, connaissant mon cœur... »

Victor arpentait la librairie, délestée des quelques clients qui s'y étaient succédé depuis l'ouverture. Il était tellement absorbé qu'il en oubliait la présence de Joseph. Ces deux vers mystérieux lui avaient valu une nuit blanche. L'atout qu'ils représentaient la veille allait se réduire à néant dès que *Le Passe-partout* serait distribué dans les kiosques. Il enrageait de n'en avoir tiré aucun parti, et son exaspération le poussait à soliloquer.

— « La très chère était nue... »

Occupé à collationner les dix volumes des *Mémoires* de Casanova, Joseph se moucha bruyamment et contempla les déambulations de Victor.

— J'ai compulsé au moins cinquante bouquins, patron ! Ça m'a épuisé jusqu'aux aurores. Il m'a fallu attendre que maman soit endormie pour me relever et fouiller la remise du sol au plafond, tout ce que j'ai récolté, c'est un rhume !

— Silence, vous m'empêchez de me concentrer !

La très chère était nue, et, connaissant mon cœur,
Elle n'avait gardé que ses bijoux sonores...

— « Dont le riche attirail lui donnait l'air vainqueur », poursuivit une voix grave issue de l'étage.

— Kenji ! Vous savez qui a écrit cela ?

— C'est un nouveau jeu ? Qu'est-ce qu'on gagne ? demanda Kenji en descendant, impassible.

Il s'installa à son bureau où il étala ses fiches et ses catalogues, sous l'œil admiratif de Joseph.

— Un puits de science, le patron !

— L'auteur ! s'exclama Victor.

— Baudelaire, *Les Fleurs du mal*. Je m'étonne que cela vous ait échappé. Le poème est intitulé *Les Bijoux*, mais il ne figure pas dans toutes les éditions, il appartient aux pièces condamnées en 1857 par le tribunal correctionnel, publiées sous le manteau, avec d'autres inédits, en 1866 dans une brochure : *Les Épaves*.

— Et ça, patron : « Ma chère reine à l'Hôpital, comme la plus infâme de toutes les créatures... » récita Joseph, vous savez d'où c'est tiré ?

— Je ne suis pas omniscient, dit Kenji, excusez-moi.

Il alla accueillir un vieux courtier courbé sous une besace d'où il extirpa des ouvrages reliés en basane. Joseph entraîna Victor vers le buste de Molière.

— M'sieu Legris, vous, vous savez ce que ça veut dire, « Ma chère reine à l'Hôpital » ?

— Non, grommela Victor d'un ton rogue.

— M'sieu Legris, pourquoi un assassin, dont le but est de ne pas se faire pincer, laisse-t-il sur la scène du crime deux lignes de Baudelaire et un texte incompréhensible signés de toute évidence d'un pseudonyme ?

— Je l'ignore. En tout cas, c'est un homme cultivé...

— À moins que ce ne soit une femme.

— ... Et s'il a sélectionné ces lignes, c'est qu'il vise un objectif ciblé, il ne les a pas choisies au petit bonheur la chance. Primo, le poème s'intitule *Les Bijoux*. Secundo... « Elle n'avait gardé que ses bijoux sonores »... Une minute.

Il prit le bristol trouvé à l'*Eldorado* et lut :

À la môme Bijou, baronne de Saint-Meslin. En souvenir de Lyon, ces quelques roses Rubis. Hommages d'une vieille relation. A. Prévost.

— Qu'est-ce qui vous frappe, Joseph ?

— La môme Bijou, les roses Rubis ! Il existe de fortes présomptions qu'il s'agisse de bijoux ! On brûle, monsieur Victor, on brûle !

— Il y a une autre chose, un point commun entre le mort de la halle aux vins et Noémi Gerfleur, réfléchissez.

— J'ai le crâne en capilotade, je donne ma langue au chat, patron.

— Relisez attentivement ce poulet : À la môme Bijou. En souvenir de...

— Lyon ! Noémi Gerfleur a débuté sa carrière dans un café-concert de Lyon ! Oh, ça y est, j'y suis ! L'article de m'sieu Gouvier...

Joseph feuilleta fébrilement son calepin.

— Mince ! Le type trucidé halle aux vins, ce Gaston Molina, il a créché en prison, à Lyon !

— Bravo. Lyon est le fil rouge qui relie ces deux meurtres.

— Trois, patron, trois meurtres, souligna Joseph, surexcité. Vous omettez Élisa, la fille de Noémi Gerfleur, vous m'avez bien dit que Gaston Molina était son tourtereau... Alors aucun doute, la morte du carrefour des Écrasés, c'est elle. On a déposé son corps près de l'immeuble de la mère. Résumons-nous : une affaire de bijoux... la ville de Lyon. Quand ? Comment obtenir des précisions ? Enquêter à Lyon ? On n'a aucune piste...

— Ne nous emballons pas, c'est probablement beaucoup plus subtil qu'on ne l'imagine. Voyons, Noémi Gerfleur est née en 1856. Cette histoire de bijoux a pu se produire entre... disons 1875, année de ses débuts au caf' conc', et 1886, date à laquelle elle a traversé la Manche.

— Mazette ! Onze ans, c'est une sacrée période ! Il faudrait éplucher des tonnes de journaux pour déterrer un fait crapuleux concernant des bijoux et se situant à Lyon. À moins que ce ne soit un sombre drame de famille, un héritage maudit, et que nul n'en ait pipé mot. Vous possédez d'autres indices ?

— Non. Quoique... je n'y pensais plus, ça me semblait dénué de sens, mais qui sait...

Victor pêcha dans son portefeuille la note ramassée dans le vestiaire de Gaston Molina et la tendit à Joseph.

— Ben mon cousin, en voilà un charabia !

Charmansat ché ma tante. Aubertot, goche cour manon sale pétriaire. Rue L. rdc 1211.

— Je me suis évertué à décrypter ce jargon. Hormis le fait que son auteur soit fâché avec l'orthographe, j'en ai déduit que Charmansat et Aubertot doivent être des patronymes, que « sale pétriaire » désigne l'hospice de la Salpêtrière, et que la rue L. rdc 1211 est une adresse. Allez savoir si cela a un rapport avec ce qui nous tracasse ? Charmansat serait-il un individu que Molina devait rencontrer au domicile de sa tante ?

Joseph le considéra d'une expression railleuse.

— Oh ! M'sieu Victor, vous m'en direz tant ! M'est avis que vous n'avez jamais été dans la dèche ! Quand j'étais gamin, maman partait régulièrement engager nos draps chez « ma tante », c'est le surnom du mont-de-piété. Supposons que Molina ait eu rendez-vous avec Charmansat rue des Francs-Bourgeois... Ou que Charmansat soit commissionnaire au « casino », c'est l'autre sobriquet de « ma tante ». Une vérification s'impose, ça paraît être une piste valable. Et d'une ! Quant au sieur Aubertot, je le soupçonne d'être un pékin logé à la Salpêtrière, sur la gauche, dans une cour où vit une dénommée Manon... sa maîtresse ?

Victor demeura silencieux.

— Patron ?

— Je réfléchissais. Si nous faisions fausse route ? Si ce message sibyllin que j'ai déniché par hasard n'avait rien à voir avec ces meurtres ?

— Et « sale pétriaire », hein ? « Ma chère reine à l'Hôpital, comme la plus infâme de toutes les créatures... » Je sais, la Salpêtrière est un hospice de vieilles femmes, mais sous Louis XIV on l'appelait « l'hôpital ». Et puis aujourd'hui on y traite les maladies mentales, alors.... L'inspecteur Lecacheur est peut-être dans le vrai. Vous avez eu la main heureuse, on sait des choses qu'il ne sait pas.

— L'avenir jugera... Vu la manière originale dont ce billet est orthographié, il est possible que Molina, ou qui que ce soit d'autre, ait voulu mentionner un bâtiment Aubertot localisé dans l'aile gauche de la Salpêtrière, et où il est conseillé à une certaine Manon de se présenter, vraisemblablement pour y recevoir des soins.

— Pouce, patron, vous m'embrouillez. Faut voir ça de près sans s'affoler. Je vous parie que cet Aubertot est un patient ou un membre du personnel médical. Et de deux ! Penchons-nous maintenant sur cette rue L... Là, sacré problème, parce que des rues L. y en a des pelletées à Paris. Celle-ci doit être rudement longue pour que le numéro soit 1211 ! Et rdc, vous croyez que...

Il ne put achever sa phrase. Déboulant de l'escalier à vis, Iris fit une apparition remarquée. Quatre regards d'hommes s'attachèrent à sa silhouette élancée moulée dans une robe fuchsia en vigogne ornée de broderies. Elle étrennait une capeline de peluche du même ton. Souriant à Victor et Joseph, elle rejoignit Kenji, à qui elle remit sa redingote et son melon. Celui-ci raccompagna le vieux courtier et annonça :

— Nous nous absentons, des emplettes, déjeunez sans nous.

À peine avaient-ils disparu que le carillon de la porte tinta. Joseph éprouva un vif mécontentement en avisant un homme corpulent, qui ôta son tube et révéla un crâne d'œuf : le duc de Frioul.

— Cher ami, vous devinez quel bon vent m'amène, je me suis laissé dire que vous aviez acquis une pièce susceptible de m'intéresser, un in-quarto en maroquin citron, œuvre de ce merveilleux Michel ! Je dois un cadeau de mariage à mon neveu. Ne finassons pas. Combien ?

Tandis que Victor exhibait le Montaigne, Joseph

gagna l'arrière-boutique. Là, parmi les livres de voyages, il remâcha ses griefs contre le neveu du duc, Boni de Pont-Joubert, qui lui avait ravi sa Valentine.

« Je préfère "ma tante" à ce Frioul qui me révulse. Au moins là-bas, quand on abandonne un objet qu'on aime, on caresse l'espoir de le revoir... Ah ! Si seulement le patron me laissait filer au mont-de-piété, je leur montrerais, à tous ! »

N'y tenant plus, il s'empara d'un plumeau et alla épousseter des livres derrière les deux hommes assis à la table où ils discutaient fermement le prix du Montaigne.

« L'oncle ne vaut guère mieux que le neveu, se disait-il, écoutez-le gémir, *vous comprenez, c'est pour offrir, gnagnagna*, on n'est pas des marchands de tapis ! Je suis de trop modeste extraction pour épouser Valentine, hein, c'est ça ? Alors que moi, quand j'achète, je discute pas les prix ! La cuisse de Jupiter, je m'en tamponne, sale aristo ! »

Il secoua son plumeau sous le nez du duc qui éternua et lui décocha un coup d'œil assassin. Victor lui intima l'ordre de s'éloigner en fronçant les sourcils.

L'entrée d'un postier créa une diversion. Victor parapha un reçu, posa un paquet sur le comptoir. Le duc de Frioul lui signa un chèque et lui adressa un salut maussade. Lorsqu'il fut sorti, Victor se frotta les mains.

— Kenji sera comblé. Il faudra livrer le Montaigne cet après-midi à Auteuil chez M. Boni de Pont-Joubert.

Très pâle, Joseph se figea.

— J'irai pas, vous ne pouvez pas m'obliger, et vous savez parfaitement pourquoi.

— D'accord, d'accord, je compatis, je m'en chargerai, s'empressa de répondre Victor, qui dissimula un sourire et défit le paquet.

— Il me provoque, je ne vois pas ce qu'il y a de drôle ! bougonna Joseph.

— Ne ronchonnez pas et examinez plutôt ce roman qu'on nous a expédié spécialement de Londres : *The*

Sign of Four, en français *Le Signe des Quatre*. Son auteur est un médecin écossais, passionné de *detective stories*, il a inventé un enquêteur apte à résoudre nombre d'énigmes criminelles grâce à une méthode déductive. Il y a trois ou quatre ans, j'ai lu sa première nouvelle publiée dans un magazine anglais, et jugé que Sherlock Holmes surpasse M. Lecoq[1]. J'ai pensé que posséder une édition originale de ce second récit vous serait agréable.

Comblé, Joseph ne savait comment témoigner sa reconnaissance.

— Il va falloir que je me mette sérieusement à l'anglais, si je veux déchiffrer ce bouquin.

— Je vous le traduirai, promit Victor. Le premier chapitre s'intitule : « La déduction est une science. »

— Oh, c'est tout à fait pour nous, ça, m'sieu Legris, j'en ai l'eau à la bouche. Dites, à propos de déductions, si j'allais fouiner au mont-de-piété, moi, histoire de vous le dégoter, votre Charmansat.

— Ça va vous manger l'après-midi... Et je serai coincé ici.

— Oh ! Patron, une fois n'est pas coutume...

— Bon, décampez, Sherlock Pignot, mais n'oubliez pas de me soumettre un compte rendu détaillé de vos activités !

Joseph fit arrêter son fiacre près des Archives nationales, et sauta sur le trottoir où il faillit embrasser une vieille femme empêtrée de paniers. Il supporta sans ciller un flot d'injures, absorbé par une idée préoccupante : et si le rédacteur du billet entendait par « ma tante » non l'établissement principal, mais une de ses succursales ? Il résolut de s'en tenir à son plan initial, il pourrait toujours aller rue du Regard, puis rue Servan s'il s'était trompé.

1. Policier, héros de certains romans d'Émile Gaboriau. *(N.d.A.)*

Il traversa la rue des Francs-Bourgeois et s'aventura sans enthousiasme dans la salle d'attente. Soudain, il eut le cœur retourné par un souvenir d'enfance.

Une main serrée sur un ballot de linge, l'autre emprisonnant celle d'un garçonnet légèrement bossu aux cheveux filasse, Euphrosine Pignot observait les lieux. La mort brutale de son mari un an auparavant la laissait totalement démunie. N'osant s'approcher des guichets, elle restait plantée au milieu des allées et venues, telle une statue vêtue de noir, incapable de se décider. Elle qui en aucun cas n'avait sollicité l'aide de quiconque considérait comme une suprême déchéance de devoir engager son maigre patrimoine. Il avait fallu que le petit Jojo lève le nez et clame tout à trac en zézayant :

— C'est-y aujourd'hui ou demain qu'on les vend, ces draps ? Moi je m'en fiche, en plus y grattent !

Ils étaient repartis, riches de cent sous. Ce fut la première d'une succession de visites au mont-de-piété.

Ce souvenir rejoignait la réalité : une femme visiblement en deuil peinait sous le poids d'une énorme pendule qui se mit brusquement à égrener une mélodie de Mozart. Joseph réalisa alors qu'un étrange ballet se déroulait autour de lui. Porteurs d'ustensiles les plus disparates, qui d'un mannequin d'osier, qui d'une lampe à pétrole ou d'une bassine à confitures, des humains s'agitaient, soucieux d'obtenir les picaillons destinés à régler leur terme ou à caler leur estomac. Compagnons de la vie quotidienne, outils de travail, bibelots inutiles mais évocateurs de moments heureux, tous ces trésors côtoyaient des biens beaucoup plus ordinaires : linge de corps, literie, pardessus, jupes, pitoyable trousseau dont il fallait se séparer en échange de trois francs six sous. Ici, le dépôt des paquets et des hardes. De l'autre côté, la réception des matelas qui seraient envoyés à l'étuve pour être assainis et désinfectés. Plus loin, le magasin des bijoux et des colifichets de valeur.

Joseph se plaça à l'extrémité de la queue. Devant lui,

il reconnut la vieille qui l'avait injurié. Dans ses paniers, elle transportait des assiettes et des verres enveloppés de paille. Quelqu'un lui tapa sur l'épaule. Un étudiant aux vêtements élimés lui demanda timidement en montrant un vase ébréché :

— D'après vous, j'ai une chance de récolter un petit quelque chose ?

Un escogriffe au teint bilieux intervint :

— Rêve, mon gars, rêve. Faut te dessaler, je sais d'quoi j'cause, j'étais camelot sur les Boulevards, on m'appelait l'Empereur, tu sais pourquoi ? J'avais l'bagout, j'écoulais l'article en deux temps trois mouvements, je savais ouvrir l'œil et me carapater lestement à la vue d'un flic.

— Et vous avez été rétrogradé ? s'enquit Jojo.

— Ma bonne étoile m'a fait faux bond, elle en avait marre de ma tronche. Dans cette société, quand t'as les ch'veux blancs et pas de fafiots, t'as plus qu'à passer l'arme à gauche ou devenir un débrouillard émérite. Son vase, il vaut des clopinettes.

— C'est un Sèvres, insista l'étudiant.

— Ouais ben, dans cet état, c'est de la roupie de sansonnet ! On n'est pas chez les Dames de charité, ici, s'ils prêtent de la braise, c'est qu'ils subodorent que le gage va leur en rapporter davantage ! Vous avez idée de la flopée de commissaires-priseurs qu'ils cachent, là-derrière ?

Joseph et l'étudiant secouèrent la tête.

— Huit ! Si les pauvres bougres que nous sommes ne viennent pas sortir du clou ce qu'ils y ont mis, ces huit cocos, eux, les fourguent aux enchères pour le plus grand bénéfice de l'Assistance publique. Ah, ça, quand il s'agit d'estimer nos cadeaux aussi bas que possible, ils se décarcassent. Y seraient fichus de vous refiler cent sous pour la *Joconde*. Alors toi et ton vase de nuit...

— Puisque je vous affirme que c'est un Sèvres authentique !

— Affirme tant que tu veux, tu verras, j'm'en lave les pognes ! N'empêche que l'argenterie et l'or sont pesés et qu'on vous propose les quatre cinquièmes de leur poids. Quant au reste, s'ils vous en donnent le tiers, c'est déjà pas mal. Tu vas la comprendre, ta douleur ! Quand j'entre ici, l'espoir, moi j'fais une croix d'ssus. Tiens, j'viens gager ma tocante, et ben j'peux lui dire adieu !

— Mais il y a sûrement un moyen d'éviter que les objets déposés soient vendus, objecta Joseph.

— Ouais ! Avec un renouvellement, un chiffon de papier qui vous autorise à payer chaque année l'intérêt du prêt, en attendant des jours meilleurs. Total, y en a qui casquent dix ou quinze fois le prix de leur article. Les dés sont pipés, l'administration s'offre des opérations juteuses !

Découragé, l'étudiant allait se retirer, quand Joseph lui souffla :

— Ne l'écoutez pas, ça vaut le coup d'essayer. C'est d'l'arnaque, mais ça dépanne. Comme dit mon patron : « Mieux vaut vider sa maison que languir le ventre vide. »

Ragaillardi, l'étudiant reprit sa place dans la queue.

À un guichet voisin, le tour de la pendule musicale était venu. Elle fut dûment soupesée et passée au crible par l'appréciateur sous l'œil anxieux de sa propriétaire. Finalement, on lui attribua sèchement une valeur de dix francs. La veuve poussa une exclamation indignée, argua que ce monstre avait coûté une fortune à ses beaux-parents, que le carillon jouait douze morceaux d'opéras, un par heure, et qu'elle avait un besoin pressant d'argent pour régler le boulanger et le charcutier menaçant de lui couper le crédit. Indifférent, l'employé se penchait déjà vers la femme suivante, une fille hilare munie d'un costume d'homme, celui de son cousin.

— Il a pris d'la bedaine à l'armée, si bien qu'maintenant ça lui va comme des guêtres à un lapin, dans les combien qu'ça peut-y chercher ?

Mais la veuve s'était ravisée. Elle la bouscula et céda sa précieuse pendule contre une reconnaissance et deux pièces de cinq francs.

— C'est du vol, marmonna-t-elle.

— Pourquoi je tenterais de vous rouler ? lui rétorqua l'appréciateur, je fais mon boulot, je ne suis qu'un fonctionnaire, moi.

— On se demande, parce que chez vous, flouer les gens c'est monnaie courante, lança la veuve.

— Vous pigez le pourquoi du comment, les gars ? gronda le vieux camelot.

Enfin Joseph atteignit le comptoir où un caissier rébarbatif mâchonnait l'intérieur de ses joues en taillant un crayon. Il grommela sans lever les yeux :

— Ouais, qu'est-ce que c'est ?

— Bonjour, monsieur. Si je vous dis : Charmansat, que répondez-vous ?

— Je réponds que je n'ai jamais rien vu affublé d'un nom aussi bizarre. À quoi ça ressemble, un charmansat ?

— Ce n'est pas un outil, c'est un quidam, le frère de ma mère, on m'a dit qu'il turbine ici.

— Votre oncle Charmansat ?

— Oui, c'est amusant, mon oncle, chez « ma tante ». Je suis Gaston Molina. Il est là ?

L'employé le dévisagea en se mordillant les joues de plus belle, puis annonça d'un ton bourru :

— Une minute, je vais me renseigner.

La minute s'éternisait, et déjà des protestations sourdaient dans le dos de Joseph, quand l'employé revint et jeta :

— Il est en service au magasin.

— Écoutez, c'est urgent, question de vie ou de mort, j'ai juste un mot à lui glisser, soyez chic, allez le prévenir...

L'éclair d'une pièce accrocha l'œil de l'homme qui s'en empara et repartit aussitôt.

— Hé ! Mon gars, t'es pas tout seul, j'ai autre chose à faire que l'planton, moi ! rugit le vieux camelot.

Avec un geste de connivence à l'intention de l'étudiant, Joseph fendit la foule et alla s'échouer sur un banc, parmi des dépositaires de gages. Dépliant un *Passe-partout* qui traînait dans sa poche, il observa les guichets, le regard au ras du journal. L'employé grincheux ne tarda pas à pénétrer dans la salle, flanqué d'un homme en blouse grise, courtaud, bedonnant, le crâne dégarni et la barbe fournie.

— Eh oui, ça ressemble à ça, un Charmansat, murmura Joseph, dissimulé par son quotidien. Il a tout du coupable idéal, ce loustic !

L'employé se gratta l'oreille, haussa les épaules et abandonna Charmansat qui s'attarda, indécis. Ses yeux de myope à fleur de tête clignotaient en scrutant les files d'attente, puis il fit vivement demi-tour et s'engouffra dans les profondeurs du mont-de-piété.

Joseph retourna sur ses pas et pria un préposé de lui indiquer la sortie du personnel. À l'affût sur le trottoir opposé, il monta la garde, jusqu'à ce que Charmansat surgisse au milieu de ses collègues et se dirige d'une démarche saccadée vers une station d'omnibus.

« Aujourd'hui il est trop tard pour suivre le bonhomme, mais la prochaine fois je saurai où est son terrier. »

Quand il regagna la librairie, il était presque dix-neuf heures. Kenji ne lui adressa aucun reproche mais constata d'un ton exaspéré que Victor avait déguerpi dès son retour et que ce soir-là il devait s'absenter.

— Je commençais à me sentir délaissé. Je rentrerai vers minuit, pourriez-vous dîner avec Mlle Iris et lui tenir compagnie ?

Joseph laissa en plan le balai qu'il venait d'empoigner, un frisson d'impatience lui hérissa la nuque.

— Vos désirs sont des ordres, patron. Je préviens maman que je suis retenu en service commandé.

— Merci. Je vais me changer, vous fermerez boutique.

Joseph balayait le plancher après avoir posé les contrevents, lorsqu'il vit Iris au pied de l'escalier. Il devint écarlate.

— Rendez donc votre tablier et venez manger, j'ai préparé notre dînette.

Attentionnée, elle emplit son assiette de pâté et de crudités puis versa du bordeaux dans son verre. Cette soudaine intimité le rendait songeur ; un bref instant, il s'imagina que cette charmante demoiselle et lui étaient mariés, attablés dans leur propre cuisine. Mais bien vite le souvenir de Kenji le rappela à la réalité et il ne put réprimer un mouvement d'humeur.

— Quelque chose vous dérange ? remarqua-t-elle.

— Oh, c'est juste que... Je sais que ce ne sont pas mes oignons, mais pas moyen de m'empêcher... Vous, si jeune, lui, si...

— Qu'essayez-vous de m'expliquer ?

— Le patron et vous. Excusez-moi, ça me révolte !

Elle porta sa main à ses lèvres pour étouffer un rire qui finit par fuser.

— Pourquoi cela vous choque-t-il ? En amour, la différence d'âge n'est pas capitale.

— Vous avez raison, je suis un tantinet vieux jeu.

— Vieux ? Vous ?

— Si vous aimez le patron, évidemment cela change tout. D'ailleurs, il le mérite, il sait tout sur tout.

— Et il est très beau, n'êtes-vous pas de mon avis ?

Joseph hésitait. Jusqu'alors il ne s'était pas interrogé sur les mérites physiques de Kenji. À présent qu'il y réfléchissait, il devait admettre que, malgré ses rides et ses cheveux grisonnants, M. Mori possédait un charme indéniable. Il hocha vigoureusement la tête en enfournant ses carottes râpées.

— Donc, vous approuvez notre union.

Elle était plus belle que jamais. Résigné, il parvint à sourire et dit :

— Absolument. Seulement, c'est dommage.

— Pour qui ?

— Je ne sais pas, moi, pour les autres. Excepté M. Victor, lui il a Mlle Tasha.

— Pour... pour vous ?

— Vous plaisantez, un bossu tel que moi !

— À quelle bosse faites-vous allusion ?

Elle le fixait si amicalement qu'il rougit de nouveau, en extase devant cette princesse. L'auréole de Valentine se ternissait.

— Écoutez, je vais vous faire une confidence qu'il faudra garder secrète, sinon je serai très fâchée. Je suis la fill... la filleule de M. Mori.

Il doutait d'avoir correctement entendu.

— Cela signifie qu'il n'y a rien entre vous ?

— Rien qu'une immense affection.

— Bon ! Très bon, ça ! Je veux dire, très bonnes, ces carottes, vous ne trouvez pas ? J'en reprendrais volontiers. Je suppose que vous allez demeurer un certain temps ici ? Vous qui avez vécu des années en Angleterre, vous pourriez peut-être m'aider...

— À quoi ?

— M. Victor m'a offert un roman en anglais, et comme cette langue m'est hermétique...

— Des leçons ? Quelle excellente idée ! Je m'ennuie à mourir, Kenji ne m'autorise pas à me promener. Quand voulez-vous débuter ?

— Tout de suite.

— Parfait. Répétez : *My father is not at home. Where is he ?*

— C'est difficile !

— Vous n'avez même pas essayé. La langue contre les dents : *My father...* Allez, *ther...*

— Peux pas, j'ai des incisives de lapin !

Où qu'il dirigeât son regard, Kenji n'apercevait que croupes soulignées par l'étroitesse du corset et seins en offrande. Peu importait l'authenticité de ces abondances. Balcons et tournures, cheveux postiches et faux diamants s'ingéniaient à satisfaire un seul maître : le désir des hommes. Le Moulin-Rouge était bien le temple d'Éros dont les échotiers et les romanciers faisaient leur miel. Multiforme, la femme y aguichait les mâles : humble trottin ou cocotte de haut vol, bourgeoise venue s'encanailler ou gigolette aux accents criards.

Très à l'aise dans cet univers qui répondait à ses fantasmes, à la fois séduit et méprisant, Kenji observa le manège d'une entraîneuse. Après s'être fait payer des fleurs par un provincial subjugué, elle le laissa en plan et alla ouvertement les revendre à une bouquetière.

— Jolie comédie, n'est-ce pas ? constata une voix compassée.

— Cela illustre un proverbe qui me vient à l'esprit : « La vie est un mauvais vaudeville. On a raté le début, on en ignore la chute. »

— C'est envoyé ! Seriez-vous par hasard philosophe ?

— Simplement libraire, répliqua Kenji en sortant sa carte avec un bref coup d'œil vers son interlocuteur, un bourgeois aux tempes argentées, un macfarlane jeté sur son habit de soirée.

— Enchanté, Jules Navarre. Je collabore à *L'Écho de Paris*. Vous sentiriez-vous capable de me fournir d'autres aphorismes de cette veine pour ma future revue littéraire ?

— Désolé, je les réserve à mon usage privé.

— Je regrette. Acceptez au moins un verre.

— J'ai rendez-vous avec une danseuse.

Navarre éclata de rire.

— Voilà qui est franc ! Est-ce indiscret de vous demander laquelle ? J'ai des tuyaux de première main sur l'état civil de ces dames ! Serait-ce la belle Chiquita ?

174

— Eudoxie Allard.

— Alias Fifi Bas-Rhin ! Elle hante les rêves des sénateurs vertueux. Son œil est impérieux, sa lèvre dédaigneuse, sa physionomie altière, mais tout le reste est si engageant ! Elle est nettement moins vulgaire que la plupart, seulement elle papillonne, ou plutôt, elle collectionne. Vous voyez ce ténébreux à sombrero assis face au modèle réduit portant besicles, Henri de Toulouse-Lautrec, un peintre dont la cote ne cesse de monter ? C'est Louis Dolbreuse, un de ses amants de carton, il est poète et déclame au *Chat-Noir*.

Kenji avait repéré la table désignée par Navarre. Il se détourna aussitôt, désagréablement surpris de reconnaître la chevelure rousse de Tasha entre les deux buveurs. Que fabriquait-elle ici ? Victor l'accompagnait-il ? Était-ce pour cette raison qu'il avait quitté la librairie à fond de train ?

Il pivota sans laisser paraître son trouble.

— Je n'ai pas de visées sur Mlle Allard, c'est une cliente, voilà tout.

— Excusez-moi.

— Juju ! Ça fait une paye ! La môme Fromage et moi on avait peur qu't'aies calanché !

— J'étais occupé, mon ange. Je t'offre une cerise à l'eau-de-vie ?

Une plantureuse créature, que Kenji jugea assez laide, leur barrait le passage.

— Ce s'rait pas de refus, mais le chahut va bientôt commencer. À la revoyure...

Tandis qu'elle s'éloignait au bras d'un quadragénaire sinistre et maigre, Kenji vit Tasha qui s'avançait en sens inverse. Il n'eut que le temps de plonger vers une chaise et de déplier un mouchoir devant son visage. Elle passa, sans lui accorder attention bien qu'elle l'eût remarqué. Elle était étonnée de sa présence ici. Selon Victor, il se consacrait corps et âme à sa jeune conquête installée rue des Saints-Pères. Elle se promit d'en avoir le cœur net.

— Je suis heureux que vous ayez changé d'avis, je meurs de soif. Garçon, une bouteille de champagne ! commanda Navarre en prenant place près de Kenji. Vous la connaissez ?

— Qui donc ?

— Celle qui vient de m'aborder. C'est Nini Patte-en-l'air, une ex-commerçante, mariée, mère de famille, elle a tout plaqué afin de tricoter des gambettes ! Idem pour l'asperge, Valentin le Désossé.

— Curieux patronyme...

— Ce sobriquet lui colle à la peau, un journaliste le lui a attribué en l'entendant interpréter *La Chanson de Valentin*. Il se nomme Étienne Renaudin, son frère exerce le noble métier de notaire. Valentin faisait déjà la gloire des bals publics sous le Second Empire. Ah ! Quand le démon de la danse vous saisit, vous devenez son esclave comme d'autres le sont de l'éther ou de la morphine. Mais ce n'est pas le pire... L'infection la plus redoutable est invisible et va de l'un à l'autre dans le secret des alcôves, j'apprécie la pudeur de la formule « mal du siècle ». Quand la soirée se traîne, je m'amuse à tenter de deviner combien de ces pantins gesticulants seront contaminés d'ici l'aube...

Kenji se félicita de se protéger depuis longtemps et d'avoir fortement conseillé à Victor d'utiliser des préservatifs, si onéreux fussent-ils. Il écoutait d'une oreille distraite Navarre disserter sur les femmes lorsque l'orchestre dirigé par Mabille attaqua les premières mesures de *La Vie parisienne*.

Minuit approchait, c'était l'heure du cancan. La foule reflua au centre de la salle. À l'appel des cuivres, un tourbillon de gambilleuses escortées de leurs cavaliers bondit sur le plancher qui se mit à trembler tandis que se déchaînait une folie de jupons et de bas noirs. Quatre meneuses — la Goulue, Nini Patte-en-l'air, Grille d'Égout et Rayon d'Or — se désarticulaient en une succession de figures compliquées — port d'arme, guitare, salut militaire, croisement, jambe derrière la tête. Fifi Bas-Rhin soulevait l'avalanche crémeuse de ses jupons pour dévoiler ses mollets galbés en un déhanchement frénétique. Elle s'élança et retomba dans un grand écart, déployant sur cinq mètres sa jupe de satin noir.

— Vous voyez cette ligne rose entre la jarretière et les volants du pantalon? hurla Navarre. C'est pour cet éclair de peau nue que des irréductibles reviennent tous les soirs!

Au comble de l'excitation, Kenji s'était faufilé au premier rang. Le chahut s'achevait sur une improvisation personnelle de chaque danseuse qui cherchait, parmi le cercle d'hommes, celui dont elle ferait voler le tuyau de poêle d'un coup de pied habile. Avant d'avoir compris ce qui lui arrivait, Kenji fut décoiffé par Eudoxie qui envoya valdinguer son gibus au milieu de l'assistance, sous l'œil allumé de Navarre. Le sang aux joues, Kenji récupéra son couvre-chef, plus épuisé que s'il venait lui-même de se trémousser des heures. Le cancan n'avait duré que huit minutes.

Navarre mena Kenji jusqu'à une table où, encore tout essoufflée, Eudoxie ne tarda pas à les rejoindre.

— Un tantinet trop acrobatique, ce grand écart, je finirai par me rompre les os! s'écria-t-elle en s'affalant sur une chaise.

— Bravo, ma chère! La précision de votre lancer est imparable. Votre ami semble plutôt tourneboulé.

— Oh! Monsieur Mori, c'est vraiment gentil d'être venu, mais ne vous montrez pas si timide! Quelle belle cravate mauve!

— Plus on est de fous... grommela Louis Dolbreuse, s'asseyant à son tour. Bonsoir, les poteaux. Vous avez vu qui est de la partie? Galles himself, dit-il avec un mouvement du menton vers le futur Édouard VII qui bambochait près d'eux en joyeuse compagnie.

— Peuh! Au diable les altesses, quand on a la visite d'un célèbre libraire de la rive gauche! s'exclama Eudoxie.

Elle posa sa main sur celle de Kenji.

— Monsieur est libraire ? demanda Dolbreuse.

— Tu as rencontré l'autre soir l'associé de M. Mori, Victor Legris.

— Ah ! Celui qui a une petite amie peintre ? Une mignonne à croquer ! Imagine-toi qu'elle a entrepris de me portraiturer. Je pense ne pas lui être indifférent.

— Victor et Tasha sont fiancés, annonça sèchement Kenji, peu soucieux de mentir pour une bonne cause.

— La belle affaire ! Je n'ai pas la moindre foi en la fidélité féminine, répliqua Dolbreuse, sans quitter Eudoxie des yeux. Yvette Guilbert conte admirablement la chose, allez l'entendre chanter *Le Fiacre*, c'est édifiant : *Léon ! Mais tu m'fais mal, ôt' ton lorgnon !* roucoula-t-il sous les gloussements de Navarre qui renchérit :

— Je suis allé au Concert Parisien, elle est sensass, elle mérite son titre de Sarah Bernhardt des fortifs ! Il faut l'avoir vue déclamer *Les Vierges* en remplaçant les mots censurés par un toussotement !

> *... Oh ! Maman ! Les vierges !*
> *À quoi rêvent-elles, nul ne le sait,*
> *De fruits, de fleurs... ou de navets ?...*

— Sûr que c'est plus folichon que *Le Père Goriot* monté par Antoine dans son Théâtre-Libre, concéda Dolbreuse. Le genre de bouquins rasoir qui font les beaux jours de votre librairie, je suppose, monsieur Mori.

— Nous en avons pour tous les goûts, y compris des recueils d'images destinés aux analphabètes, monsieur Dolbreuse.

— Et toc ! cria Eudoxie. Ça te fera les pieds, Louis ! Monsieur Mori ! Vous n'allez pas nous lâcher si tôt !

Elle s'efforça de retenir Kenji prêt à prendre congé.

— Ce serait dommage de partir, vous allez rater le meilleur. Quand le Moulin ferme ses portes, les gambilleuses se préparent à offrir leurs exhibitions les plus audacieuses aux habitués, renchérit Navarre.

— Vrai, à côté de ça, le quadrille naturaliste n'est que du vent, ajouta Dolbreuse. Allez, sans rancune, serrez-m'en cinq, monsieur le libraire ! Et donnez-moi donc votre carte, que je sache où me procurer de quoi lire au cas où Morphée et l'amour me fuiraient de conserve !

Kenji les dévisagea tour à tour, à l'affût d'une expression ironique, puis, convaincu que sa présence était réellement souhaitée, surtout par Eudoxie, se rassit lentement.

CHAPITRE X

Samedi 21 novembre

Ensevelie sous une jonchée de journaux que soulevait une respiration nasale et rythmée, une forme humaine émergeait d'un fauteuil bancal. Des orteils pointés hors d'une chaussette trouée battaient une mesure convulsive, une main pendait vers le sol où une pantoufle et un bougeoir veillaient sur des montagnes de papiers dépenaillés.

Joseph avait épluché vainement ses journaux un à un, allant directement à la page des faits divers, persuadé que si une affaire de bijoux avait fait du bruit à Lyon entre 1875 et 1886, les quotidiens de Paris l'avaient sûrement mentionnée. Il était plus de une heure du matin lorsqu'il avait renoncé à poursuivre ses fouilles. Épuisé, il avait fini par sombrer.

Un rêve vint troubler son sommeil, un cauchemar du genre bibliothèque immense où l'on cherche jusqu'à la folie à dénicher un manuscrit précieux.

L'église Saint-Germain-des-Prés sonna trois coups. Joseph se dressa sur son fauteuil et voulut se remettre au travail, mais il réalisa avec consternation avoir abandonné sa collection de périodiques en 1885, l'année de son engagement à la librairie Elzévir.

Il n'eut pas le courage d'éteindre la lampe à pétrole et demeura immobile, emporté six années à rebours. Il revoyait le visage radieux de sa mère lui annonçant la nouvelle.

— Mon minet, tu vas prendre la relève de ton papa, j'ai tout combiné. On vivra mieux qu'des rois ! Tu penses, ton salaire additionné au mien... Et puis la boutique est à deux pas d'chez nous. Ah, si ton papa était encore de ce monde, il s'rait content !

Cela lui rappela les paroles de Marcel, son copain d'enfance.

— Adieu, liberté chérie, terminées les cavalcades ! Console-toi, t'auras un revenu fixe, l'avenir assuré, quoi ! Les bouquins c'est dans tes cordes, tu te nourris d'encre.

Acharné à devenir un commis modèle, il n'avait revu Marcel que deux ou trois fois. Lors de leurs retrouvailles, ils évoquaient la belle époque où, plantés aux aurores rue du Croissant, ils guettaient les premières éditions fraîchement sorties des imprimeries. De neuf à quinze ans, ils avaient usé leurs semelles en courses folles sur le pavé parisien, s'efforçant d'écouler leurs feuilles de chou avant les autres camelots. Ses nombreuses relations parmi les typographes, les grouillots, les kiosquiers avaient permis à Joseph d'accumuler près de cinq mille canards qui tapissaient les murs de sa remise.

Couronnée d'un bonnet de nuit, une tête ahurie surgit dans l'embrasure de la porte.

— Jésus-Marie-Joseph, ça vous en coupe la chique ! s'exclama une voix rauque. Le v'là qui couche avec ses paperasses. Il souffre peut-être des glandes ? Hé ! Mon minet ! Tu dors ?

— Je dors plus maintenant qu'tu m'as réveillé, grogna Joseph.

— Ben c'est tant mieux, parce qu'il est temps d'avaler ton café ! J'vais t'en chauffer un bien serré.

Jojo se redressa en maugréant, assailli par le froid et la fatigue. Il brossa son pantalon du plat de la main, enfila son paletot.

« C'est trop bête ! Si ça se trouve on parle de cette histoire de bijoux justement pendant les mois où j'ai négligé ma collection de journaux ! Mais j'ai pas entièrement gaspillé mon énergie, parce que, foi de Joseph, je vais le dégoter, cet article, s'il existe ! Hein, papa, faut jamais baisser les bras, quand on veut, on peut. »

Il contempla la photo punaisée au-dessus de la caisse qui faisait office de bureau. Un bouquiniste jovial en blouse, coiffé d'une calotte, le regardait en souriant.

— Café ! beugla Euphrosine.

— J'arri-veuh !

Dans la cuisine exiguë, il alla déguster son bol debout devant le poêle chauffé à rouge. Sa mère lui tendit une tartine de saindoux en examinant avec réprobation ses vêtements froissés.

— La prochaine fois qu'tu décides de déménager au lieu d'roupiller, préviens-moi, j'irai coucher chez Mme Ballu. T'as fait un barouf pire que quand les Alboches canonnaient Paris !

— J'croyais pas t'avoir gênée, tu ronflais.

— Merci pour le respect ! Oser accuser sa mère de ronfler ! Ah, j'la porte, ma croix !

Elle partit en ronchonnant lester de fruits et de légumes sa voiture de quatre-saisons. Joseph rinça les bols et fit son lit avec l'impression d'oublier une tâche importante. Chaque fois que sa mère lui adressait des remontrances, il éprouvait un sentiment de culpabilité qui le poussait à s'activer comme si son avenir en dépendait.

Quand le petit appartement fut aussi propre qu'un sou neuf, il se rendit d'un pas lourd rue des Saints-Pères, le cerveau farci de faits divers cocasses ou pitoyables, les lèvres contractées sur des bâillements refoulés.

Il ôta les volets de bois et saisit un plumeau dont les évolutions le long des étagères s'accompagnèrent de sifflotements.

— Quel est votre truc ? J'ai beau essayer, je n'y arrive pas, déclara Iris, sur le seuil de l'arrière-boutique.

— Vous m'avez fait une de ces peurs ! s'écria Joseph, lâchant son plumeau.

— Je ne savais comment m'occuper, alors je suis descendue fouiner. Je m'étonne qu'on puisse gagner sa vie en vendant des livres. Quel intérêt les gens prennent-ils à de telles sornettes ? Ces milliards de mots ne changent rien à rien.

— N'avez-vous pas quelquefois envie de vous évader, de vous plonger dans une bonne énigme ou un bouquin d'aventures ?

— Je préférerais savoir siffler.

— C'est moins difficile que de prononcer l'anglais, il vous suffit d'arrondir les...

— *Good morning, darling. Do you want your breakfast now ?* demanda Kenji à mi-parcours de l'escalier.

— *I'm coming !* répliqua-t-elle, offrant un sourire désolé à Joseph.

— Chouette astuce de jacter angliche, le patron ne veut pas que je comprenne, mais il en sera baba quand Mlle Iris m'aura enseigné le b.a.-ba, bougonna-t-il en maniant mollement son plumeau.

— Bonjour, jeune homme. J'espère que vous avez reçu les trois exemplaires de *Giselle* promis par M. Mori.

Joseph sursauta et adopta une mine affable pour accueillir la comtesse de Salignac, drapée dans son hostilité comme dans son manteau en lainage broché.

— Ça lui écorcherait la langue de dire s'il vous plaît, à la moukère ! marmonna-t-il en allant consulter le registre des commandes.

— Qu'y a-t-il, jeune homme ?

— Il y a que vous vous êtes trompée de date, les livres ne paraîtront que demain.

— C'est très contrariant. Je vais me sacrifier, j'en ai l'habitude, et me rabattre sur un cadeau destiné à mon amie Adalberte de Brix. La pauvre se rétablit fort lentement de son hémiplégie, le séjour prescrit par le Dr Charcot à Lamalou-les-Bains ne lui a permis de récupérer que la moitié de sa motricité, si bien qu'un côté de son visage est paralysé.

— Elle doit parler comme un canard.

— Pas d'impertinences, petit paltoquet! Épargnez-moi vos commentaires et trouvez-moi plutôt *Monsieur le vicaire*, *Son gendre* et *Précoce*, trois romans de George Bois, chez Dentu. Je désire aussi *Un faux départ*, de Max de Simiers, une histoire dont Mathilde de Flavignol m'a assuré que les premières surprises du cœur y sont peintes avec un relief printanier, conclut-elle à l'intention de Kenji qui s'avançait vers elle.

Imperturbable, celui-ci expédia Joseph à la réserve.

— Et où veut-il que je le dégote, ce livre printanier? Dans les manuels de jardinage?

Au bout d'un moment qu'il rallongea exprès, il remonta avec *Monsieur le vicaire* et *Un faux départ*. La comtesse avait quitté la librairie.

— Ça valait vraiment le coup que je me fatigue, grogna-t-il à l'intention de Kenji. M. Victor ne vient pas?

— Il est rue Drouot. Il y a des commandes à livrer, les deux ouvrages que vous tenez sur votre cœur chez Mme de Salignac, celui-ci rue du Louvre et cet autre, le Montaigne, chez M. Boni de Pont-Joubert, rue Michel-Ange, M. Legris n'a pu s'en charger lui-même.

— Ça m'aurait étonné...

— Ne commencez pas à rouspéter, vous irez en fiacre, ça vous va? Faites les paquets et tâchez de ne pas gaspiller des mètres de ficelle.

— C'est le bagne, vous m'envoyez aux quatre coins de Paris, protesta Jojo.

— Je ne comptabilise que trois courses, rétorqua Kenji. Voulez-vous que j'en ajoute une quatrième?

Dès qu'il eut franchi la porte des Champs surmontée de l'inscription : « Hospice de la Vieillesse-Femmes », Victor se sentit prisonnier d'une ville close. La Salpêtrière ressemblait à un monastère conservant jalousement les secrets de son passé. Au sommet d'une entrée contiguë à la grille flottait le drapeau tricolore. Victor pénétra dans la cour Saint-Louis, plantée d'arbres malingres dénudés de leurs feuilles par le vent de novembre. Là était installée une cantine générale qu'on pouvait qualifier de véritable marché. Des épiciers, une buvette où l'on servait du café, un débit de tabac, des étals de fruitiers meublaient l'espace où évoluait une population de femmes âgées dont certaines, jadis cantinières, fumaient la pipe. Il y avait également une blanchisserie tournant à plein rendement car, les jours de visites, les pensionnaires souhaitaient étrenner des bonnets bien blancs et des corsages repassés et tuyautés. Le quartier des aliénées de l'immense hospice abritait des incurables, ainsi que des patientes affligées de troubles chroniques du système nerveux pour lesquelles un service de clinique, dirigé par le professeur Jean-Martin Charcot, proposait des consultations externes. Une section était réservée aux jeunes idiotes. Quant aux deux mille quatre cents femmes vieilles ou impotentes recueillies par l'Assistance publique, elles s'activaient au raccommodage et à la préparation du linge à pansement. Heureuses de se rendre utiles et de pouvoir ainsi se procurer des douceurs, elles travaillaient de huit heures à onze heures et demie et de treize heures à seize heures pour une rémunération de trente à soixante centimes. Au bout de la quinzaine elles achetaient du café, du tabac à priser et des mouchoirs de poche, ce qui leur faisait d'autant plus plaisir que l'administration ne leur en fournissait pas.

Victor traversa un jardin à la française, dégarni de fleurs à cette époque de l'année, puis suivit une allée dallée aboutissant à un vaste et imposant édifice religieux couronné d'un dôme. De part et d'autre de la chapelle Saint-Louis se dressaient des façades de bâtiments, à gauche la division Mazarin, à droite la division Lassay. Victor hésita. Il était venu l'année précédente à la Salpêtrière assister aux prises de vues d'Albert Londe. Celui-ci réalisait à la demande du professeur Charcot des instantanés photographiques de malades, mettant en évidence les différentes postures des hystériques. Mais où donc se situait son service ? Victor comptait sur l'auteur de *La Photographie dans les arts, les sciences et l'industrie* afin de découvrir quel lieu ou quelle personne portait le nom « Aubertot » signalé par le billet de Molina. Il croisa un interne en blouse, un pardessus jeté sur le dos, qui lui indiqua un itinéraire assez compliqué.

Devant lui s'étendait une aire piquée d'arbres dépouillés, ceinte de hauts murs gris et de toits de tuiles. Il foula une herbe pelée grignotant un pavement où piétinaient de vieilles femmes courbées sur des cannes dont le martèlement trouait seul le silence. Une fille de service guidait ce troupeau qui semblait tracer une frontière entre ce monde et l'au-delà.

À l'orée de la cour Sainte-Claire il aperçut sur sa gauche la sinistre Grande Force où, en septembre 1792, un groupe de révolutionnaires enragés avaient violé et assassiné trente-sept malheureuses détenues de droit commun, « suspectes » de royalisme. La cour où il déboucha se nommait d'ailleurs cour des Massacres. Elle donnait sur une seconde cour au centre de laquelle trônait un puits.

Assises sur des bancs, immobiles, muettes, de vieilles pensionnaires se chauffaient aux pâles rayons du soleil. À quoi songeaient-elles, ces femmes millionnaires en heures de labeur ? Rejoignaient-elles le pays lointain de leur enfance ? Victor resta à les observer. Brusquement, son empathie fut si totale qu'il entra dans un état de conscience altérée. Il se vit vieux, podagre, abandonné dans un asile, et ressentit l'angoisse de celui qui réalise combien la vie est brève, qui sait que, quoi qu'on fasse pour retenir le temps, il s'écoule inéluctablement, s'est déjà écoulé. Oppressé par la conviction que tout est éphémère, il se remit en route, sans pouvoir s'empêcher de penser que cent vingt ans auparavant on entassait indifféremment à la Salpêtrière les délinquantes, les mendiantes, les prostituées, les folles, les vagabondes. Ces femmes recluses étaient condamnées pour trouble de l'ordre public. Fréquemment marquées au fer rouge, elles croupissaient dans des cachots. Quand on manquait de place pour de nouvelles arrivantes, les filles étaient déportées à la Martinique, à la Guadeloupe ou en Louisiane.

Derrière la Force, il longea l'ancien quartier des archers de l'hôpital, autrefois logés dans des maisons symétriques. Naviguant au jugé, il se fourvoya au milieu d'un cimetière où une surveillante lui indiqua la bonne direction. Après être revenu sur ses pas, il atteignit enfin la division Pariset qui abritait le service de Charcot et le laboratoire photographique.

Victor aborda un interne, qui examinait des clichés de malades. Ils échangèrent quelques propos concernant l'utilité de la photo en médecine.

— Savez-vous où se trouve Albert Londe ?

— Il est absent aujourd'hui. Vous êtes médecin ?

— Je me spécialise. Et Aubertot... vous connaissez ?

— Le Dr Aubertot ?

— C'est cela.

— Il donne des cours en amphi le mercredi, les autres jours il reçoit à son cabinet, sauf le samedi et le dimanche, rue Monge, je ne suis pas sûr du numéro, 68 ou 168... Il y a une plaque.

— Je me débrouillerai, merci.

— Si cela vous intéresse, je peux vous montrer une partie de l'hôpital.

— Trop aimable.

Tout en suivant l'interne, Victor réalisait que Joseph avait eu le nez creux, Aubertot était effectivement un membre du personnel médical. Satisfait d'avoir identifié une pièce du puzzle même s'il ignorait sa pertinence dans l'affaire Molina-Fourchon, il prêtait peu d'attention aux explications de son guide.

— Ces femmes qui déambulent ont participé ce matin à une expérience de suggestion — l'hypnose est le cheval de bataille de Charcot. Voici la section des aliénées tranquilles, ce sont pour la plupart des démentes séniles, retombées en enfance. L'administration leur procure non seulement le nécessaire mais aussi l'agréable, des professeurs de chant viennent plusieurs fois par mois leur prodiguer des leçons afin de rompre la monotonie de leur quotidien, on organise des fêtes, des bals.

L'interne arpentait une salle où une quarantaine de lits s'alignaient de chaque côté d'une allée centrale encombrée d'un poêle à charbon. Sans cesser de pérorer, il se penchait parfois vers l'une des couches dépourvues de rideaux, séparées de leurs voisines par d'étroits intervalles. Certaines femmes tricotaient, d'autres papotaient, intriguées par ce monsieur en redingote qui leur jetait des regards gênés. Trop souvent à son goût, Victor devait s'arrêter à la suite de l'interne, et fixait malgré lui quelque grabataire, les yeux dans le vague, réduite à l'état de tube digestif.

— L'odeur ne vous incommode pas ? On aère régulièrement, mais c'est tenace... Nous entrons dans la division des demi-tranquilles, mégalomanes, hallucinées, idiotes de tous âges.

Victor allait refuser, mais déjà l'interne traversait la salle au pas de charge et s'engageait dans le dortoir suivant.

— Ici, les agitées, celles qui se démènent et sont susceptibles de violence, auquel cas les médecins recourent aux moyens de contention : la camisole de force, un vêtement de toile épaisse nanti de manches très longues que l'on noue autour du buste pour emprisonner les bras. Vous voulez voir ? Justement, ce matin on a été obligé de la passer à une malade...

Bouleversé, Victor parvint à se libérer sous le prétexte d'un rendez-vous urgent.

« Ça m'apprendra à me prétendre docteur, s'il est une profession pour laquelle je n'étais pas fait, c'est bien celle-là ! » se dit-il en s'enfuyant dans les couloirs.

Il s'égara de nouveau, franchit une série d'arcades et atterrit rue des Cuisines. Par les portes entrouvertes, il distinguait d'énormes marmites, des casseroles démesurées en cuivre rouge qui évoquaient les agapes de géants. Il se précipita vers un portail ouvrant sur la division Pinel et comprit avec horreur qu'il avait rebroussé chemin : devant lui, les logis des folles ! Il se sauva en sens inverse et gagna la cour où il avait observé les vieilles avachies sur des bancs. Épuisé par sa course, il alla s'asseoir. Une grand-mère toute ridée se tourna vers lui.

— N'est-ce pas qu'il est joli, notre puits de Manon ? Ça me rappelle celui de la ferme des Trois Moulins, avec sa margelle, c'est là que j'ai reçu mon premier baiser.

— Madame Bastien, venez donc boire votre tisane, elle refroidit ! cria une surveillante.

— On y va, on y va, soupira la vieille.

Victor pêcha le billet chiffonné dans sa poche.

— *Aubertot, goche cour manon*... grommela-t-il. J'y suis, dans la cour Manon ! Pourquoi diable l'a-t-on baptisée ainsi ?... Réfléchis, bon sang, tu brûles... Manon... Manon... *Manon Lescaut* ! Oui ! Il ne peut s'agir que du roman de l'abbé Prévost... Bien sûr ! C'est ici que se situe la scène où Manon, la maîtresse du chevalier des Grieux, se repose avant sa déportation vers l'Amérique... Abbé Prévost... *A. Prévost !*

Il se leva, l'excitation le faisait trembler.

« *Manon Lescaut*, l'abbé Prévost. Pourquoi ? »

Il marcha au hasard, essayant de mettre de l'ordre dans ses pensées. Il n'avait guère de sympathie pour les protagonistes du roman de l'abbé Prévost et ne comprenait pas l'indulgence des lecteurs et des littérateurs envers ce chevalier des Grieux, devenu escroc et assassin par amour d'une femme qui vendait son corps à de vieux messieurs. Manon et lui n'hésitaient ni à tricher, ni à flouer autrui, ni à mentir, tout en respectant Dieu, le roi, l'aristocratie et surtout les grosses fortunes. La personnalité de Noémi Gerfleur offrait-elle des similitudes avec celle de Manon ? Son assassin avait-il fait « justice » ? Par jalousie ? Cupidité ? Ou par vengeance ?

« Débusque le mobile, tu tiendras une partie de la solution... On dirait... on dirait... »

Sa gorge se serra. Le texte était explicite :

Ma chère reine à l'Hôpital, comme la plus infâme de toutes les créatures...

« C'est un dialogue de *Manon Lescaut* ! J'en suis sûr ! L'Hôpital ! La cour Manon, le Dr Aubertot. Cela n'a aucun sens !... Le Dr Aubertot, un assassin ?... Le vitriol. Le bandage médical au cou de la Gerfleur. Non, c'est ridicule !... Que signifie ce "goche" ? Est-ce l'emplacement de l'amphi où le Dr Aubertot dispense ses cours ? »

Il nota dans son carnet :

68 ou 168 rue Monge.

« Il faudra patienter jusqu'à lundi pour lui faire une petite visite... D'ici là, je dois absolument confronter mes renseignements à ceux que Joseph a glanés au mont-de-piété. Quelle poisse que j'aie dû signer hier le bail du salon de coiffure, sans quoi j'en saurais déjà plus ! Et ce matin, il a fallu que Kenji me bassine avec cette vente de Rabelais à Drouot et m'oblige à m'y ruer au saut du lit... »

Sa montre indiquait treize heures cinq, il avait promis à Tasha de lui présenter Thadée Natanson, un client de sa librairie, qui venait avec son frère Alfred de relancer une revue d'avant-garde littéraire et artistique, *La Revue blanche,* et d'en transférer les bureaux rue des Martyrs.

« Je suis à la traîne ! Courir, courir, j'en ai assez de courir ! Ils sont tous ligués contre moi ! »

Le cocher fut vivement soulagé de se débarrasser d'un client qui lui avait fait parcourir la capitale à une allure digne du joujou des ingénieurs Panhard et Levassor, cette automobile à essence aussi puante qu'inutile.

Ravi d'avoir bouclé ses trois livraisons à la six-quatre-deux en faisant miroiter un généreux pourboire au collignon, s'il était diligent, Joseph alla se poster près du mont-de-piété. Il avait décidé de faire le guet à la sortie du personnel et de filer Charmansat jusqu'à son domicile.

« Faut battre le fer tant qu'il est chaud, le patron sera content, enfin j'espère parce que avec lui... »

Il se cala dans l'encoignure d'une porte.

« Au milieu des ténèbres, la plus humble veilleuse brille comme un phare », se dit-il, bien d'accord avec cette assertion d'Émile Gaboriau, son auteur favori, et résolu à être la lueur falote grâce à laquelle les meurtres du carrefour des Écrasés seraient élucidés, même s'il devait prendre racine sur ce trottoir.

Quiconque se fût introduit dans l'esprit de Prosper Charmansat n'eût rencontré que le vide. Cet employé modèle ne s'encombrait d'aucune pensée, de nul état d'âme en accomplissant sa tâche journalière. Les dessous du mont-de-piété tissaient autour de lui un cocon propice à la paix de ses journées. Dans le ventre de cet univers clos, hors du monde, rien ne pouvait l'atteindre, ni la méchanceté des hommes, ni la peur, ni la solitude. Maître d'un modeste domaine où les témoins muets de multiples destinées s'entassaient en attendant un emballage, il rêvait de s'y enfouir à jamais. Il enveloppait, étiquetait, comptabilisait, drogué par cette routine comme par un narcotique.

Il manipulait l'imposante pendule qui avait rapporté dix francs à sa propriétaire, et se demandait comment il allait l'empaqueter. Chacun des objets déposés nécessitait une attention minutieuse. Les gages de prix — bijoux, châles, montres, dentelles — étaient enfermés dans des boîtes, tandis que des enveloppes abritaient les pierres précieuses et les parcelles d'or. Prosper Charmansat avait le privilège de sceller les rabats avec de la cire. En enfonçant le cachet dans la pâte tiède, il goûtait une jouissance similaire à celle de l'éleveur qui marque son bétail. Il déléguait à un garçon boîtier le soin de timbrer les colis, à un garçon couseur celui de plier en quatre le bulletin de prisée et de le lier à la ficelle. Confiée à des paniers, cette moisson allait rejoindre les précédentes dans les entrailles des magasins. Les fonctionnaires empruntaient d'innombrables allées bordées de casiers en bois et en fer grillagé, dédale de cinq kilomètres où s'accumulaient des monceaux de tapis et de vaisselle, de hardes et de parapluies. Cela ressemblait davantage à une ruche qu'à une caverne d'Ali-Baba, et en longeant ces alvéoles peuplées de bustes antiques, d'édredons, d'oreillers et de milliers de lorgnettes, Prosper Charmansat s'imaginait régner sur les soutes d'un gigantesque cargo sans port d'attache.

Il casa la pendule enrobée de papier fort entre une ombrelle et un psautier, s'effaça pour laisser passer un porteur de boîtes, et s'éloigna à regret vers les vestiaires. Il ôta la tenue fournie par l'administration, qui astreignait les préposés aux gages à porter un uniforme dépourvu de poches afin de prévenir les vols, et revêtit ses propres habits.

À la station des omnibus se pressait déjà une foule d'employés. Prosper Charmansat se hissa sur l'impériale sans remarquer le jeune homme blond légèrement bossu qui lui emboîtait le pas.

Place Maubert, Joseph sauta de la plate-forme avec désinvolture et s'efforça de ne pas se laisser distancer par son gibier qui traversa le marché des Carmes et la rue des Écoles pour gagner la rue de l'École-Polytechnique. À la hauteur du numéro 22, il bifurqua impasse des Bœufs. Craignant d'être repéré, Joseph fit une pause, et vit Charmansat s'arrêter devant une femme assise en train d'écaler des noix, soulever son chapeau, échanger un bonjour, et s'engouffrer dans un couloir au fond de l'impasse. Il se précipita. Un pot de lait à la main, un gamin surgit.

— Petit, tu sais à quel étage loge M. Charmansat ?

— Deuxième gauche. Faites gaffe, la mère Galipot, elle a un coup dans l'aile !

Intrépide, Joseph escalada les marches et faillit embrasser une mégère échevelée qui s'agrippa à son épaule.

— J'te tiens, ganache, où qu't'as donc planqué l'trèfle ?

— Du trèfle ? Y en a aux Halles, repartit Joseph en se dégageant violemment.

Il toqua à la porte indiquée. Pas de réponse. La femme se colla à lui et le gratifia d'un regard torve en lui soufflant son haleine homicide au visage.

— Aux Halles, hein ? Quel pavillon ?

— En compagnie du blé et de la galette ! cria-t-il avant de foncer au rez-de-chaussée.

Il sortit à temps pour apercevoir le gamin au pot de lait poussant une barrière au bout d'une allée. Intrigué, il se rua à ses trousses. À sa grande surprise, il se retrouva à l'entresol d'un immeuble voisin. Il dévala l'escalier, déboucha dans un étroit corridor coupé de courettes sombres qui se jetait rue de la Montagne-

Sainte-Geneviève. Au loin, la silhouette trapue de Charmansat chaloupait en direction du Panthéon.

— Ma parole, ce type est monté sur ressorts, marmonna-t-il, peinant à ne pas le lâcher.

Soudain, Charmansat disparut. Joseph crut l'avoir perdu, mais, avisant le portail entrebâillé de l'église Saint-Étienne-du-Mont, il se dit qu'une inspection à l'intérieur ne coûtait rien.

Après un signe de croix et une génuflexion, Charmansat se dirigea vers la balustrade finement sculptée séparant le chœur de la nef et des collatéraux. Il alla se planter près de la chaire et ouvrit un missel. Dissimulé par un pilier, Joseph redoutait qu'une crise mystique le rivât des heures en ce lieu. Mais un bourgeois mince, élancé, élégamment vêtu et coiffé d'un haut-de-forme, s'approcha et lui tapota l'omoplate. Bras dessus, bras dessous, les deux hommes déambulèrent en chuchotant jusqu'au tombeau de sainte Geneviève où les retint un long conciliabule. Joseph passa lentement derrière eux et se pencha avec une admiration feinte sur les éléments décoratifs qui ornaient le monument. Le bourgeois s'écarta, l'empêchant de distinguer ses traits noyés par l'ombre.

Enfin, Charmansat fit demi-tour, tandis que son compagnon glissait une pièce dans un tronc et allumait un cierge. Qui suivre ? Joseph opta pour le bourgeois, dont il ignorait tout, alors qu'il possédait l'adresse de l'employé.

L'homme au tube avançait rapidement, d'une démarche beaucoup plus souple que celle de Charmansat. Il contourna le lycée Henri-IV, obliqua rue Rollin et, rue de Navarre, pénétra dans les arènes de Lutèce. C'était la première fois que Joseph avait l'occasion de visiter ces vestiges antiques, son attention fut distraite par les quelques degrés de gradins effrités et l'arène en partie dégagée, tandis que le reste demeurait enfoui sous les constructions alentour, notamment les écuries et les bureaux de la Compagnie des omnibus.

— Quand je pense qu'on a déterré un squelette de deux mètres dix de haut, ils étaient costauds, les gladiateurs, sans doute à force de se marteler la coloquinte !

Cette réflexion à voix haute effaroucha une sœur de la Charité, qui se signa et prit la fuite. Joseph se rappela brusquement l'homme au tube, mais il eut beau chercher de tous côtés, il s'était évaporé.

Joseph se renfrogna. Il songea que ses investigations allaient s'avérer plus prolongées et ardues qu'il ne l'avait prévu. Mécontent de lui, il reprit le chemin de l'impasse des Bœufs.

Toujours vissée à sa chaise, la femme écalait ses noix avec des gestes d'automate. Lorsque Joseph l'aborda d'un toussotement, elle releva un visage de chèvre maigre et moustachue.

— Excusez-moi, madame, le monsieur barbu un peu rondouillard qui habite cet immeuble, quel est son nom ? Je vous demande ça parce qu'il m'évoque vaguement mon oncle Alfred avec dix ans de moins, sur la photo de notre salon. Il est parti au Venezuela et on ne sait ce qu'il est devenu...

— Ah ! Oui, M. Charmansat, rétorqua la femme dont les mâchoires édentées escamotaient une syllabe sur deux. Prosper, ça veut dire heureux chez les Latins, ça correspond mal parce qu'il a dû avoir des malheurs, cet homme-là, pas moyen de lui arracher un sourire, notez qu'on choisit pas son prénom, c'est dommage, moi qui vous cause j'aurais été contente d'échapper à Séraphine vu mon caractère qu'est pas tendre. Il est très gentil quand même, M. Charmansat, très aimable, un pays, il vient de Lyon, moi aussi je suis du Rhône, de Crémieu, je parie que vous n'avez jamais mis les pieds à Crémieu.

Joseph acquiesça afin de tarir ce flot de confidences et répéta avec un vif intérêt :

— Lyon ?

— Ça, c'est une ville, tandis que Crémieu... Vous avez raison de l'avoir évité, c'est un vrai trou. M. Charmansat s'est installé ici y a six ans, moi en 88. C'est mon petit-fils qu'a voulu grimper à Paris se faire embaucher sur les chantiers de l'Exposition, il est couvreur, et il m'a emmenée pour que je lui tienne son ménage, il est pas marié mon petit-fils, rapport à sa jambe de bois, après l'accident. Alors comme ça, c'est votre oncle, M. Charmansat ?

— Non, non, j'ai dû me tromper, il y a de ces ressemblances, il paraît qu'on a tous un sosie. Mon oncle, il est d'Arras, mais Lyon, j'en ai entendu parler, à ce qu'on raconte c'est la capitale de la gastronomie, les quenelles...

Bien qu'il détestât ce plat, il se lécha les babines, espérant que la femme finirait par lui divulguer des détails importants sur le passé de Charmansat.

Une heure plus tard, gavé de saucisson d'âne et de cervelle de canut, il regagna la rue Visconti sans avoir rien appris au sujet de Charmansat, qui n'avait pas réintégré ses pénates.

Affairée à préparer des gnocchis au parmesan, Euphrosine s'était retranchée dans la cuisine. Joseph en profita pour reporter les renseignements du jour dans son carnet.

« Lyon, Lyon, c'est le nœud de l'affaire, il faut à tout prix que je me débrouille pour découvrir ce qui s'y est produit en 86... M'sieu Gouvier pourrait m'informer en trois coups de cuiller à pot... Oui, mais ça lui mettrait la puce à l'oreille, et je me retrouverais peut-être avec l'inspecteur Lecacheur sur le râble. Sans mentionner M. Victor. Il faut que je me débrouille seul, je vais lui montrer de quel bois je me chauffe, au patron ! »

Il n'osait s'avouer qu'il escomptait briller aux yeux de Mlle Iris. Il contemplait, découragé, les piles de quotidiens amoncelés contre le mur, quand un déclic se fit en lui.

« Marcel ! Marcel Bichonnier ! Ce qu'on a pu rigoler quand on vendait des journaux ! Et les parties de cache-cache dans la fabrique de son paternel ! S'il bosse encore rue du Croissant, il ne me refusera pas ce service. Demain, j'y fonce dès potron-minet. À présent, s'agit de cogiter. Quelle piste serait la meilleure ? Commençons par la rue L. rdc 1211 dont fait état le billet ramassé chez Molina. »

Il se rendit dans la remise, repoussa les strates de papiers, les casques de sapeurs prussiens et les douilles de cartouches jonchant sa caisse de travail. Il exhuma deux trognons de pomme et une pièce de dix sous.

— Je suis complètement perturbé, moi, marmonnait-il, accoudé devant ses notes. Faut que je fasse le point. Réfléchissons... C'est cette histoire de *rdc* dans cette interminable rue *L.* qui me tarabuste. Mille deux cent onze numéros, c'est dingue !... et rdc, rdc, ça veut dire quoi ?... C'que tu peux être niquedouille, mon vieux, rdc, rez-de-chaussée ! Donc, un rez-de-chaussée au 1211 rue L. Si je pouvais localiser le quartier, ça m'arrangerait. Concentre-toi. L'escarpin a été dégoté par le cador du chevrier au Jardin des Plantes... Y a des loups au Jardin des Plantes ? Oui, triple buse, y a des loups et des lions aussi. Vite, mon guide des rues de Paris, j'tiens l'bon bout !

Il avait la certitude de frôler une révélation, elle allait bientôt surgir, mais qu'était-ce ? Impossible de le savoir. Il s'attaqua fébrilement au fouillis qui recouvrait sa caisse.

« On peut supposer que Molina créchait dans le coin et qu'il y a attiré la gamine puisque de chez lui on entend hurler les loups. Y a pas à tortiller, je dois répertorier toutes les rues du secteur qui débutent par un L. Plus de mille deux cents numéros, tu imagines ! C'est pas une rue, c'est une sale blague... Où est mon guide, nom d'un presse-purée à bretelles ! »

Il s'escrima contre un amas branlant de *Magasin pittoresque,* qui, dans un « boum », s'effondra sur le plancher.

Il ne s'y attendait pas. Stupéfait, il considéra le résultat de ses efforts, se mit à quatre pattes afin de voir distinctement le titre d'une gravure pleine page :

L'église Saint-Séverin à Paris

« Une église !... C'est ça ! C'est ça ! Ce bourgeois au tube à Saint-Étienne-du-Mont, qui faisait des messes basses avec Charmansat, il m'a semé aux arènes de Lutèce... à deux pas du Jardin des Plantes. J'y suis ! Ils sont tous acoquinés ! Molina, Charmansat, l'homme au tube : même quartier ! Où est-ce que j'ai fourré ce guide ? J'suis pourtant sûr de l'avoir laissé là, je m'en sers continuellement... »

— Mon minet, tu peux venir ! brailla Euphrosine.

— Manger, manger, toujours manger, bougonna-t-il, abandonnant ses recherches.

— Qu'est-ce que t'as, on dirait que tu couves une angine, remarqua sa mère en le servant.

— J'ai que mon guide des rues de Paris a disparu.

— Oh ! T'inquiète pas, il te le rendra.

— Il ? Qui, il ? Ne me dis pas que tu as...

— Prêté ton guide ? Si, je te le dis. Le cousin de Mme Ballu, tu sais, Alphonse, celui qui est allé au Sénégal, figure-toi que son adjudant rêvait de promener sa fiancée dans les beaux quartiers, mais ce pauvre bougre n'est pas fichu de se repérer, c'est embêtant pour un militaire du génie, alors Mme Ballu m'a appelée au secours. Fais pas cette trombine, elle allait pas en acheter un, au prix que ça coûte, ces bricoles !

— Maman, je t'ai répété mille fois de ne pas toucher à mes affaires ! explosa Joseph.

— J'mérite pas l'abbaye de Monte-à-regret[1], tout d'même ! Allez, attaque, ça va être froid, Ils sont pas trop glutineux, mes gnocchis ? Je voulais cuisiner du boudin-purée, et puis comme il me restait de la semoule...

---

1. L'échafaud, en langage populaire. (N.d.A.)

— Bravo ! J'n'aime pas le boudin, approuva Joseph, subitement calmé par l'appétissante odeur de parmesan.

Il portait sa fourchette à sa bouche lorsqu'on frappa.

— Qu'est-ce que c'est encore ? grogna Euphrosine. Bouge pas, j'y vais.

L'instant d'après, Victor s'attablait près de lui. Sans tenir compte de ses protestations, Mme Pignot lui servit une platée de gnocchis. Il avait déjà dîné avec Tasha et les frères Natanson, mais il se força à engloutir le contenu de son assiette, but trois verres d'eau pour le faire passer, refusa poliment une pomme au four et entraîna Joseph dans la remise.

— La moisson a été fructueuse ?

— L'impasse des Bœufs, vous la situez ?

— Non, ne me faites pas languir.

— C'est là qu'il crèche, le Charmansat de « ma tante ». Voilà ce que j'ai appris, ensuite ce sera votre tour de me raconter... Une minute, les murs ont des oreilles.

Au moment où il s'apprêtait à fermer la porte de communication, Euphrosine Pignot grommela assez fort :

— Je me casse en deux pour leur mitonner des p'tits plats qu'les riches y cracheraient pas d'ssus ! Ça leur écorcherait la langue de m'complimenter ! Ah, elle pèse, ma croix !

CHAPITRE XI

Dimanche 22 novembre

Lorsqu'il entendit les roues bringuebaler sur les pavés de la cour, Joseph regarda par le carreau. La lueur d'une lanterne étirait une ombre arc-boutée aux brancards d'une carriole. Emmitouflée sous une triple épaisseur de châles tricotés au crochet, Euphrosine partait s'approvisionner aux Halles, il pouvait se lever.

À tâtons, il s'habilla en claquant des dents et se jeta à son tour dans l'obscurité, une pomme au fond de chaque poche. Il s'en voulait de délaisser sa mère, depuis peu elle peinait parfois à charrier ses fruits et légumes, et il aurait eu le loisir de l'aider ce jour-là, mais il décida de bâillonner sa conscience et de s'en tenir à son plan.

Une heure de marche le long des rues désertes lui fouetta le sang. Paris s'éveillait à peine quand il aborda la rue Montmartre, où les magasins de tissus et de lingerie bâillaient largement, pressés d'avaler commis et vendeuses au visage fripé de sommeil.

L'étroite et sombre rue du Croissant était envahie par une foule en majorité masculine parquée sur les trottoirs, accoudée aux zincs des bistrots. Les demi-setiers rivalisaient avec les bocks, la fumée des cigarettes et la rumeur des conversations évoquaient un buffet de gare.

Joseph ressentit une vive émotion à redécouvrir cette ambiance qui avait imprégné sa jeunesse. Hier encore il était un de ces camelots boudinés dans des redingotes rapiécées, coiffés de melons ou de casquettes, prêtant une oreille au ronflement des rotatives derrière les façades des imprimeries, écoutant de l'autre les vantardises d'un copain fier de ses dernières fredaines. Lui aussi avait guetté la parution des quotidiens grâce auxquels il réaliserait un bénéfice variable. Après avoir payé deux francs son cent de journaux revendus un sou la pièce, il se précipitait vers les kiosques de la périphérie, qu'il espérait atteindre le plus rapidement possible afin d'y écouler sa marchandise. S'il l'avait fallu, ses pieds auraient su le guider à travers les méandres d'un itinéraire dont ils conservaient la mémoire.

Soudain, alertés par un sixième sens, les camelots s'agglutinèrent autour d'un porche. Ceux qui desservaient les kiosquiers s'éloignèrent, silencieux, la tête enfoncée dans les épaules, sous le lourd paquet des journaux à déposer. Les crieurs de rue s'égaillèrent, brassant l'air du déploiement brusque des feuilles, gueulant les titres :

— Demandez *La Patrie* ! La séance de la Chambre !

— Lisez *Le Passe-partout* ! Édition spéciale du dimanche sur l'assassinat de Noémi Gerfleur !

— *Le Petit Parisien !* Mort atroce d'un gardien dans une ménagerie !

Les employés et les ouvriers en route pour le travail achetaient cette pâture aussi essentielle à leur bien-être que celle proposée par Euphrosine Pignot. Des camions attelés de percherons emportaient vers les gares leur manne d'informations ficelées en ballots, précédés d'un bicycliste qui se frayait un passage au son d'une trompe rageuse.

Au moment où l'agitation s'apaisait, Joseph aperçut une silhouette familière affairée à charger un haquet de journaux invendus de la veille.

— Marsouin! beugla-t-il.

— Pignouf! répondit l'autre.

C'était leur ancien cri de ralliement, du temps qu'ils arpentaient ensemble la capitale. Marcel Bichonnier, un grand garçon très gras affligé d'un rien de strabisme, ouvrit les bras, prêt à y accueillir Joseph. Celui-ci garda prudemment ses distances, de crainte d'être étouffé.

— Je doutais de te trouver, mais je croisais les doigts! Tu bosses chez ton père?

— Le pauvre vieux a rejoint ses ancêtres, j'ai pris sa succession à la fabrique. Maintenant c'est « Bichonnier Fils, confettis et autres accessoires de fête ». Je me suis agrandi, je donne aussi dans les serpentins, les mirlitons, on va prochainement inaugurer un rayon de lanternes et de moulins en papier. Et toi?

— Oh! Moi, toujours la librairie, et un projet à la clé, un feuilleton qui fera trembler tout Paris... Mais chut, ne vendons pas la peau de l'ours. Vois-tu, c'est à cause de ça que je souhaitais te rencontrer, je dois me documenter, aurais-tu dans ton stock des quotidiens parus l'année 1886?

— Si tu crois que je me souviens des années! Pourquoi pas des mois et des jours? Dans les remises, il y a des tonnes de paperasses, certaines classées, d'autres non, des pages qu'on n'a pas pu utiliser mais qu'on entrepose au cas où on aurait besoin de résidus pour alimenter la pâte, alors à moins d'une veine de cocu ça m'étonnerait que tu déniches ton bonheur, enfin on ne sait jamais, grimpe dans ma guimbarde. Tu n'as pas peur des cahots? Accroche-toi, ma jument a tendance à foncer dans le brouillard! Hue, Finette! Confortablement installé, Pignouf? Je vais te présenter à ma bourgeoise.

— Tu es marié? s'exclama Joseph avec une pointe d'envie.

— Ça fait deux ans, j'ai même un héritier, un petit Émile. Tu imagines peut-être pouvoir échapper aux agapes ? Tu te goures, le dimanche, Caroline nous régale d'un gigot à l'ail dont tu me diras des nouvelles !

En remontant la rue du Sentier, Joseph se voyait attablé face à un cuissot fumant derrière lequel, affûtant un couteau de boucher, se tenait un assassin sans visage.

Les mains tiédies par les croissants du petit déjeuner, Victor résistait au désir d'en plonger une dans le sac lorsqu'il avisa chez un marchand de journaux le supplément illustré du *Petit Parisien* qui titrait :

TUÉ PAR UN LION

Il l'acheta et lut sans ralentir :

« Jeudi soir, au Jardin des Plantes, après l'heure de la fermeture au public, l'un des gardiens, Basile Popêche, 56 ans, a été attaqué et mortellement blessé par un des lions dont il avait la charge. Quand ses collègues sont venus à son secours, Basile Popêche gisait dans une mare de sang. Transporté à l'hôpital de la Pitié, il a succombé ce matin. Pourquoi l'homme était-il enfermé dans la cage du... »

Ce nom, Basile Popêche, ne lui était pas étranger. Il se hâta de regagner l'atelier où Tasha, seulement vêtue d'une chemise et d'un jupon de taffetas noir, disposait des tasses sur la table.

— Thé ou café ? demanda-t-elle.

— Mum, grogna-t-il en feuilletant fiévreusement les pages de son carnet puisé au fond du sac qui contenait ses affaires.

Là ! Tracé de sa main, sous la date *vendredi 13 novembre* :

Basile Popêche, fauverie du Jardin des Plantes, cousin de Grégoire Mercier.

— Saperlotte ! s'écria-t-il.

— Qu'y a-t-il ?

— Euh, rien, je viens juste de me rappeler... Il faut que je retourne à la librairie.

— Un dimanche ?

— Eh bien... la comtesse de Salignac va venir dans la journée prendre livraison d'un roman, elle n'a pas précisé l'heure, si je lui pose un lapin elle risque de se mettre en rogne... Ça m'était complètement sorti de la tête.

Que lui cachait-il ? Cela avait-il un rapport avec cette jeune fille qu'il hébergeait ? Cette sirène originaire d'Angleterre qui avait déjà enjôlé Kenji s'était-elle attaquée à Victor ? Tasha n'était pas d'un naturel jaloux, mais ressentait une piqûre d'amour-propre. Comment pouvait-il la délaisser sous un prétexte si fallacieux ! Ils devaient sabler le champagne dans la boutique du coiffeur, et voilà qu'il se défilait !

— Tu ne m'as pas répondu, alors tu te contenteras de thé. J'ignorais que la comtesse avait une telle emprise sur toi, jeta-t-elle froidement en emplissant la bouilloire.

— Oh, excuse-moi, ma chérie, du thé, parfait.

Elle se calma. Elle n'allait pas devenir comme lui, méfiante et possessive dès qu'il l'excluait une heure de sa vie. D'ailleurs, elle était persuadée qu'il n'y avait pas d'autre femme. Non, ce départ inopiné était lié à son carnet. Qu'y avait-il gribouillé ? Après les allusions de Dolbreuse au *Chat-Noir* puis chez elle, ses soupçons se muaient peu à peu en certitude : Victor menait une enquête. À quel sujet ? Cela concernait-il ces assassinats dont la presse se gargarisait ? Ou s'agissait-il d'un mystère plus anodin ? Bien sûr, il ne lui en parlerait que quand tout serait terminé, se souciant peu qu'elle se rongeât les sangs et l'ongle du pouce à l'idée de le savoir en danger ! Elle fut sur le point de le questionner. Mais il mangeait ses croissants de bel appétit, la dévisageant d'un air tendre et candide, et elle comprit qu'il lui faudrait ruser afin d'obtenir des renseignements.

— Dommage. Pour une fois que toi et moi étions libres...

— Mais ça ne m'occupera qu'une partie de la matinée !

— Tu te contredis. Tu viens de m'annoncer que la moukère...

— Ah ! Non, tu ne vas pas imiter Jojo ! Kenji est là, je le prierai de la recevoir si elle passe après midi.

— Avoue, tu redoutes qu'elle voie rouge si son libraire chéri ne se montre pas.

— Au diable la mouk... Mme de Salignac ! J'aime cent fois mieux être avec toi.

— Cent fois ? Je te bats, moi c'est cent mille !

À peine Joseph eut-il posé les yeux sur Caroline Bichonnier, brunette au nez retroussé, qu'il lui sembla la connaître depuis toujours. Elle l'accueillit en ami, lui affirma avoir souvent écouté Marcel raconter leur jeunesse et leurs frasques, l'obligea à s'extasier sur un paquet de linges d'où émergeait le crâne chauve d'un poupard endormi.

La situation de leur logement rue de Chaligny, entre l'hôpital Saint-Antoine et la caserne de Reuilly, constituait selon Mme Bichonnier un énorme avantage, car, en cas d'incendie, la présence de médecins d'un côté, de pompiers de l'autre serait une bénédiction du ciel.

Nonobstant la sympathie que lui inspirait la femme de Marcel, Joseph se fût dispensé de visiter la villa, attenante à l'usine, elle-même suivie des entrepôts. Mais on ne lui épargna ni le corps d'habitation doté, luxe suprême, du tout-à-l'égout, ni les cuves où macérait un magma incolore dont l'odeur lui donna la nausée.

— Bouchez-vous le nez si vous ne supportez pas, c'est le chlore, moi aussi ça me soulève le cœur ! Il sert à blanchir la pâte pilonnée, après c'est plus joli, on incorpore les couleurs au papier mâché, du vert, du jaune, du rouge, et on confectionne les articles de pacotille destinés aux fêtes. Je tanne Marcel afin qu'il se lance dans la fabrication de masques et de chapeaux pour Mardi gras et carnaval, mais en ce moment il n'est pas à prendre avec des pincettes, il croule sous les commandes de Noël. Ce serait gentil d'abonder dans mon sens...

Joseph promit de se faire l'avocat des masques, ce qui lui valut une double ration de gigot aux épinards, et une part de moka si grosse qu'il eut des difficultés à sortir de table.

Enfin, Marcel et lui prirent congé de Caroline qu'appelaient ses devoirs de mère, et allèrent boire un café à l'atelier en compagnie des trois ouvriers qui préparaient les feuilles à découper.

— Père Théophile, vous n'auriez pas une idée de l'endroit où mon ami pourrait dégoter des journaux de l'année 86 ? demanda Marcel à un gaillard encore vigoureux en dépit de ses cheveux blancs.

— Ben, à supposer qu'il y en ait, c'est dans le deuxième hangar qu'il faut fouiller. Votre père avait l'habitude d'y remiser un tas de canards boiteux, ceux qu'étaient mal paginés ou qu'avaient des défauts et qu'il rachetait une misère. Y doit en rester, mais je vous garantis rien, ajouta-t-il en se tournant vers Joseph. Comme il a grimpé au paradis en 87, je vous conseille d'escalader une échelle et de zyeuter le dessus des piles, si vous êtes verni vous n'aurez qu'à tendre la main. Sinon, vous risquez de vous démolir le dos.

Jojo s'abstint de répliquer qu'ayant déjà l'estomac distendu, il n'était plus à quelques vertèbres près.

Quand il affronta la muraille de papier face à laquelle ses collections faisaient figure de taupinières, il éprouva un découragement passager. Puis il pensa à l'enjeu de ses recherches, la résolution de l'enquête, le livre qu'elle lui inspirerait, le succès qui ferait choir Iris dans ses bras, et il entreprit l'ascension de l'escabeau branlant.

Au bout de trois heures d'un labeur acharné, il avait ôté sa veste, et, en nage malgré le froid, se mesurait à un monceau de périodiques péniblement extirpés de la muraille. Il y avait là des numéros dépareillés de *L'Illustration*, du *Petit Journal*, du *Monde illustré*, du *Gaulois*, du *Matin*, du *Siècle*, du *Figaro* et de vingt autres publications. Prêt à tomber d'accord avec Iris devant ce maelström de mots impuissants à changer d'un iota l'avenir des peuples, il se demandait par quelle fatalité M. Bichonnier père n'avait pas acquis un seul quotidien de novembre 1886, tandis que chaque autre mois de cette année répondait présent. Ce fut alors qu'il remarqua un dessin coloré : une femme en manteau sombre, le visage dissimulé par une voilette opaque fixée à l'arrière de son chapeau, serrant dans sa main gantée une parure de bijoux. Debout près du comptoir d'une joaillerie dont on distinguait le sigle à l'envers sur la vitrine, elle examinait un homme empâté qui lui proposait un écrin contenant un collier de diamants. Sous cette composition, un commentaire :

LA BARONNE DE SAINT-MESLIN EST INTROUVABLE.

Puis, plus bas :

« Qu'est devenu Prosper Charmansat ? Où sont passés les bijoux ? »

Le cœur emballé, Joseph vérifia la date du supplément illustré du *Petit Journal* : 20 novembre 1886. Il l'ouvrit.

« Explication de notre gravure.
On est sans nouvelles depuis quatre jours de... »

Il lut attentivement l'entrefilet, surexcité d'avoir découvert la clé de l'énigme, vit que la suite était imprimée à la fin du supplément, et demeura stupide : la dernière page manquait. En jurant, il leva le menton vers les murs de papier : une année entière suffirait-elle à éplucher ce millefeuille ? Besogne digne d'Hercule !

« Tant pis, c'est déjà formidable, faudra s'en

contenter, d'ailleurs maintenant on possède le nom et le mobile de l'assassin ! »

— Sacrées fumelles, voulez-vous rappliquer !

Grégoire Mercier parcourait au galop la rue Croulebarbe derrière ses chèvres affolées. Bien que Berlaud montât auprès du troupeau une garde vigilante, il n'avait pas vu s'en approcher un escogriffe qui avait tenté d'enlever Pervenche. Le temps que le chevrier menace le truand de son bâton ferré, les bêtes s'étaient égaillées.

Il parvint enfin à les rattraper à l'entrée de la ruelle des Reculettes. En émoi, les voisins l'entourèrent et le soûlèrent de questions. Berlaud profita de l'agitation pour se glisser furtivement dans l'immeuble, mais son manège n'échappa pas à son maître.

— Si c'vieux braco s'met à perdre la vue autant qu'l'odorat, mon commerce est fichu ! se plaignit-il à la mère Guédon. J'finirai comme un gueux sur un lit d'hôpital en compagnie des soutiaux et des bons à rien !

— N'voyez pas les choses au pire, et pis allez donc parler à c'monsieur qui vous attend, dit-elle en désignant Victor adossé à une palissade.

Grégoire Mercier siffla son chien qui reparut, tête basse.

— Bonjour, monsieur Leblanc.

— Legris.

— Ah ! N'en v'là des histoires, j'aurais mieux fait d'pas quitter la Beauce et d'cultiver les champs d'avoine et d'blé à la ferme, seulement voilà, la ville est une grande lanterne qui vous attire. Quand on est jeune ça vous démange de gagner queuqu's sous, alors on fait son balluchon, et pis on prend un aut'méquier, les années passent, et on s'rôtit les ailes à tous ces feux qui brillent... La vieuture change mon chien en un trimardeux tout poussif, j'serai bientôt qu'un sainfoin bon à êt'fauché... Quand j'aurai plus d'forces, c'est pas vous autres les villotiers qui nous remplirez l'guéniau, à mes bêtes et moi !

— Désolé de vous déranger, mais je m'interroge à propos de votre cousin... commença Victor, impatient de mettre un terme aux doléances du chevrier.

Une expression d'épouvante figea les traits de Grégoire Mercier, il en oublia ses propres malheurs.

— Vous savez ? chuchota-t-il. C'est affreux, Basile...

— L'avez-vous revu avant qu'il ne...

— Si on veut... Y disparaissait sous la charpie, on se s'rait cru pendant l'Année terrible. Il lui restait juste assez d'salive pour m'conter qu'c'était pas un accident.

— Que vous a-t-il dit ?

— Il visitait ses lions avant la fermeture, il s'aperçoit qu'le plus jeune, Scipion, a pas eu sa barbaque, et qu'en plus il virevolte comme une girouette qu'aurait bien d'la peine. Alors y fait ni une ni deux, y s'aventure dans la cage, et là, qu'est-ce qu'y voit ? Une fléchette enfoncée dans l'berdouille de Scipion ! Y veut sortir, la porte est close ! Un balayeur se pointe, y le r'connaît, c'est un bonhomme qu'il avait avisé queuqu's jours plus tôt, le 12 au mitan d'la nuit, un type qu'était en gris et qui filait l'train au locataire du rez-de-chaussée de son immeuble. Basile prenait l'frais à sa fenêtre, l'individu l'a repéré. Et c'locataire, figurez-vous qu'c'est Basile qui l'a r'pêché dans une barrique de vinasse.

— Gaston Molina, souffla Victor.

— Et là, d'vant ce coco en vêt'ments d'balayeur, y s'rappelle l'homme en gris, mais l'autre lui laisse pas l'temps d'avaler une goulée d'air pour crier, y lance encore une fléchette au lion, qui sursaute, et qui, tout alouvé par la douleur, bondit sur l'pauv'Basile...

Grégoire Mercier porta les mains à ses joues.

— Je suis navré, murmura Victor. Vous en avez parlé à la police ?

— Vous trouvez qu'j'ai pas assez d'embêtements ? Sainte Viarge, ça les tenaille trop d'faire kerver l'pauv'monde ! Basile a déserté c'te foutue auberge, et c'est pas les cognes qui lui rendront le goût du pain !

— Je garderai moi aussi le silence, je vous le jure. Ah! Encore un détail. Dans quelle rue habitait-il, votre cousin?

— Rue Linné, numéro 4. Allez viens, Berlaud, on r'tourne à l'écurie, on a bien mérité d'la patrie, on va s'manger not'morceau d'pain quotidien!

De même que la solution d'un rébus prend toujours après coup l'allure d'une évidence, Victor était vexé de n'avoir pas songé à une explication si simple. Rue L. rdc 1211 signifiait « rue Linné, rez-de-chaussée, le 12 novembre ». Enfantin!

Il hésitait sur la conduite à suivre. Devait-il pénétrer dans la maison sans style du numéro 4, près duquel il se tenait, et frapper aux portes? N'était-ce pas le meilleur moyen d'éveiller la méfiance? Il opta pour un choix qui lui avait déjà réussi.

D'un pas traînant, le concierge vint ouvrir et le considéra de sa figure de bouledogue prognathe.

— Je suis de la police, dit sèchement Victor, prêt à débiter n'importe quelle fable si le cerbère exigeait une carte officielle.

— Ah! S'agit de M. Popêche, le locataire du premier? Vos collègues du commissariat sont déjà v'nus m'asticoter. Il n'avait pas de famille, hormis un cousin éloigné natif comme lui des environs de Chartres. Le hic, c'est que j'n'l'ai jamais vu, j'ignore son nom et son adresse. J'peux rien vous apprendre de plus. C'est triste, mais quand on travaille dans une fauverie on court des risques.

— Je ne suis pas là pour ça.

— Ah? C'est à cause du vieux Sédillot? Il avait fait le serment de n'plus recommencer, marmonna le concierge d'un ton las, mais qu'est-ce que vous voulez, c'est pas une sinécure de d'meurer cloîtré dans sa chambre comme un anachorète, il s'embête à mourir, alors ça l'distrait.

— Vous permettez que j'entre ?

— Allez-y, mais excusez l'désordre. Antoinette était une fée du logis, Elle m'a largué, depuis j'ai envie de rien, je vis en sauvage.

Il le devança dans une pièce étriquée et mal aérée encombrée de meubles imitation Empire supportant chacun un empilement d'assiettes et d'articles vestimentaires malpropres. Inclinant une chaise afin d'en chasser les miettes, il fit signe à Victor de s'asseoir et s'écroula sur un tabouret face à une bouteille de rouge et un verre graisseux.

— Vous n'allez pas l'embarquer pour si peu ?

— Non... Mais... je n'ai pas bien compris ce qu'on lui reproche... J'enquête, la routine.

— D'accord, c'est un vieux dégoûtant, ça n'a pas le sens commun de cracher sur les passants à longueur de journée, seulement il a une araignée au plafond depuis qu'un laitier lui a écrabouillé les guibolles, il a plus personne, j'suis le seul à lui porter son fricot, et j'en suis d'ma poche ! Heureusement, il est propriétaire, mais à part ça il est à sec.

— Ça va, ça va, je vais tâcher d'arrondir les angles avec les gens du rez-de-chaussée.

— Hein ? Quels gens ?

Victor regretta aussitôt d'avoir été si impulsif. Comment s'en sortir ?

— Des gens de votre immeuble qui soutiennent avoir reçu son obole sur l'occiput.

— Et qui logent au rez-de-chaussée, vous dites ? J'élimine Mlle Bugne, elle est à Dijon auprès de sa mère malade. Quant aux autres, ils sont arrivés en fin de soirée, et à c't'heure-là le vieux Sédillot est couché.

— Auraient-ils menti ? Cela pourrait leur coûter cher. Ils sont locataires, ceux-là ?

— Ben oui, enfin, sous-locataires. Le trois-pièces était libre, un monsieur du nom de Duval s'est présenté et a payé deux termes d'avance, dame ! Le mois de septembre était entamé. C'est pour mon gendre et ma fille, qu'il a déclaré, ils sont de Montargis et veulent monter à Paris quand ça leur chante.

— À quoi ressemblait-il, ce Duval? Barbe carrée, chauve, yeux clairs, embonpoint?

— Mon pauv'monsieur, je n'saurais vous répondre, c'est Antoinette qu'a réglé ça, elle m'a juste dit que le pékin était arrangeant. Le lendemain elle mettait les voiles en me laissant pour tout souvenir une note de blanchisserie et trois pots de confiture de quetsches envoyés par sa sœur. J'y ai pas touché, ils sont dans la cuisine. C'est une saleté, la vie, on s'aime, on se met en ménage, on est persuadé qu'on va vieillir ensemble, et pis un matin on s'réveille naufragé au fond d'un plumard glacé.

Il emplit son verre à ras bord et y trempa les lèvres.

— Je m'console au jus de la treille, ça m'aide à attendre son retour, parce qu'elle va revenir, Antoinette, y a une voix à l'intérieur qui me le répète, j'l'entends sans arrêt, ça fait boum, boum, assura-t-il en se vissant l'index sur la tempe.

— Le gendre et la fille de M. Duval, insista Victor, décrivez-les, que je sois sûr de tenir les bons plaignants.

— Vous êtes trop exigeant, les deux fois où j'leur ai donné l'cordon j'avais si mal aux tifs que j'étais quasiment sonné, et le lendemain ils étaient plus là. Les volets sont fermés en permanence. Après tout, le terme est acquitté, hein, le proprio ne court aucun risque de moisir sur la paille, les deux tiers des appartements sont à lui... Je suis pas chargé de surveiller les gens, moi, ça c'est votre boulot à vous. Ce qui nous ramène au vieux Sédillot. Le mieux, ça s'rait qu'on installe des barreaux à sa fenêtre, il n'se pencherait plus... Si vous voulez l'interroger, faut que j'aille l'avertir, il s'rait fichu d'avoir une congestion!

— Non, non, laissez, j'essaierai de minimiser les choses auprès de mes supérieurs.

Le concierge le raccompagna jusqu'au trottoir, et alors qu'il s'éloignait, lui cria :

— Vous êtes bien brave, pour un flic ! Ça vous tente, les quetsches ? Parce que je vous les offre de grand cœur, mes confitures !

L'atelier était une île où il faisait bon vivre. Une douce chaleur engourdissait Victor, allongé en sous-vêtements dans l'alcôve d'où il apercevait Tasha qui brossait longuement ses cheveux. Souvent, après l'amour, elle se recoiffait puis courait se blottir contre lui pour qu'il eût de nouveau le plaisir de dénouer sa chevelure. Cet après-midi langoureux avait dissous les questions liées à la mort de Popêche et à la présence probable de Charmansat rue Linné. Si le récit du concierge avait soulevé en lui une vague d'inquiétude, s'il avait rejoint Tasha avec l'impérieux besoin de lui chuchoter des douceurs, c'était à cause d'Antoinette, envolée un beau matin en abandonnant des confitures. Transportés par leur ardeur, ils avaient renoncé à la pro-menade prévue, au repas dans un grand restaurant. Vic-tor s'était excusé de sa conduite stupide les jours précé-dents avant de jeter solennellement aux orties sa damnée jalousie. Affectant de rire et de ne pas le croire, mais profondément touchée, Tasha ne l'en avait estimé que davantage. Comme des gamins jouant à la dînette, ils s'étaient nourris de thé et de tartines, et, en confiance, Tasha avait dévoilé la toile en cours sur le chevalet. Victor s'était forcé à feindre l'admiration, incapable de la décevoir. Plus tard, peut-être oserait-il émettre une ou deux remarques. Il ne s'accordait pas le droit de la conseiller, lui qui détestait qu'on critique ses photos.

Un grattement à la porte. Il se redressa.

— Tu attends une visite ? demanda-t-il à Tasha tour-née vers lui, la brosse en suspens.

Elle secoua la tête. Avec un grognement, il enfila une robe de chambre et alla entrebâiller la porte.

— Vous ! Il est arrivé quelque chose ?

— Non, patron, enfin si, je sais qui a fait le coup !
s'exclama Joseph.

Victor s'apprêtait à le repousser à l'extérieur, mais
Tasha, qui l'avait suivi, s'écria :

— Voyons, ne restez pas dehors, Joseph, vous allez
attraper la mort !

Campés près du poêle, ils demeuraient muets,
inquiets de la voir papillonner autour d'eux tandis
qu'elle s'affairait à préparer un en-cas.

— Tenez, dit-elle à Joseph en posant un plateau sur
une chaise, du vin, du pain, du fromage, histoire de vous
remonter.

Malgré son désir d'écouter, elle se força à s'absorber
dans un roman. Rassurés, ils parlementèrent tout bas.

— Franchement, vous auriez pu choisir un autre lieu
et une autre heure ! marmotta Victor.

— Vous allez bientôt comprendre et vous admettrez
qu'il y avait urgence, patron. Maintenant qu'on sait, il
n'y a pas de temps à perdre.

— On sait, on sait, c'est vous qui le dites !

— Je le dis et je le répète ! J'ai passé la journée à me
désosser pour mettre la main sur un canard de l'année
1886, ne vous inquiétez surtout pas de ma santé, j'ai
faim, je suis transi, je me suis farci tellement d'articles
que j'en ai les yeux qui se croisent les bras, et quand je
vous apporte la preuve noir sur blanc de...

— D'accord, restaurez-vous et glissez-moi ce journal, discrètement.

Mortifié, Joseph déplia le journal tronqué en froissant
les pages le plus bruyamment possible. Victor s'en
empara et lui tourna le dos, soucieux d'échapper au
regard de Tasha.

« Lyon, 20 novembre 1886.

On est sans nouvelles depuis quatre jours de
M. Prosper Charmansat, un bijoutier de la place Bellecour. Son premier commis a signalé sa disparition

jeudi dernier. Ce matin-là, M. Charmansat avait quitté son magasin en compagnie d'une cliente, la baronne de Saint-Meslin, afin de montrer des bijoux de prix à l'époux de cette dame. Depuis, il n'a plus donné signe de vie. La police a vainement recherché la baronne de Saint-Meslin. »

— Saint-Meslin, c'est bien le nom mentionné sur le carton que vous avez ramassé dans la loge de la Gerfleur ? chuchota Joseph qui lisait par-dessus son épaule.

« D'après le commis, cette dame posséderait une propriété aux environs de Lyon, la villa *Les Asphodèles*. Les bijoux emportés par M. Charmansat représentaient une valeur d'un demi-million de francs. Selon les enquêteurs, il apparaît que nul, à Lyon, n'a jamais entendu parler de cette mystérieuse bar... »

L'article s'arrêtait là. Frustré, mais satisfait de ces informations, Victor contemplait le palmier où il lui semblait voir se dessiner une frise de protagonistes liés les uns aux autres. Une baronne avait ratiboisé un bijoutier nommé Prosper Charmansat à Lyon en 1886. Cinq ans plus tard, ce bijoutier assoiffé de vengeance, devenu employé au mont-de-piété, retrouvait à Paris celle qui l'avait dépouillé en la personne d'une chanteuse de l'*Eldorado*, Noémi Gerfleur, alias Noémi Fourchon, et l'assassinait après avoir tué sa fille Élisa, sans doute avec la complicité de Gaston Molina, un escarpe connu à Lyon. Redoutant la trahison de ce vaurien, Charmansat l'avait trucidé et avait camouflé son corps dans un tonneau de la halle aux vins, puis il s'était débarrassé d'un autre témoin gênant, Basile Popêche, locataire du même immeuble que lui, rue Linné, au numéro 4.

Il fit le récit de ses déductions à Joseph qui buvait ses paroles.

— Ben patron, c'est la vérité toute nue qui sort de son puits, chapeau ! Vous devriez écrire des livres ! conclut-il, la bouche pleine.

— Un détail me turlupine... Ce Dr Aubertot, cité dans le message du Moulin-Rouge, quel est son rôle dans cette histoire ?

— Peut-être aucun, ce bout de papier n'a pas forcément de rapport avec les meurtres.

— Nous ne pouvons négliger cet indice. Dès demain je lui rendrai visite. Tenez, payez-vous un fiacre et allez vous coucher. Je passerai à la librairie en fin de matinée pour vous raconter, nous aviserons de ce qu'il convient de faire. Si M. Mori s'étonne de mon absence, je suis allé expertiser des livres en banlieue.

— À vos ordres, patron, lança Joseph, empochant le billet. Bonsoir, madame Tasha !

— Bonsoir, Jojo.

Victor la rejoignit en bâillant.

— Ce garçon me soûle, venir me relancer ici à propos de l'achat d'une bibliothèque !

— Cela paraissait te préoccuper pas mal, vous aviez l'attitude de conspirateurs en train de fomenter un mauvais coup, tout y était, messes basses, visages détournés, papiers échangés en cachette... Tu es certain de ne rien me dissimuler ?

— Mais non, chérie, je t'assure...

— Parce que si plus tard j'apprends que tu as participé à un complot, et que la police m'interroge, il me faudra jouer la comédie, et ce n'est pas mon fort.

— La police ? Pourquoi la police se mêlerait-elle de mes affaires ? Il ne s'agit pas de marchandise volée, je te le jure.

— Ne jure pas trop vite, mon amour, par crainte de te parjurer, souffla-t-elle, pressée contre lui.

Ils se défièrent du regard. Victor s'était composé un masque d'absolue sincérité qu'elle s'efforçait de faire voler en éclats. Il finit par baisser les yeux ; gênée de sa victoire, elle se releva afin d'éteindre la lampe.

CHAPITRE XII

Victor pria le cocher d'arrêter son fiacre rue Linné, et se colleta avec le vent et la pluie qui transformaient cette matinée en crépuscule. Il avait tenu à revoir l'immeuble du père Popêche où Gaston Molina et Élisa Fourchon avaient séjourné. Tandis qu'il dépassait la maison mitoyenne ornementée d'une réclame peinte pour *Le Balnéum, bains turco-romains,* il songeait à la proximité des lieux où, comme sur un échiquier, étaient disposés les pions de son enquête :

Rue Linné, Jardin des Plantes, hôpital de la Pitié : Basile Popêche.

Halle aux vins : cadavre de Molina.

Impasse des Bœufs : Prosper Charmansat.

Hospice de la Salpêtrière et rue Monge : le Dr Aubertot.

Ces sept cases se situaient dans un périmètre circonscrit par la moitié est du Ve arrondissement.

Sans qu'il en fût conscient, ses pieds l'avaient mené rue Geoffroy-Saint-Hilaire, la bourrasque s'était changée en un crachin glacé. Il se sentit découragé, il connaissait ce cycle familier qui semble ponctuer l'existence humaine, la joie lorsqu'une idée surgit, puis le malaise et le doute. Il continua à marcher sans plus penser à rien et eut l'impression de parcourir un coin de province où, excepté les visiteurs venus porter une orange ou une brioche à un malade alité derrière les murs grisâtres de la Pitié, ne déambulaient que de rares passants. Les boutiques attendaient leurs clients habituels pour sortir de leur léthargie. D'ailleurs le quartier, peuplé de rentiers, d'employés au Muséum et de professeurs, avait l'aspect d'un territoire somnolent tombé sous le charme d'un sortilège que le barrissement lointain d'un éléphant ou l'appel répété d'un paon étaient impuissants à rompre.

Abrités sous de larges pépins, des domestiques munis d'emplettes doublaient des nourrices au bras de militaires. Ce petit monde piétinait au passage de l'omnibus de la Glacière avant de s'aventurer sur la chaussée glissante. Victor se dit que l'étudiant attardé arrivant à sa rencontre, une serviette de cuir râpé sous le coude, devait ponctuellement arpenter tous les jours à neuf heures quinze cette portion de trottoir. Il se réjouit de ne pas être esclave d'une horloge invisible qui rythmerait sa vie, et, soudain oppressé, gagna la rue Monge.

Ainsi que l'attestait une plaque de cuivre, le Dr Aubertot, aliéniste à la Salpêtrière, exerçait au numéro 68. Non sans appréhension, Victor se risqua dans l'ascenseur hydraulique, innovation que, contrairement à Kenji, il n'appréciait guère, mais dont il admettait l'utilité. Au quatrième étage, il fut introduit dans l'appartement par un valet de chambre aussi loquace qu'une carpe, mâchonna son nom, et foula à sa suite l'épais tapis reliant l'entrée tendue de tissu grenat à un salon Louis XV aménagé en salle d'attente. Des éléments disparates, tels qu'un piano demi-queue, une pendule Empire et plusieurs meubles moyenâgeux, brisaient l'harmonie de la décoration.

« D'où vient cette tocade pour le style pseudo-gothique ? » se demanda Victor en évitant de s'asseoir sur une des stalles de chêne alignées le long de deux des murs.

Il préféra une cathèdre à dossier ajouré qui, en dépit d'un coussin brodé, s'avéra très inconfortable.

« Est-ce pour donner aux patients l'avant-goût des tortures qui les guettent ? Ou fait-on en sorte qu'ils soient soulagés de quitter un endroit si peu hospitalier ? »

De fait, le vieillard tremblotant, l'homme bilieux aux paupières agitées de tics, la femme à la scoliose avancée qui occupaient les sièges fixaient avec espérance la porte du cabinet de consultation.

L'échine endolorie, les jambes raides, Victor se leva afin de résister aux crampes. Entre deux immeubles, la fenêtre à rideaux de mousseline dévoilait des échappées vers le Jardin des Plantes dominé par le cèdre centenaire qui régnait en souverain sur les arbres dépouillés du labyrinthe. Le ciel avalait les fumées de Sainte-Pélagie et de la Pitié au sein de lourds nuages plombés, chape inquiétante sous laquelle la rumeur de la ville palpitait à petits bouillons. Au milieu du trottoir opposé fouetté par une averse, un mitron porteur d'un panier enveloppé d'un torchon blanc galopa d'une pâtisserie-restaurant vers la bouche d'une bâtisse décrépie. Victor se plut à imaginer son ascension jusqu'à la mansarde où, montre en main, un vieux chef de bataillon célibataire escomptait sa venue à dix heures pétantes. Cette vision suscita un accès de dépression, vite il reprit son va-et-vient à travers la pièce où venait d'être poussé un ataxique en fauteuil roulant escorté de son infirmière. Il souleva les revues éparpillées sur un bonheur-du-jour, mais trop de pensées se télescopaient en lui pour qu'il eût envie de les compulser. Il considéra la peinture accrochée au-dessus de la cheminée : un professeur de médecine auscultant un malade devant un amphithéâtre empli de carabins. Au moment où il se penchait pour déchiffrer la légende inscrite sur le bord inférieur du cadre, un homme appela :

— Monsieur Pignot?

Intrigué par ce qu'il venait de lire, il pénétra dans le cabinet de consultation. La nudité du lieu contrastait avec l'encombrement du salon. Un bureau couvert de bouquins, trois chaises, quelques gravures sous verre représentant des scènes médicales. Le Dr Aubertot l'invita à prendre un siège d'un geste affable assorti d'un sourire distant. La sévérité de sa mise et la gravité de son expression l'apparentaient à un rond-de-cuir. Ce visage encore jeune malgré des cheveux grisonnants ne lui était pas inconnu, mais impossible de préciser où il avait pu le côtoyer. Le médecin s'empara d'une feuille et trempa un porte-plume dans un encrier.

— Nom, prénom, date de naissance, profession?

— Pignot Joseph, 14 janvier 1860, commerçant, déclina Victor.

— De quoi souffrez-vous?

— Euh... je... c'est difficile à décrire, une douleur diffuse et...

— Des maux de tête?

— Parfois, mais...

— Ressentez-vous une pression autour du crâne? Un poids sur l'estomac?

— Oui, surtout après les repas.

Le médecin lui jeta un bref coup d'œil.

— Et les fonctions sexuelles?

— Aucun problème.

— Déshabillez-vous.

— Écoutez, j'ai triché, s'empressa d'expliquer Victor. Je suis chroniqueur, je rédige une série d'articles concernant l'engouement du public pour certaines catégories de meurtres. L'un des mobiles qui m'intéresse particulièrement est la vengeance. J'aimerais recueillir l'avis d'un psychiatre. Mais je présume que vous êtes débordé...

— Et c'est avec un prologue si tortueux que vous me faites perdre mon temps? Figurez-vous que je m'adonne également au journalisme, et que la leçon numéro un qu'on m'a inculquée est : concision !

Il se radoucit et, posant son porte-plume, alla se poster dos à la fenêtre.

— Que voulez-vous savoir ? Je ne suis pas spécialiste du crime. Les malades qui fréquentent mon cabinet désirent entendre des paroles rassurantes plutôt que d'obtenir des drogues. Les écouter ne m'éclaire pas toujours sur leurs desseins ténébreux, d'autant que la plupart sont les premières victimes de leurs propres démons.

— Y en a-t-il qui soient obsédés par la vengeance ?

— Une kyrielle. Mais ils passent rarement à l'acte.

— Selon vous, qu'est-ce qui incite un individu à poursuivre sa vengeance, même s'il doit s'acharner des années ?

— La conviction que, sans l'intervention d'autrui, votre vie aurait pris une orientation favorable, se serait épanouie au lieu d'être dévastée. Plus on a mal, plus on veut infliger ce mal à celui qu'on en rend responsable.

— Y a-t-il une autre cause à ce besoin de châtiment ?

— Le corollaire de la souffrance : la haine. Un sentiment violent qui pousse à la destruction.

— Qu'éprouve un individu qui cède à la vengeance ? Son acte n'efface pas le préjudice subi.

— Non, ce qui est fait est fait. Cependant, que l'on se venge réellement ou, le plus souvent, fictivement, on aspire à retrouver l'estime de soi. Vaste sujet que le vôtre, mon cher, un des thèmes privilégiés des romanciers et de leurs lecteurs, à croire que nombreux sont ceux qu'attirent des penchants blâmables. Depuis l'aube de la création le monde a été régi par la loi du talion, elle est universelle. Qu'elle soit chargée de rétablir la justice humaine défaillante ou assimilée à la main de Dieu, elle débouche sur un engrenage sans fin. Entre nations, elle mène à la guerre. Que vous apprendre que vous ne sachiez déjà ? Si parmi mes clients il y a des assassins potentiels, leurs motivations sont trop complexes pour être résumées en une formule littéraire, du genre : « Je suis espagnol, rien ne me semble si doux que la vengeance[1]. »

Il s'était rapproché de son bureau et, courbé en avant, pianotait sur un dictionnaire médical. Victor comprit que l'entretien était terminé.

Ils traversèrent le salon d'attente où les patients les suivirent du regard. Victor désigna le tableau au-dessus de la cheminée. Il devait en avoir le cœur net.

— C'est un Gauthier ?

— Non, un Jaubert, un artiste mineur. Je n'en raffole pas, mais c'est un souvenir de l'époque reculée où j'étudiais avec le professeur Jardin, à Lyon. Je suis le troisième à gauche, l'échalas à barbichette. Ça remonte à loin.

— On prétend que la faculté de Lyon est une des meilleures.

— En effet. Si cela vous amuse, passez donc à la Salpêtrière, j'y dispense des conférences à l'amphithéâtre chaque mercredi après-midi, vous me tiendrez au courant de vos dissertations...

Dans le fiacre qui l'emportait rue des Saints-Pères, deux syllabes occultaient les pensées de Victor : Ly-on, Ly-on... Tout le ramenait à ce nom, jusqu'au fauve coupable de la mort de Popêche. Mais quel était le lien entre le psychiatre et toute cette histoire ? Le fait qu'il eût vécu à Lyon n'était-il qu'une coïncidence ? Non, ce ne pouvait être un hasard. Si Aubertot était accolé à Charmansat sur le billet subtilisé dans le vestiaire de Gaston Molina, c'est que lui aussi était impliqué dans cette affaire. Restait à le démontrer. Victor renonça à l'analyse, il devait se fier à son intuition.

Assailli par des idées contradictoires, il étouffait. Il se

1. Lesage : *Le Diable boiteux. (N.d.A.)*

pencha à la fenêtre et aperçut, sous l'inscription *Défense d'afficher, loi du 29 juillet 1881*, une publicité de Grasset pour l'encre L. Marquet. Les lettres calligraphiées en noir mandèrent à son esprit l'image du gros matou associé au cabaret de Rodolphe Salis. Il sut brusquement où il avait déjà vu Aubertot : au *Chat-Noir*, le jour précédant la découverte du corps de Noémi Gerfleur.

« Louis Dolbreuse est allé parler à un type que j'ai à peine entrevu — Aubertot ? sauf que son nom n'était pas Aubertot. Non, je dois me tromper, qu'est-ce qu'un ponte de la Salpêtrière irait fricoter au *Chat-Noir* ? Pourtant, il m'a dit se mêler de journalisme... »

Il se souvint alors d'avoir remarqué dans la salle d'attente des magazines dont plusieurs numéros de *L'Écho de Paris*, périodique mentionné par Dolbreuse après son conciliabule avec Aubertot-qui-n'était-pas-Aubertot. Sous quelle identité le lui avait-il présenté ? Il fallait cuisiner Dolbreuse. Mais comment obtenir son adresse ? S'il interrogeait Tasha, elle l'accuserait aussitôt de jalousie. Il valait mieux s'adresser à Eudoxie Allard. Ce serait une véritable corvée de supporter ses avances, pourtant le jeu en valait la chandelle. Elle lui avait laissé sa carte, il se voyait la glisser dans le porte-courrier où il rangeait ses papiers. Il fallait faire vinaigre, Aubertot pouvait lui aussi avoir un éclair de mémoire et se rappeler l'avoir croisé au *Chat-Noir* ; il libéra le fiacre quai Malaquais.

La librairie était vide. Victor s'apprêtait à grimper chez lui lorsqu'il perçut un bourdonnement dans l'arrière-boutique. Il progressa à pas feutrés afin de voir sans être vu. Assis épaule contre épaule près de l'armoire vitrée où Kenji exposait les livres et les objets rapportés de ses voyages, Joseph et Iris feuilletaient un volume rouge doré sur tranches, illustré de gravures coquines. En se haussant sur la pointe des pieds, Victor en déchiffra le titre à l'envers : *Les Liaisons dange-*

reuses. Le choix de cette œuvre et l'attitude des jeunes gens suggéraient une intimité qu'il jugea déplacée. Quelle audace qu'une demoiselle de cette éducation ose compromettre sa réputation avec un simple employé de librairie !

— Qui vous a permis de quitter la barre ? glapit-il avec tant de force que Jojo manqua tomber à bas de son siège.

Iris se leva posément sans manifester d'émotion.

— Qu'est-ce qui nous vaut ces manières grossières de vieux boucanier ? s'enquit-elle d'un air enjoué.

Victor sursauta et réalisa que son explosion d'indignation était absolument hors de saison.

— Faites excuse, cap'taine, enchaîna-t-elle sans se départir de son calme, nous voguions à quelques encablures de la côte, la vigie n'a signalé ni calmar géant ni coup de tabac, aussi avons-nous gagné le château de poupe. Où est le mal, amiral ?

Offusqué par ce persiflage insolent, Victor apostropha rudement Joseph.

— Vous êtes sourd ? Pourquoi vous paye-t-on ? Filez à votre poste !

Puis il considéra sévèrement Iris et bougonna :

— Kenji est là ?

— Non, parti chez un client.

— Raison de plus pour ne pas demeurer seule ici. En l'absence de votre parrain, il m'incombe de veiller sur vous.

— J'étais en agréable compagnie.

— C'est bien le problème. Gardez-vous de franchir le Rubicon, mademoiselle.

Il tourna les talons, conscient de son ridicule, et marcha vers l'escalier en s'efforçant de ne pas entendre les récriminations de Joseph.

— Quitter la barre, quitter la barre... Lui, il n'y est jamais, à la barre ! Le bateau pourrait sombrer qu'il ne le saurait même pas ! Et la liberté, hein ? Elle est destinée à qui, la liberté ? Elle est où, l'égalité ? Gravée au fronton des monuments ? Liberté, égalité, fraternité, taratata ! Pour bénéficier d'un semblant de justice dans ce patelin, faudrait se réveiller un 30 février !

Victor vida rageusement le porte-courrier sur son bureau mais dut presque aussitôt interrompre ses recherches, troublé par une mélodie qui résonnait derrière lui. Il fit volte-face. Remuant la tête en cadence, Iris balançait une chaîne au bout de laquelle il reconnut la montre dont il avait fait cadeau à Kenji deux ans auparavant, pour son anniversaire.

London bridge is falling down,
falling down, falling down...

— Plaisant, n'est-ce pas ? Elle égrène toutes les heures cette comptine qui a bercé mon enfance. Elle a appartenu à votre père, puis à votre mère, et vous en avez hérité.

— Je... Mais...

— C'est fâcheux, voilà un détective dénué de flair. Vous êtes-vous parfois demandé ce qu'il était advenu de la tante Gloria chez qui Daphné se rendait trois après-midi par semaine ?

— D'où tenez-vous ces informations ?

Il dut enfoncer ses mains dans ses poches, elles tremblaient. Il revoyait sa mère se pencher vers lui, frôler son front de ses lèvres, chuchoter un bref au revoir avant de le recommander aux soins de Kenji. Il se souvenait aussi des lettres reçues à l'internat de Richmond, des passages ennuyeux consacrés à la santé d'une parente vivant dans le Hampshire et affligée d'une constitution fragile, Miss Gloria Dulwich.

— Elle est morte juste après mon installation en France, aux environs de 1879, elle a suivi de peu ma mère dans la tombe, murmura-t-il sans attendre la réponse. C'est Kenji qui me l'a appris.

— Sans nul doute avec un minimum de détails.

— Mais enfin... que signifie tout cela?

— Quand j'étais petite, j'habitais un joli cottage non loin de Winchester. Ma nourrice, qui m'adorait, se nommait Gloria. Elle était originaire de Dulwich, près de Londres, et très fière d'avoir vu le Crystal Palace qui, vous ne l'ignorez certainement pas, a été construit avec les restes de la première Exposition universelle, en 1851.

— Gloria Dulwich, répéta-t-il d'une voix altérée.

— Trois fois par mois, une belle dame me comblait d'amour et de gâteries. Mais ce qui m'amusait le plus, c'était de jouer avec sa montre, je la collais à mon oreille et je me racontais une histoire, toujours la même : cachées sous le cadran, de minuscules fées frappaient leurs clochettes rien que pour moi. Quand j'ai eu quatre ans, la belle dame a cessé de venir. Gloria m'a serrée contre elle et m'a dit que ma maman était morte, mais qu'il ne fallait pas s'attrister, parce qu'elle était au paradis. À partir de ce jour, un élégant monsieur aux yeux bridés a fait irruption dans ma vie, il affirmait être mon parrain. Les minuscules fées veillaient sur moi, je n'ai jamais été sevrée d'affection. Quand Gloria a rejoint ma mère, Kenji m'a placée au pensionnat Dawson, à Londres, sous le nom d'Abbott... Je suppose qu'il ne désirait pas révéler mes origines.

Victor la contemplait, paralysé par la stupeur.

« Elle te mène en bateau, mon vieux Legris ! »

Ainsi parlait un autre Victor au-dedans de lui, un Victor très railleur :

« Quel gogo, ce type, il est trop drôle, on jurerait un mérou ! »

— Essayez-vous de me dire que vous êtes ma...

— Je regrette que cela prenne des allures de mélodrame, je voulais vous l'apprendre avec plus de ménagements. Votre ton moralisateur m'a poussée à me rebiffer. Je suis heureuse d'avoir un frère, et que ce soit vous. Mais j'en ai assez d'être chaperonnée. D'abord Mrs Dawson, puis Mlle Bontemps, Kenji, vous...

— Êtes-vous sûre que Daphné soit votre...

— J'en ai eu la confirmation en décachetant deux enveloppes scellées, dissimulées dans le sommier de mon père. Savez-vous ce qu'elles contiennent ?

— Non, répondit Victor, estomaqué d'une telle indélicatesse. Je ne me serais pas autorisé à fouiller les effets personnels de Kenji.

— Je suis beaucoup plus retorse que vous, quand je me fixe un but, je l'atteins. Ces enveloppes renferment mes papiers de naissance, la photo de Daphné me tenant dans ses bras, mon certificat de baptême selon les rites de l'Église anglicane.

Il se surprit à étudier son visage. Elle ne plaisantait pas. Il devait se faire à l'idée que Kenji et sa mère avaient été amants. Sans baisser les yeux, elle enchaîna :

— C'est simple. Daphné a obtenu de Kenji le serment de garder le silence, par crainte du scandale, par décence envers vous, qui étiez en âge de juger sa conduite. Quand je suis née, vous aviez quatorze ans. Si l'on décortiquait le passé de notre mère, on saurait qu'elle s'est absentée quatre mois au cours de l'année 1874, le temps de mener sa grossesse à terme. Elle voulait vous protéger. Imaginez combien Kenji devait la chérir pour accepter de rester dans l'anonymat... Après ce stupide accident de cabriolet qui a causé la mort de sa bien-aimée, il a dû refouler son chagrin et se résoudre à nous mentir... par omission. Mon parrain... J'ai joué le jeu. Et, croyez-le ou non, le jeu va me manquer.

— Il vous a sacrifiée au profit d'un fils qui n'est pas le sien... Il a dû me haïr !

— Détrompez-vous, il vous porte un profond attachement.

— À vous aussi !

— Bien sûr, mais nous avons été tenus éloignés l'un

de l'autre. Il lui en a coûté, il fallait à tout prix se préserver du qu'en-dira-t-on. Ce secret lui pèse, il en souffre, il faut le soulager. En ce qui me concerne, je suis ravie d'avoir un frère, encore que je le souhaiterais un tantinet moins possessif et puritain. À propos, Joseph et moi ne faisions rien de méchant, il est charmant. Victor, soyez plus souple... Tasha n'apprécierait peut-être pas vos activités de limier aux trousses d'une jeune fille en rouge...

— Vous savez ?

— Je n'ai pas les yeux dans ma poche. L'inquiétude de Kenji, votre insistance à me questionner, mon déménagement précipité rue des Saints-Pères n'ont fait que renforcer mes présomptions. J'ai lu les journaux. Pauvre Élisa, elle rêvait au grand amour... J'espère que vous trouverez celui qui lui a fait ça. Personne ne sait que je sais, excepté vous.

L'incrédulité, l'incompréhension le bouleversaient. Il cherchait à dénouer cet imbroglio et la peine que provoquait cet effort lui donnait le tournis. Sa mère et Kenji... C'était grotesque. Cette fille échafaudait un roman ! Comment cela avait-il débuté ? Ah oui, la montre.

— La montre... C'est Kenji qui vous l'a...

— Il la place chaque soir au chevet de son lit. Ce matin, je l'ai chipée. Quand je l'ai remontée, elle a joué cet air...

Les yeux d'Iris s'emplirent de larmes, alors qu'un sourire éclairait le bas de son visage. Il n'en supporta pas davantage et se rua à l'extérieur.

Il se mit à descendre rapidement la rue des Saints-Pères, cela l'aidait à digérer ces révélations. À l'angle de la rue Jacob il s'aperçut qu'il avait oublié d'enfiler sa veste, son esprit frisait l'ébullition, stimulé par la soudaine embellie qui réchauffait l'atmosphère. Il fit demi-tour au pas de charge, ruminant une sourde rancune. Kenji l'avait si longtemps privé de la vérité ! S'il l'avait sue plus tôt, aurait-il réagi positivement ? Pas sûr. Il était tiraillé entre son admiration pour le stoïcisme dont son père adoptif avait fait preuve et une colère froide contre son obstination orientale à se plier aux exigences de l'honneur. La tendresse toute neuve, inspirée par cette sœur à la fragilité trompeuse qui venait de le rassurer sur ses sentiments à son égard, l'emporta. Elle l'avait finalement convaincu d'avoir une conversation avec Kenji. C'était une décision énergique et radicale qui apaiserait tous ses tourments. Seulement, cette conversation, il la redoutait, car il se sentait aussi désarmé que le petit garçon effarouché de Sloane Square.

« Que lui dirai-je ? Topons là et effaçons l'ardoise ? »

Il s'irrita de sa faiblesse. Une voix masculine au léger accent britannique murmurait dans sa tête :

« *Amour. Je l'ai trouvé. Tu comprendras. Il faut... suis ton instinct. Tu peux renaître si tu brises la chaîne.* »

Pourquoi ce souvenir resurgissait-il subitement ? Ces mots lui avaient été délivrés en état de transe par le médium anglais Numa Winner, rencontré l'année précédente[1]. Daphné s'était-elle réellement exprimée par son entremise ? Cherchait-elle alors à lui confier son amour secret pour Kenji ? Que ce fût vrai ou faux, cela pourrait déconcerter Kenji, ouvrir une brèche dans sa carapace et le contraindre à se confesser, lui qui, malgré son pragmatisme, accordait foi aux mânes des ancêtres et aux messages de l'au-delà.

Adossé au comptoir, bras au dos, Joseph semblait changé en « Martyre de saint Sébastien ». Victor toussa, déplaça des livres, défroissa un magazine du plat de la main, réaction nulle, saint Sébastien gardait la pose.

— Joseph, je suis désolé, je vous présente mes excuses...

Le commis se raidit, la mine renfrognée.

---

1. Voir *La Disparue du Père-Lachaise, op. cit.*

— Eh bien, je ne vais quand même pas me jeter à vos genoux ! J'ai eu tort, je l'admets !

— Vous m'avez ordonné de retourner à mon poste, j'y suis, répliqua Joseph.

— Rompez, nom d'une pipe ! Où est Mlle Iris ?

— Elle n'a pas bougé de là-haut.

— Vous lui êtes très sympathique.

— Ça vous étonne ?

— Pas du tout. Je suis certain que vous vous conduirez en gentleman. Il faut... veiller sur elle.

Joseph se détendit et s'efforça de masquer sa satisfaction.

— Elle ne court aucun risque, je suis un gentleman. Et l'enquête, patron, où en sommes-nous ?

L'enquête... Elle lui était complètement sortie de la tête. Il l'aurait volontiers remise à plus tard, mais il devait agir vite pour éviter que l'inspecteur Lecacheur ne dévide le fil qui menait de Noémi Gerfleur à Iris via Corymbe Bontemps, Élisa et Gaston.

— Je dois vérifier un point important. Si M. Mori n'est pas rentré à dix-sept heures, vous prierez Mlle Iris de vous remplacer et vous foncerez surveiller Charmansat au mont-de-piété. Je serai revenu avant la fermeture.

— À vos ordres, chef ! s'écria Joseph rayonnant, en se figeant, le doigt sur la couture du pantalon.

Une camériste maigrichonne le guida jusqu'au salon. Il lui décocha un sourire bienveillant qui la fit fuir aussi prestement qu'un lièvre. Il demeura seul en compagnie de plantes d'appartement dont la profusion éclipsait les meubles d'acajou et les fauteuils de velours. La peau d'ours étalée sur une chaise longue l'amusa. Antonin Clusel avait vu juste : Fifi Bas-Rhin paraissait avoir réussi à séduire un grand-duc. Un reflet argenté attira son attention. Il s'approcha, intrigué par une canne posée sur la fourrure. Il reconnut aussitôt le pommeau de jade en forme de tête de cheval aux yeux incrustés de péridot : la canne de Kenji ! Il amorça une retraite qui fut coupée par l'apparition d'Eudoxie en déshabillé de soie rose.

— Mon libraire adoré ! Quelle godiche, cette fille, elle n'a pas été fichue de me dire votre nom !

Il se courba, baisa sa main et, coulant un regard par la porte restée entrebâillée, parvint à distinguer une cravate de soie mauve et une redingote noire à rayures. Pas de doute, c'était Kenji. Victor échafauda un scénario des plus fantaisistes. Jouant les pères la pudeur il se ruait vers le lit en clamant que la fille du vilain monsieur en petite tenue réclamait ses soins. Lorsqu'il recouvra son sang-froid, il s'aperçut que la canne avait disparu et qu'Eudoxie affectait de nettoyer les feuilles d'un caoutchouc du coin de son peignoir.

— Ces domestiques, plus moyen de compter sur eux. Vous désiriez ? demanda-t-elle en allant fermer la porte de la chambre à coucher.

— Je cherche à joindre Louis Dolbreuse, vous m'avez paru être de ses intimes, vendredi, au Moulin-Rouge, j'ai supposé...

— Que vous le débusqueriez entre mes draps ?

— Que vous pourriez me procurer son adresse. Il m'a proposé d'écrire pour l'un de ses amis rédacteur à *L'Écho de Paris*, je voulais lui faire savoir que j'accepte.

— Oh ! Ce n'est que cela. Moi qui me figurais que vous vous inquiétiez de ma fidélité !

— Ma chère Eudoxie, je n'oserais m'immiscer dans la complexité de vos relations privées, répliqua Victor, apparemment fasciné par la canne dissimulée derrière le caoutchouc.

— Encore heureux, vilain garçon, car il est des secrets qu'il est souhaitable de ne pas divulguer.

Elle s'interposa entre la plante et lui, la gorge offerte, l'obligeant à reculer.

— Je m'empresse de vous satisfaire... et de vous

communiquer cette adresse. Tenez, vous serez discret, n'est-ce pas ? Louis est un homme charmant, mais un peu soupe au lait.

— Soyez tranquille, ni lui ni aucun autre n'aura vent de ce que j'ai deviné.

Elle l'observa avec un soupçon d'anxiété et sonna la camériste.

Rue de Rivoli, le brouhaha de la circulation creva le brouillard qui altérait ses pensées. À peine les confidences d'Iris avaient-elles doté Kenji d'une personnalité inattendue — un père dévoué doublé d'un comploteur de talent — qu'elle s'effritait pour révéler celle d'un coureur impénitent. Qui était le véritable Kenji ?

« Après tout, c'est en partie à cause de moi qu'il a renoncé à une liaison officielle. C'est étrange, ses conquêtes successives n'ont rien de commun avec Daphné... »

Le coup de canon tiré dans le jardin du Palais-Royal lui rappela qu'il était midi, et qu'il avait faim.

Tasha s'essuya les mains sur sa blouse et fixa le tableau devant elle. Mieux valait laisser tomber. Elle s'éloigna du chevalet. Depuis des semaines, elle s'obstinait, mais c'était un fiasco. Elle barbouilla de rouge la danseuse échevelée esquissant une figure de cancan, attrapa le châssis, arracha la toile, la roula en cylindre serré et l'enfouit au fond de la poubelle.

Ce geste définitif l'avait calmée. Son esprit s'était tracé une ligne de conduite très nette, à savoir qu'il existe d'innombrables chemins et que ce qui importe c'est le langage et le style. Elle s'accroupit au sol, genoux au menton.

« Oui, la peinture est la fusion de ce que l'on a vécu, chéri, appris. Ensuite, cela se transmue en une œuvre personnelle. Ne devrais-je pas me remettre à copier les grands maîtres ? C'est à travers eux que je vais me trouver. Travailler quelques mois au Louvre, c'est la bonne solution. »

Lorsque Victor entra, elle se leva vivement, s'empara d'un carton à dessins et le lança sur le divan.

— Je dois porter des dessins au journal avant seize heures. Tu voulais me parler ?

Victor hocha la tête.

— J'avais envie de bavarder un moment avec toi, Tasha.

Il nota ses traits tirés, son teint pâle, constata qu'elle avait encore négligé de se nourrir correctement. Elle détourna les yeux, prit son chapeau avec tant de vivacité qu'elle en fit trembler les marguerites.

— Tu sors dans cette tenue ? dit-il en désignant sa blouse maculée.

— Je vais m'habiller.

Il découvrit que le tableau inachevé auquel elle attachait beaucoup d'importance avait disparu. Il s'approcha d'elle, lui sourit, décela une incertitude dans son expression, comme si elle le conjurait de ne pas aborder ce sujet. Il voulut lui dire qu'il devinait ses états d'âme bien au-delà de ce qu'elle lui avait dévoilé, qu'il sentait qu'elle cherchait sa voie à tâtons, en butte aux hésitations, et qu'elle avait probablement oublié combien il est simple et bon de s'abandonner, mais il n'en fit rien et l'attira dans ses bras.

— Il peut arriver qu'un homme désire une autre femme, ou peut-être, pour changer, une cocotte sophistiquée, murmura-t-il. Mais sans toi je deviendrais fou. Être près de toi me réconcilie avec ce monde qui me semble parfois absurde. Une chose est sûre, c'est que je suis le seul qui te comprenne, alors fais-moi confiance, viens, prenons le temps de nous aimer.

Elle demeura appuyée sur sa poitrine, puis elle le poussa vers l'alcôve. La blouse glissa sur sa nudité. Elle resta silencieuse, la tête renversée, les paupières demi-closes. Tandis qu'il ôtait ses vêtements à la hâte, elle laissa échapper une petite exclamation d'impatience. Il lui baisa la gorge, sa respiration s'accéléra, elle le dévi-

sagea entre ses cils avec une mimique presque doulou-
reuse. Il l'allongea doucement. Le frémissement imperceptible du sommier devint un roulis harmonieux. Ils
n'entendirent ni le tonnerre ni la grêle qui battait furieusement la verrière.

Plus tard, elle lui dit :

— Victor, sois prudent, ce n'est pas un jeu. As-tu
songé à moi ?

La pluie tambourinait sur les toits. Victor ne bougea
pas. Elle attendit un instant.

— Victor, je suis là.

Il se redressa et la considéra gravement.

— Joseph t'a mise au courant ?

— Joseph ? Non. Méfie-toi des femmes, mon amour,
elles possèdent un sixième sens. Jadis, elles furent sor-
cières, dans un univers d'hommes qui les délaissaient
pour aller guerroyer.

— Je ne cours aucun danger, crois-moi, et je n'ai pas
du tout l'intention de partir en croisade.

— J'en suis bien aise, mon chéri.

— Oh, les femmes ! s'exclama-t-il en riant. Elles
nous perdront !

— Cesse de plaisanter, je...

Elle s'interrompit et se mordilla l'ongle du pouce. Il
eut l'impression que son propos n'était qu'un préambule
à autre chose qui devait être plus laborieux à exprimer.
Il blottit sa tête près de sa chevelure rousse et feignit de
dormir.

À présent qu'il subissait un interminable trajet en
omnibus face à une grand-mère gavée de calissons,
Joseph regrettait amèrement de n'avoir pas dégusté avec
Iris le rôti de veau aux macaronis concocté par Germaine. La pomme grignotée sur son escabeau de
manière à se conduire en parfait gentleman n'était ce
jour-là pas bien grosse. Il soupira et s'efforça de dompter les gargouillements de son estomac, fier d'accomplir
une mission digne de M. Lecoq.

Après avoir emprunté un premier omnibus jusqu'à la rue Étienne-Marcel, Prosper Charmansat attrapa une correspondance pour Montmartre. Ballottée par les cahots, sa nuque tressautait derrière la femme aux calissons. À contempler les deux bourrelets de graisse sous les cheveux coupés ras, Joseph éprouva une vague nausée qu'accentuaient les oscillations du véhicule et la mastication de la vieille. Il s'obligea à orienter son regard vers ses compagnons de gauche : un homme lisait un journal vis-à-vis d'une jeune fille qui, les mains sagement posées sur les accoudoirs d'acajou, observait le spectacle de la rue. Le malaise de Joseph s'aggrava lorsqu'il surprit l'insidieux frôlement du pantalon contre la jambe gainée de filoselle. Bien qu'aucun des deux protagonistes ne parût remarquer l'autre, tout laissait deviner leur secrète entente. Et quand, lentement, l'homme se leva et demanda l'arrêt, la jeune fille l'imita avec diligence, aussitôt remplacée par une dame à voilette tenant un moutard remuant sur ses genoux.

Soûlé par le fracas des vitres, les allées et venues du contrôleur, le fouet du cocher, Joseph somnolait, reprenant à demi conscience chaque fois qu'un coup de pied du mioche lui tirait un grognement. Il s'éveilla en sursaut : la nuque de Charmansat s'était volatilisée ! Il se retourna, le vit sur le marchepied, et n'eut que le temps de bondir de l'omnibus qui s'arrachait au boulevard de Rochechouart.

Sur les talons de Charmansat, Joseph se faufila rue de Steinkerque pour gagner la place Saint-Pierre, où il déplora de ne pouvoir acheter un cornet de frites dans une baraque baptisée *À la renommée*. Le ventre en révolte, il fonça devant des brodeuses installées le long d'une palissade car déjà sa proie commençait à gravir les marches de la rue Foyatier. Il avait le sentiment de filer un singe, tant le bonhomme mettait d'agilité à grimper les dix volées de marches surplombées d'une rotonde décorée d'arcs florentins, le nouveau réservoir de la butte. Le ciel se fâchait, une bourrasque de pluie obligea Jojo à remonter le col de sa veste. Avec des coups d'œil inquiets en direction du verger clos occupant la pente où l'on projetait de construire un escalier monumental, il n'accordait aucune attention à l'immense chantier sous lequel l'église votive du Sacré-Cœur croissait tel un gigantesque champignon à la crème [1]. Une seule chose le préoccupait : ne se faire voir ni de son gibier ni des escarpes dont il se supposait environné. Euphrosine lui en avait-elle lu, des faits divers sanglants survenus à la brune sur ce territoire peuplé de pierreuses et de marlous, articles ensuite dûment découpés et conservés par lui dans ses carnets ! Il comptait utiliser cette documentation afin de nourrir ses futurs romans, mais il se fût dispensé d'en vérifier de visu la véracité à la tombée du jour !

Il quitta sans déplaisir le fouillis d'arbres secs à sa droite et escalada la rue Gabrielle d'où Charmansat l'entraîna place du Tertre. À cette heure tardive et sous l'averse, les guinguettes n'appâtaient qu'une brochette de pochards invétérés. Rue du Mont-Cenis, les nuages s'espacèrent et, profitant de l'accalmie, Charmansat, abrité sous l'auvent d'une blanchisserie, repoussa son melon et se passa un mouchoir sur le front. Joseph dut se cacher au-delà d'un pan de mur. Comme dans un conte oriental, il lui semblait avoir été transporté en une contrée étrangère où le paysage n'évoquait rien de connu. La pénombre et l'humidité métamorphosaient les ruelles tortueuses à pavés pointus en un trompe-l'œil de théâtre d'où surgissaient des escaliers à flanc de colline. Des bâtisses de six étages fraternisaient avec des maisonnettes écaillées à toits de chaume ou de zinc. Des peintres encombrés de leur attirail, chevalet en bandoulière, le dépassaient, des mioches déguenillés débou-

---

1. En 1891, on célébrait les offices dans une chapelle au rez-de-chaussée. (N.d.A.)

laient des cours en braillant. Sa rêverie tourna court : Charmansat se remettait en route, tel un pantin actionné par des fils invisibles. Il abandonna la rue du Mont-Cenis qui dévalait vers les plaines de Saint-Ouen et de Saint-Denis noyées sous un crépuscule résonnant du sif-flet des trains, et, à gauche, attrapa la rue Saint-Vincent. Au coin de la rue des Saules, Joseph ne lambina pas près d'*À ma campagne*, anciennement *Cabaret des assassins*. Une ultime cabriole du soleil en lutte avec la nuit conférait au quartier un aspect irréel.

« Où m'embarque-t-il, ce forban ? M'aurait-il repéré ? On dirait qu'on tourne en rond ! » marmonna Joseph alors que Charmansat virait une fois de plus à gauche, rue Girardon. À peine entrevit-il à un carrefour la rude montée de la rue Lepic dominée par le moulin du Point de vue, qu'il lui fallut s'immerger dans le maquis. Il s'engagea au cœur d'un village de bicoques faites de planches dérobées dans les chantiers, séparées par des buissons et des jardinets. Les animaux y pullulaient, des poules caquetaient en tous sens, des chiens grattaient leurs puces, des matous en rut clamaient leur passion sur des lilas squelettiques. La vigne vierge s'accrochait aux fenêtres percées de guingois, des morceaux de carton bitumé couvraient les cabanes hérissées de fumées — ateliers d'artistes, masures d'ouvriers, tanières où des individus douteux exerçaient leurs activités illicites.

Charmansat se coula dans un boyau ceint d'une bar-rière zébrée de graffitis. Joseph s'immobilisa, craignant d'être aperçu. Une main lui étreignit l'épaule, il étouffa un cri. Ce n'était qu'un vieil homme dépenaillé à la tignasse jaunâtre, qui réclamait de la thune et reçut cinq piécettes comptées à contrecœur.

— Merci, mon prince, t'es un brave, deux sous de lar-ton[1], trois sous de tafia, la terre peut continuer sa

1. Le pain en langage populaire. *(N.d.A.)*

gigue. Pourquoi qu'tu prends racine ici, c'est-y pour voir Mélanie la jaune ?

— Mélanie la jaune ?

— La traînée quinteuse qui perche au fond et qu'ton pote est allé réveiller...

Joseph se plongea brusquement dans un taillis, laissant le vieux interloqué. Charmensat revenait, apparemment satisfait d'avoir obtenu audience. La prunelle vide, il reprit sa course et, au grand soulagement de son poursuivant, atteignit la sinueuse rue Caulaincourt, où la vie normale retrouvait ses droits.

Charmansat alla s'adosser à un réverbère. « Qu'est-ce que tu guettes, canaille ? » rumina Joseph, lui-même tapi derrière un fardier rangé au bord du trottoir. Un homme vêtu d'une veste à carreaux et d'un chapeau mou sortit bientôt du numéro 32. Il se dirigea vers le débit de vin d'un bougnat et lampa un verre au comptoir, pendant que Charmansat, mussé sous un porche, patientait. Sans se presser, le buveur reparut, tranquillement il descendit la rue Caulaincourt. À la hauteur de la rue Lepic, Charmansat, qui traversait, fut heurté par un passant au milieu de la chaussée. Collé à une façade, Joseph reconnut le bourgeois qu'il avait pisté jusqu'aux arènes de Lutèce. Les deux hommes échangèrent quelques mots puis se séparèrent. Le sempiternel dilemme se reproduisait : qui suivre ? Joseph décida de s'en tenir à Charmansat. Il s'engouffra rue de l'Orient où il localisa le melon et le chapeau mou. Mais la chance lui fit faux bond. Deux harpies éméchées jaillirent d'une gargote à laquelle s'accotait l'étal d'un marchand de marrons. L'injure à la bouche, elles se harponnèrent et dans leur frénésie guerrière renversèrent sur le pavé le brasero empli de braises, la poêle percée de trous et les coques craquelées. Le pauvre homme se jeta à quatre pattes pour ramasser son bien entre les souliers des badauds qui tentaient de séparer les furies. Englué dans ce flot, Joseph perdit de vue ses deux lascars.

« Et voilà ! Je suis refait comme une poule devant un œuf carré. Décidément, je mise toujours sur le mauvais cheval. C'est égal, j'en ai déjà aussi long que le bras à raconter au patron, il sera content de moi. »

Retournant sur ses pas, il sacrifia néanmoins un moment supplémentaire à sa pêche aux renseignements. Il pénétra chez le bougnat où Veston à carreaux s'était désaltéré et commanda un vin Mariani. La photo d'un jeune tambour en uniforme épinglée à côté du comptoir lui fournit une entrée en matière.

— C'est vous ? demanda-t-il au patron à la trogne sillonnée de rides, qui astiquait ses bouteilles alignées sur une étagère.

— Ouais, juin 70, militaire de fraîche date et fier de l'être. J'ai déchanté. Deux mois plus tard je battais la charge à Reichshoffen. Y a des choses dont on se passerait, hein ? Le tambour je l'ai conservé, en souvenir des copains qui dorment à tout jamais là-bas.

— Curieux, les coïncidences, figurez-vous que je recherche le clairon de mon régiment, on s'est revus par hasard le mois dernier. Vous comprenez, je joue de la trompette, et il m'a promis qu'il essaierait de me caser dans un bal du quartier. Il loge par ici, seulement je ne suis pas fichu de me rappeler l'adresse.

— Ni son nom ?

— Ben à la caserne, on disait juste Pignouf...

— Décrivez-le, je le connais peut-être.

— Chapeau à large bord, le genre excentrique.

— À Montmartre, les excentriques c'est pas ce qui manque, à croire que les cinglés de l'univers entier se sont donné rendez-vous dans les parages. Si vous n'avez rien d'autre à m'apprendre, on n'est guère avancés, constata le bougnat, le front barré d'un pli profond.

— Minute, ça me revient, il porte un veston à carreaux gris et beiges !

— Oh ! Paraît que c'est un poète. Moi, les poètes... Tous des fauchés. Ce gaillard, c'est l'exception, il paye, et les clients sans ardoise, je les respecte. Vous préciser où il crèche, *nicht möglich*[1] pour parler comme les Allemoches. Je suis discret, je me borne à écouter ce qu'on veut bien me dégoiser. Des confessions de soiffards, j'en entends, de vraies tartines, je suis une énorme oreille. Mais vous êtes verni, je sais où il bosse, votre poète. Allez donc au *Chat-Noir*, mon petit doigt me souffle que vous ne regretterez pas votre peine.

Ce que Joseph ne regretta pas, ce fut de s'échouer dans un omnibus jaune à planchette rouge qui reliait directement, via la rue Caulaincourt, la rue Damrémont à celle des Saints-Pères. Ses jambes imploraient grâce. Les cinq kilomètres du trajet allaient lui permettre de préparer le rapport qu'il présenterait le lendemain au patron. Il tenta de se concentrer, mais au bout de plusieurs minutes, une houle de fatigue s'abattit sur lui, ses yeux clignotaient, les passagers ressemblaient à des ombres. Le visage d'Iris se substitua à celui de Victor. Et presque aussitôt, il dodelina de la tête et rejoignit la jeune fille au pays des songes.

1. Pas possible. *(N.d.A.)*

CHAPITRE XIII

Mardi 24 novembre

Brillant de tous ses feux, le *Temps perdu* bravait la pluie qui empêchait le jour de se lever. Mariniers et matelassiers du quai Malaquais se succédaient au zinc sans se soucier du pékin attablé dont la redingote et le feutre mou gouttaient devant le poêle. Après une nuit partagée entre cauchemars et insomnie, Victor avait sauté du lit vers les six heures et quitté en silence l'atelier de la rue Fontaine afin de gagner le bistrot où il devait retrouver Joseph. Deux cafés avalés coup sur coup s'étaient révélés impuissants à chasser ses idées noires. Les épisodes de son enquête se mêlaient aux révélations d'Iris. Amalgamées en dépit du bon sens comme les pièces d'un puzzle démentiel, les silhouettes de Prosper Charmansat, du Dr Aubertot, de Grégoire Mercier, de Noémi Gerfleur tendaient les mains à d'autres ombres. Au bord de la migraine, il revécut son dernier rêve. Un grouillement de serpents jaillissait d'un mur fendillé, s'entortillait autour de son corps, puis se muait lentement en épaisses torsades noires et cuivrées, les chevelures d'Iris et de Tasha.

L'arrivée de Joseph l'arracha à ces chimères.

— Ben, patron, vous parlez d'une sauce, tout ce que

j'ai de sec c'est la langue! Permettez que je pousse un peu vos affaires pour me réchauffer?

La patronne, une commère rebondie ceinte d'un torchon froissé, lui servit d'office un bol de café crème et trois tartines beurrées.

— Je connais votre mère, c'est une femme qu'a du mérite, élever seule un glouton tel que vous! Appelez-moi si vous désirez du rabiot!

Lorsqu'elle se fut éloignée, Joseph ronchonna en mâchant de bel appétit:

— Je me demande ce que maman est encore allée colporter sur mon compte... Qu'est-ce qui vous tracasse, patron? Vous avez la trombine en berne.

— Soyez poli, je vous prie.

— J'enregistre simplement que votre œil est marécageux et votre teint cireux, je m'intéresse à vous.

— Le manque de sommeil. Alors, cette filature?

— Une expédition! J'ai les guibolles en marmelade et l'estomac dans les talons. Ah! Il m'a fait voir du pays, le Charmansat! Jusqu'à Montmartre, qu'il m'a traîné, on est montés sur la pente, on s'est enfilés dans un lacis de taudis pire qu'une cour des miracles... Je suis rentré rue Visconti à une heure indue, et pour ne pas réveiller maman je me suis couché le ventre creux, et...

— Épargnez-moi les détails.

— Pas commode, le patron, ce matin, murmura Joseph qui reprit: Finalement, mon bonhomme s'est posté près du 32, rue Caulaincourt et il a attendu qu'en sorte...

— Vous dites le 32, rue Caulaincourt? répéta Victor, l'air plus éveillé.

— Affirmatif.

— C'est l'adresse que j'ai obtenue hier! L'homme qui habite là se nomme Louis Dolbreuse.

— Son identité, j'ai pas pu la découvrir, ce que je sais c'est qu'il turbine au *Chat-Noir*.

— Dolbreuse, remarqua Victor, tandis que sa cuiller

heurtait sa tasse vide. Quel est son rôle ? C'est un familier d'Aubertot.

— Aubertot ? Celui de la cour Manon ? Le toubib que vous avez débusqué à la Salpêtrière ?

— Il porte un second patronyme sous lequel Dolbreuse me l'a présenté, justement au *Chat-Noir*. Joseph, nous touchons au but. Notre assassin est lié au monde médical, il a vitriolé Élisa, étranglé Noémi Gerfleur avec un bandage...

— Vous en tenez pour Aubertot ? Moi, c'est Charmansat qui me semble louche.

— L'unique façon de dissiper nos doutes, c'est de coincer nos suspects et de les forcer à s'expliquer avant qu'il n'y ait de nouvelles victimes. Voici mon plan...

Quand Victor entra dans la librairie, Joseph avait eu le temps de procéder à l'ouverture et de vendre à un inconditionnel de Zola une édition numérotée de *L'Argent,* dix-huitième volume de la série des *Rougon-Macquart.* Assis à son bureau où il griffonnait, Kenji se détourna et souhaita le bonjour à son associé. Le chapeau sur la tête, Victor feuilletait négligemment un calepin. Il se frappa le front.

— Jojo ! Ça me revient ! Vous devez livrer *Les Amours* de Ronsard à Salomé de Flavignol. Partez immédiatement, c'est urgent.

— Je prends un sapin ?

Kenji releva ses lunettes.

— Ce garçon sera notre ruine.

Victor glissa subrepticement un billet au commis et chuchota :

— Achetez aussi une rose.

Il profita de l'absence de clients pour s'adosser au buste de Molière et considérer son père adoptif penché vers ses écritures.

— Qu'avez-vous à m'examiner ainsi, vous testez vos dons de fakir ? grommela Kenji, gêné de cette inspection soutenue.

— Croyez-vous qu'il y ait une vie après la mort ?

— Est-ce vraiment l'instant qui convient à ce genre de spéculations ?

— « Amour. Je l'ai trouvé. Tu comprendras. Il faut... suis ton instinct. »

— De quoi souffrez-vous ? Un accès de fièvre ?

Kenji avait posé son porte-plume et fait pivoter son fauteuil.

— Vous n'avez pas oublié Numa Winner, le spirite anglais de Mme de Brix, dont j'ai croisé la route lors de la disparition d'Odette de Valois. Ces paroles, c'est lui qui les a prononcées à mon intention. Lui... ou plus précisément ma défunte mère, par son intermédiaire.

— Vous délirez. Il vous a abusé.

— À l'époque, j'en ai moi aussi été persuadé. Maintenant je le suis moins. Répondez-moi franchement. Est-ce avec vous que ma mère a trouvé l'amour ?

S'il n'avait passé tant d'années en sa compagnie, Victor aurait probablement pris pour argent comptant l'apparente impassibilité de Kenji. Mais cette brusque lividité, ce geste ébauché afin de desserrer sa cravate étaient plus éloquents qu'un haut-le-corps.

— Quand bien même cela serait ? dit Kenji, en une attitude de défi.

— J'en serais heureux.

— Sincèrement ?

— Autant que si j'apprenais que votre fille... est ma demi-sœur.

Cette fois, en proie à un grand trouble, Kenji repoussa sa chaise et arpenta l'espace entre la cheminée et le comptoir.

— Elle sait... Elle n'a pu s'empêcher de se confier à vous, conclut-il, le menton dressé en direction de l'étage.

Victor joua les naïfs.

— Oh ! À supposer que ma mère m'ait réellement envoyé un message de l'au-delà, il était plutôt sibyllin, admettez-le. Pourtant, depuis, j'y songe souvent. Lorsque vous m'avez avoué être le père d'Iris, j'ai tout naturellement noté une vague ressemblance et...

Un pas pesant dans l'escalier stoppa son élan. Le chignon de travers, Germaine arborait son expression des mauvais jours.

— Je ne suis l'esclave de personne ! s'écria-t-elle en leur fourrant un paquet de viande sous le nez. On est en république, alors si ce que je prépare n'est plus assez bon pour Vos Majestés, j'hésiterai pas à me placer ailleurs, et vous irez vous empoisonner dans un bouillon Duval !

— Voyons, Germaine, calmez-vous, souffla Victor, surveillant la rue d'un œil inquiet.

— Monsieur Legris, j'en ai assez, vous êtes trop difficile !

— Moi, Germaine, difficile ?

— Ne faites pas l'hypocrite, toutes les fois que ça vous est possible vous mangez dehors ! Mais à c't'heure, c'est pas vous qu'êtes en cause, c'est votre invitée, monsieur Mori, enfin je me comprends.

— De quelle manière Mlle Iris vous a-t-elle offensée ? s'enquit Kenji en détachant chaque syllabe.

— Une chipoteuse ! Une soi-disant amie des agneaux ! Elle refuse de s'en nourrir parce qu'on les tue trop jeunes, à peine si elle me traite pas de cannibale. Hier, c'est le veau qu'elle m'a reproché, avant ça y a eu le poulet ! Je me suis levée aux aurores pour acheter des carottes, des navets et des oignons au marché, une vraie vie d'ilote, et en échange qu'est-ce que je récolte ? Un procès !

— Vous avez raison, c'est insupportable, je me ferai votre avocat auprès d'Iris. Je suggère que vous lui prépariez des œufs à la coque en guise de punition, et je vous promets de dévorer double ration de votre...

— De mon navarin, acheva Germaine d'une voix radoucie. Ah ! Monsieur Mori, si vous n'étiez pas là, y a belle lurette que je l'aurais rendu, mon tab...

— Navarre ! C'est le nom que je cherchais ! s'exclama Victor en fonçant vers l'extérieur. Merci, Germaine, merci !

— Vous voyez, c'est comme je le disais, il déjeune au restaurant dès qu'il en a l'occasion ! clama Germaine.

— Où court-il, l'animal ? gronda Kenji, furieux d'être encore abandonné. Juste au moment où nous allions enfin avoir une conversation sérieuse...

— À quel propos ?

Il fit volte-face. Au pied de l'escalier que remontait résolument Germaine, Iris affichait un sourire ambigu.

Plaqué contre la façade du *Chat-Noir*, Joseph s'efforçait d'échapper à la bourrasque. Il fut soulagé d'apercevoir Victor muni d'un parapluie.

— Désolé d'avoir tardé. Tasha était chez elle ?

— Oui, patron, elle a rudement apprécié le Ronsard, et surtout la rose.

Leurs coups répétés finirent par payer. Drapé d'une blouse grise, un plumeau à la main, le suisse Bel-Ami entrebâilla la porte avec méfiance.

— Qu'est-ce que c'est ?

— Je suis journaliste, je désire écrire un article concernant plusieurs artistes qui se produisent ici.

— C'est l'heure du ménage, faut revenir le soir, marmotta l'homme en refermant.

— Mais le soir vous n'aurez pas le temps de répondre à mes questions.

Le battant s'ouvrit largement.

— Moi ? C'est moi que vous voulez interroger ?

— Oui, assura Victor.

— Ça change tout, venez, mais pardonnez le désordre, cette nuit y a eu un tintouin du diable, ces messieurs ont été saisis d'une soudaine passion tauromachique et ont pris pour cible un infortuné passant. Ils l'ont enveloppé d'une serviette et amené dans la salle des Gardes où ils l'ont obligé à chanter avec eux...

— Est-ce un authentique uniforme que vous portez pour accueillir les clients ?

— Un authentique costume de suisse d'église, la canne est ornée d'un pommeau d'argent et la hallebarde a coûté une fortune.

— Vous devez avoir fière allure, je parie que vous rêvez de brûler les planches ! déclara Joseph, entrant dans le jeu de Victor.

Bel-Ami adopta une pose avantageuse.

— J'ai un petit talent, on me l'a déjà dit. Chaque fois que j'interprète *Bouquet fané* de M. Paul Henrion, y a des dames qui pleurent.

> *Pauvre bouquet, fleurs aujourd'hui fanées,*
> *Nous vieillirons sans nous quitter jamais,*
> *Car ton aspect...*

commença-t-il à bêler.

Secoué d'une toux rebelle, Joseph réclama un verre d'eau qui fut fatal à cet envoi. Bel-Ami se raclait la gorge, prêt à terminer son couplet, lorsque Victor lui tapa sur l'épaule.

— Bravo ! Louis Dolbreuse n'avait pas menti, voilà une belle prestation !

— M. Dolbreuse vous a parlé de moi ?

— Oh, il n'est pas le seul ! Au fait, à quelle heure arrive-t-il ?

— Il ne s'est pas montré hier, même que M. Salis a regretté son absence, parce que au début il est conseillé de s'exhiber si on envisage de devenir populaire.

— Au début ?

— M. Dolbreuse ne vient réciter ses œuvres chez nous que depuis la fin de l'été. Mais il est inconstant, et si ça continue on va lui piquer sa place, les poètes, y en a pléthore à Montmartre.

— Vous paraissez connaître tout le monde. J'aimerais interviewer un certain Navarre, il écrit lui aussi.

— C'est exact, il fréquente le 16 de la rue du Croissant, c'est la rédaction de *L'Écho de Paris*.

— Quelle mine de renseignements ! Nous repasserons en soirée.

— Monsieur ! Vous ne m'avez pas donné le nom de votre journal !

— *Le Passe-partout !* brailla Joseph.

La rue du Croissant était moins agitée qu'au point du jour. Sous les porches s'entassaient d'énormes cylindres blancs protégés de toile cirée, le papier destiné à se transformer bientôt en pages imprimées. Le solide déjeuner de Joseph n'était plus qu'un souvenir, il se fût volontiers gavé d'une montagne de croissants, de quelques pommes ou, à défaut, de frites, mais Victor ne lui en laissa pas le loisir. À l'instant où ils accostaient, numéro 16, l'hôtel abritant *L'Écho de Paris*, un blondinet à monocle et cigare les doubla au pas de charge.

— Alceste... Alcibiade... Non, Alcide grogna Victor qui s'exclama : Alcide Bonvoisin !

Le jeune homme pila.

— Monsieur... ?

— Victor Legris, nous avons échangé quelques mots au Moulin-Rouge. Serait-ce abuser de...

— Je me souviens de vous, accordez-moi cinq minutes ! Je vous rejoins dans le hall.

Le blondinet se précipita au fond d'un couloir où trônait un guichet surmonté du mot « caisse ». Il revint très vite, satisfait.

— Excusez-moi, ma chronique risquait de passer à l'as, et, dans la foulée, mon dîner. J'ai en poche de quoi régler ma logeuse, qui osera prétendre que la muse des lettres ne nourrit pas son homme ? Que puis-je pour vous ?

— M'apprendre ce que vous savez du dénommé Navarre.

— Peu de chose, sinon qu'il est féru de littérature et rédige des textes où il est question de tout sauf de médecine, bien qu'il donne des cours à la Salpêtrière.

— Votre journal dispose-t-il d'archives ?

— Suivez-moi.

Il les conduisit à une salle investie de vitrines emplies d'épais ouvrages à reliure de toile verte sur lesquels régnait un vieillard mélancolique coiffé d'une casquette à visière.

— Annoncez la couleur, et, si c'est en son pouvoir, Herbert se fera une joie de vous satisfaire. Salut !

— Je vous remercie, répondit Victor.

— Novembre 1886, énonça Joseph à l'archiviste, qui se gratta tristement la joue.

Victor et Joseph échangèrent un regard désappointé.

— En ce cas, pourrions-nous consulter l'année 1887...

Avec une agilité surprenante, le vieil homme bondit vers une des vitrines et se hissa au sommet d'une échelle coulissante afin de s'emparer d'un volume. Joseph tenta de le secourir, mais le vieux ne lâcha sa prise que lorsqu'il l'eut placée sur un pupitre.

— Vous avez de la chance, nous possédons certaines séries de *L'Éclair*. N'humectez pas votre index de salive en tournant les pages, prescrivit le vieil homme qui regagna son bureau.

Debout l'un près de l'autre, ils parcouraient les numéros.

— Patron, j'crois qu'on a fait chou blanc...

— Là !

Le doigt pointé vers un gros titre, Victor se pencha et murmura :

— 14 janvier 1887...

« Hier s'est achevée l'audience qui clôt le procès des bijoux, au cours duquel les deux malheureux protagonistes ont été lavés de tout soupçon de complicité avec la pseudo-baronne de Saint-Meslin. Nous vous rappelons les événements... »

mâchonna Joseph.

Ils s'absorbèrent dans leur lecture.

« Le 15 novembre 1886, une dame élégante, chapeautée d'une voilette, se présente à la villa *Les Asphodèles,* la maison de santé d'un fameux aliéniste, le Dr Aubertot, située à une trentaine de kilomètres de Lyon. Cette dame explique au docteur que son époux, le baron de Saint-Meslin, souffre d'une maladie nerveuse, et que l'éminent professeur Jardin de la faculté de Lyon lui a conseillé de le faire soigner chez lui. Elle produit une lettre de recommandation stipulant que le baron est en proie au délire de la persécution et s'imagine qu'on en veut à ses biens. Le Dr Aubertot garantit d'améliorer l'état de santé du malade. Afin que le baron n'éprouve aucune suspicion, la dame adjure le docteur de le recevoir en personne. Elle lui règle un trimestre d'avance.

« Le lendemain, la baronne pénètre dans une bijouterie de la place Bellecour. Elle déclare au gérant, M. Prosper Charmansat, qu'elle désire offrir une parure à sa sœur qui va se marier. Elle presse le bijoutier de l'accompagner dans sa propriété avec plusieurs écrins, afin que son mari, alité, l'aide à choisir le présent. Le bijoutier accepte. Ils atteignent une belle demeure sise au milieu d'un parc. La baronne ordonne à la camériste de prévenir Monsieur, puis demande au bijoutier de lui confier la mallette contenant les écrins. Qu'il s'assoie et patiente, elle le mandera pour débattre le prix. Prosper Charmansat obtempère. La baronne sort, se heurte au Dr Aubertot, lui conte que son pauvre époux est à côté et qu'elle préfère se sauver avant qu'il ne soit terrassé par une crise. Elle jure de fournir dès le lendemain tous les papiers nécessaires à l'internement. Lassé d'attendre, Prosper Charmansat quitte le salon et s'imagine avoir affaire au baron. Mais c'est un médecin qui lui barre le passage et élude ses questions concernant des écrins. Le bijoutier se fâche, le docteur adresse un signe à un infirmier qui empoigne aussitôt celui qu'il pense être un malade mental, le douche, lui enfile la camisole de force et le boucle en cellule capitonnée.

« M. Prosper Charmansat est resté enfermé plus de trois semaines jusqu'à ce que les enquêteurs découvrent le pot aux roses. La baronne et les bijoux demeurent introuvables... »

— Patron, quel roman extraordinaire ! Je les imagine : la baronne, mystérieuse derrière sa voilette, Prosper Charmansat ligoté et désespéré, le docteur austère et...

— C'est de la réalité qu'il s'agit, Joseph, et si nous ne filons pas au trot, ce brave Herbert va nous foudroyer !

Ils fuirent l'œil torve de l'archiviste. Sur le trottoir de la rue du Croissant, ils demeurèrent un instant hébétés. Une averse les ranima sans tarder et Victor s'empressa de déployer son parapluie.

— Un fait est avéré, nous sommes confrontés à une vengeance. Mais qui veut se venger de qui ? Charmansat d'Aubertot ? Le contraire ?

— C'est bizarre, patron, ces deux-là ont l'air de s'entendre comme larrons en foire. L'homme que j'ai suivi à deux reprises, celui qui a rencontré Charmansat à Saint-Étienne-du-Mont et hier rue Caulaincourt, serait Aubertot que ça ne m'étonnerait pas !

— Oui, votre description correspond au personnage, approuva Victor.

— De plus, je l'ai coursé rue de Navarre, près des Arènes à deux pas de la rue Monge, alors de là à supposer qu'il y a pêché son nom de plume...

— Joseph, vous progressez.

— Je sais, patron, je m'épate chaque jour davantage. Nos lascars sont-ils de mèche, ou y en a-t-il un qui tire les ficelles ? Pour ce qui est de Noémi Gerfleur, la question est réglée : exit la baronne de Saint-Meslin, ainsi qu'Élisa qui avait le tort d'être la fille d'une voleuse.

— Oui, mais Louis Dolbreuse, qu'en faites-vous ?

— Moi, patron, je n'en fais rien, mais je le garde dans ma manche, parce que, hier, c'était après lui que les autres en avaient. Où va-t-on en premier ?

— Le mont-de-piété est le plus proche.

— J'allais vous le proposer. Si nous sommes veinards, nous épinglerons le Charmansat à l'heure de la becquée.

« Et nous aussi on pourra briffer », ajouta Joseph en son for intérieur.

Le flot des employés s'écoulait rue des Francs-Bourgeois sans que se montre le barbu rondouillard. Victor alpagua un jeune homme voûté aux sourcils broussailleux.

— J'ai dû rater un de vos collègues, Prosper Charmansat...

— Pas étonnant, il est malade.

— Depuis quand ?

— Ce matin. Prétendre qu'il m'a manqué serait un mensonge. Pour des types de cet acabit, je souhaiterais que le choléra ressuscite.

— Pourquoi ? Il est désagréable ?

— Pire : il est zélé, répliqua le jeune homme dont les épaules paraissaient porter le poids du monde. Y a des jours, on jurerait qu'il est le propriétaire de tout le fourbi que ces misérables zigues nous déposent, et que si le clou existe c'est en vue de sa seule félicité. Avec des rouages si bien huilés, la machine de l'État peut tourner tranquille, affirma-t-il en crachant dans le caniveau.

Victor et Joseph se dévisagèrent et de concert hélèrent un fiacre.

L'ex-bijoutier était absent de son domicile. Ils coururent au fiacre et crièrent au cocher de les conduire rue Monge. Laissant dans la voiture Joseph mettre un cran de mieux à sa ceinture, Victor sonna chez Aubertot. Le domestique taciturne déjà affronté le samedi lui décocha une œillade affligée.

— Monsieur n'est pas là, lâcha-t-il entre ses dents.

Par un tour de passe-passe dont il devenait coutumier, Victor expédia une pièce de quarante sous de sa poche à celle du larbin, qui la bouche en O sembla sur le point d'émettre une grosse bulle et devint subitement loquace.

— Un coursier a porté un billet à Monsieur tandis qu'il finissait son repas, et Monsieur est sur-le-champ parti pour la Salpêtrière.

Épuisé par un tel discours, le domestique serra violemment les mâchoires.

Explorées de fond en comble, ni la division Mazarin ni la division Lassay ne se targuèrent d'avoir reçu la visite du Dr Aubertot. Victor maudissait le sort qui, ce jour-là, l'entraînait à talonner des courants d'air. Peinant à le suivre, aussi mouillé qu'affamé, Joseph se promettait de ne plus jamais mener une enquête, si palpitante fût-elle, sans s'être au préalable lesté d'un copieux en-cas.

— Et d'un riflard, parce que pour m'abriter, tintin !

— Qu'avez-vous encore à maugréer ?

— Rien, je me cause.

Ils longeaient la chapelle Saint-Louis rappelant, sous le ciel bas et funèbre, une bête aux aguets. Lovée à l'intérieur du porche s'ébrouait une petite forme humaine, en même temps qu'une voix glapissait :

— À moi ! Il y a un fantôme...

Victor lorgna rapidement Joseph et lui tendit son parapluie.

Aussi frêle qu'un roseau, auréolée de cheveux blancs, une femme s'agrippa à son bras.

— J'étais venue écouter la musique du ciel, je m'envolais vers les anges et je l'ai vu, souffla-t-elle. Il est là, il attend.

Victor reconnut la vieille du puits de Manon qui quelques jours plus tôt rêvait à son premier baiser. Elle contemplait la chapelle et ressassait d'une voix à peine audible :

— Je l'ai vu, je l'ai vu, il est revenu, le malin maudit, il danse comme un balancier d'horloge, à droite, à gauche, ding, dong, ding, dong, aussi noir que la goule des étangs sous la lune rouge. Je l'ai reconnu, il est là pour emporter Zélie Bastien.

Quand on lit la peur dans les yeux des autres, on a le cœur qui s'affole, même si l'autre est une femme âgée retombée en enfance. Joseph avala sa salive, la sinistre Cour des comptes[1] se substitua à la silhouette ventrue de la chapelle Saint-Louis, lui ôtant tout désir de se sustenter.

— S'il vous plaît, ne me laissez pas, supplia Mme Bastien, pareille à une gamine terrorisée qui a croisé le loup.

Elle défaillait, appuyée contre un groupe sculptural représentant un Caïn que Victor n'eût pas aimé rencontrer au coin d'un bois. Il fit signe à Joseph.

— Tenez-lui compagnie, je vais vérifier.

Il pénétra dans l'édifice glacial avec la sensation de parcourir une grotte où se tapissait un animal sauvage. Le demi-jour était troué de flammes frémissantes autour desquelles les personnages des tableaux, copies ou imitations de grands maîtres, s'animaient brièvement, hantés du désir de vivre enfin une existence en trois dimensions. Des souvenirs d'effrayantes lectures anglaises affleuraient en lui, depuis le *Frankenstein* de Mary Shelley offert par Kenji l'été de ses treize ans, à *The Strange Case of Doctor Jekyll and Mr. Hyde* de R. L. Stevenson, dévoré lors de sa parution en 1885.

Il visita successivement les oratoires latéraux où ses pas provoquaient un écho menaçant. Ce fut dans le troisième qu'il entrevit la chose. Il s'avança entre quelques prie-Dieu disposés de chaque côté d'une travée.

---

1. Voir *La Disparue du Père-Lachaise*, *op. cit.*

— Patron ! cria Joseph. Ça va ?

— Ça va, ça va, répondit-il.

Sa voix semblait sortir d'un tuyau d'orgue et se répercutait contre les murs de la nef. À travers un vitrail où des saints hiératiques tendaient leurs profils vers des cieux d'azur, le jour déclinant culbutait les ténèbres, débusquait des formes hideuses. Victor s'immobilisa, ses muscles étaient devenus soudain de la chiffe molle. Une ombre gigantesque oscillait sur l'une des parois. Il se retourna lentement.

Terrifié, il lutta pour calmer les battements désordonnés de son pouls. Il dérapa et se rattrapa à la grille de l'autel.

« Sauve-toi, lui soufflait une voix, sauve-toi ! »

Des cadavres, il en avait déjà vu, mais cette fois c'était différent.

Le corps était suspendu à la chaire au moyen d'une corde formant une cravate autour du cou. L'autre extrémité de la corde avait été nouée plusieurs fois par une boucle double, et le bout libre rejeté au-dessus du dais. Les pieds de l'homme s'élevaient à une vingtaine de centimètres du dallage. En avant du cadavre, il vit une chaise renversée.

S'emparant d'un cierge, Victor le dressa haut. Le Dr Aubertot n'accorderait plus de consultations. Sa tête était nue, son visage souillé par du sang échappé des oreilles et des narines, sous son oreille gauche s'étalait une large ecchymose.

Victor aurait dû appeler au secours, mais quelque chose l'intriguait, cela tenait à l'aspect du corps. Il n'avait encore jamais examiné de pendu, mais il lui semblait que cela ressemblait à une mise en scène. La langue ne faisait pas saillie hors de la bouche, les yeux demi-clos le fixaient au milieu d'une face très pâle. Il abaissa le cierge. Là, par terre, s'étalait une flaque incarnate.

Soudain un ricanement de crécelle fusa d'un pilier.

Victor fit un saut de carpe. Il distingua un faciès grimaçant à la gorge gonflée. Une goitreuse, une malheureuse goitreuse pointait un doigt vers lui, secouée d'un rire qui sonnait comme un sanglot. Il recula, horrifié, et se précipita à l'air libre où il laissa longuement la pluie couler sur son crâne.

L'infirmier pressé de gagner le bâtiment principal chercha vainement à esquiver l'inconnu gesticulant qui se hâtait à sa rencontre. Modifiant son parcours, Victor parvint à le saisir aux poignets et l'enjoignit de détacher l'homme accroché dans la chapelle Saint-Louis. Puis, le souffle court, il galopa vers Joseph, satisfait de couper aux lamentations de Mme Bastien.

— Ben, patron, on croirait que vous avez le diable à vos trousses !

— Aubertot a été tué ! Il n'y a pas une minute à perdre !

Éberlué, étreignant toujours le parapluie qu'il avait refermé pour se mouvoir plus facilement, Joseph s'élança sur les traces de Victor en direction du boulevard de l'Hôpital.

La veuve Galipot leur barrait le passage. Vautrée sur la première marche de l'escalier, elle brandissait une bouteille vide et vitupérait les bâtards qui lui avaient sifflé son picrate. Sans s'émouvoir des « ganache ! » et « salopiot ! » dont elle les assaisonnait, ils réussirent à l'enjamber et escaladèrent les étages.

— À gauche, patron !

Victor se préparait à peser sur la porte lorsqu'elle s'ouvrit à la volée. Un homme à chapeau mou et veston à carreaux bouscula Joseph et plongea vers le rez-de-chaussée.

— Dolbreuse ! rugit Victor.

— Arrêtez-le ! s'égosilla Joseph.

Il y eut un cri aigu, un « ton trèfle, ganache ! », le

choc sourd d'une massue abattue sur un crâne, puis un branle-bas général. Pendant que Joseph descendait aux nouvelles, Victor inspecta l'appartement et débou la dans la chambre à coucher sur un homme pendu à l'espagnolette de la croisée au moyen d'une bande médicale. Victor se rua en avant, prit à bras-le-corps le malheureux Charmansat qui se tortillait frénétiquement, parvint à le dégager, mais ne put le retenir.

— S'il n'est pas déjà cuit, je pourrai me vanter de l'avoir achevé, grommela-t-il, agenouillé près de l'ex-bijoutier écroulé au sol.

Charmansat avait la vie dure. Il toussa, cracha, s'assit péniblement, la main posée sur son flanc. Victor l'aida à ôter son gilet et sa chemise trouée, et fut étonné de voir que le torse de l'homme, protégé par un plastron de cuir, ne souffrait que d'une estafilade. Sans cet étrange corset, le coup de poignard eût été mortel.

— Souvenir séjour maison de santé, haleta Charmansat avec une grimace. Tellement démené dans cellule, me suis esquinté le dos. Harnachement maintient vertèbres en place...

— Il vous a sauvé.

Victor l'allongea sur un divan, lui cala un oreiller sous la nuque. Il lui apportait une carafe d'eau et un verre quand Joseph apparut.

— La soûlarde a de bons réflexes, elle a assommé Dolbreuse avec son litron. Les voisins sont en train de le ranimer, ils vont prévenir la police.

— Fermez à clé. Nous avons quelques points à éclaircir.

— Est-il en état de s'exprimer, patron ? hasarda Joseph en désignant Charmansat qui buvait à petites gorgées.

— Pouvez-vous parler ? demanda Victor.

L'ex-bijoutier se tâta la gorge et hocha la tête.

— Est-ce vous qui avez trucidé Élisa, Noémi, Gaston et Basile ?

— Non. Le jure devant Dieu, souffla Charmansat.

Il avait la voix brisée, la respiration courte et embarrassée. Il se plaignit de douleurs au cou et dans la mâchoire.

— Pourquoi Dolbreuse a-t-il tenté de vous tuer?

— Parce que le docteur et moi nous apprêtions...

Il but une seconde gorgée.

— ... à le supprimer en simulant un suicide. L'aurions forcé à rédiger une confession écrite de ses forfaits. Le meurtrier, c'est lui.

— Mais il a été plus malin que vous, il a inversé les rôles. Il a essayé de vous pendre. En ce qui concerne le docteur, il a réussi.

— Aubertot est...

Charmansat s'était redressé, très pâle. Sa voix étouffée prit un accent métallique.

— Le salaud!

— Qui est-il? Vous le haïssez. A-t-il été mêlé à l'histoire qui s'est terminée par un procès le 14 janvier 1887?

— Vous ignorez... Les journaux n'ont pas révélé la suite. Le docteur et moi avons tout perdu. Tout. Lui, déserté par sa clientèle à cause d'un blâme pour avoir omis de signaler au préfet mon internement. Moi... repoussé par ma fiancée parce que suspecté de chantage à l'assurance. Ma position de victime n'a pas suffi à me laver de cette odieuse calomnie...

Il ferma les yeux et continua son récit sur un rythme saccadé entrecoupé de soupirs.

— À notre remise en liberté, Aubertot et moi avons décidé de nous unir.

— Vous ne le détestiez donc pas?

— Il était aussi à plaindre que moi. Dès que je m'en suis rendu compte, je suis devenu son allié. Nous venger. Retrouver la baronne. Mettre en commun les maigres indices en notre possession. La berline qui m'avait emmené chez Aubertot: elle était verte, comportait quatre places, l'empreinte d'un blason demeurait imprimée sur la portière. En descendant j'avais eu le temps d'aviser un numéro à l'arrière : une voiture de louage ? Le cocher m'avait semblé jeune, son teint basané indiquait peut-être une origine latine. Aubertot a fait la tournée des remises de Lyon et des environs. Il a localisé la berline... louée le 14 novembre 1886 par un certain Carnot, contre caution... rendue et réglée le 17. Ce Carnot... il nous a donné du fil à retordre mais nous avons fini par savoir où il nichait : c'était un infirmier affecté au service du professeur Jardin. Seulement voilà... Trop tard.

— Trop tard ? s'exclama Joseph.

— Il purgeait une peine carcérale de cinq ans pour avoir insulté et agressé un gardien de l'ordre une semaine après la disparition des bijoux. Nous avons poursuivi nos investigations. Si cet homme travaillait le jour à l'hôpital, le soir il jouait de la trompette dans un beuglant de Lyon, la *Taverne des Jacobins*. Il était l'amant d'une chanteuse, Léontine Fourchon, qui avait disparu juste avant son arrestation. On devait en avoir le cœur net. J'ai visité Carnot au parloir. Nous nous sommes dévisagés sans un mot : c'était bien le cocher de la baronne, son complice... Il m'a reconnu lui aussi.

— Pourquoi ne pas l'avoir dénoncé ?

Charmansat émit un ricanement qui dérailla en quinte de toux.

— Nous pensions qu'à sa sortie de prison ce filou n'aurait qu'une envie, retrouver cette Léontine dont nous supposions qu'elle l'avait floué. Qui mieux que lui nous mènerait à elle ? Nous avons opté pour la patience. Sans le docteur, je ne sais comment j'aurais résisté. Il m'a pris sous son aile. On s'est installés à Paris. Il m'a obtenu un poste au mont-de-piété tandis qu'il entamait une seconde carrière auprès du professeur Charcot. Il a vendu *Les Asphodèles* et a ouvert son propre cabinet rue Monge. Il m'a soigné, toutes ces années. Quelques mois avant la libération de Carnot, il a engagé un enquêteur privé qui a filé notre homme jusqu'à Montmartre. L'infirmier avait décidément l'âme d'un artiste. Il était à présent poète et se produisait au *Chat-Noir* sous le nom de...

— Louis Dolbreuse, chuchota Joseph qui prenait des notes.

— Le docteur s'est à son tour lancé dans la voie de la littérature à seule fin d'être présenté à Dolbreuse. Nous ne l'avons plus lâché, collés tour à tour à ses basques. C'est ainsi que nous avons compris que sa vengeance incluait d'abord la fille de Léontine, Élisa. Il a payé Gaston Molina, une gouape côtoyée en prison, afin qu'il séduise la fillette et la lui livre. Il les a supprimés, puis il a démasqué Léontine, qui se cachait sous les oripeaux de Noémi Gerfleur. Il l'a étranglée.

— Et occis Basile Popêche, un témoin gênant... Autrement dit, vous avez assisté à ces meurtres successifs sans lever le petit doigt. Et vous osez jurer devant Dieu que vous êtes innocent ! s'écria Joseph.

— Vous vous imaginiez retors, pourtant c'est Dolbreuse qui vous manœuvrait, ajouta Victor. Il a tué son ex-maîtresse et sa fille selon un plan qu'il devait peaufiner depuis longtemps, mais il s'est arrangé de façon à détourner sur Aubertot et vous les soupçons liés à ces meurtres. Et il m'a manœuvré, moi aussi...

— *Nous* a manœuvrés, patron !

On frappa violemment. Charmansat ouvrit ses yeux délavés où se lisait une lassitude infinie.

— Le docteur est mort, il ne me sera plus d'aucun secours... Que va-t-il m'advenir ? Il n'y a donc pas de justice ? pleurnicha-t-il en fixant Victor d'un regard éteint.

CHAPITRE XIV

Dimanche 6 décembre

Assis à sa caisse de travail, Joseph contemplait fixement le paquet de feuilles manuscrites. Euphrosine vaquait dans la cuisine et aucun de ses mouvements ne lui échappait. Elle rinçait la vaisselle, retirait un rond de fonte du fourneau pour y poser la cafetière, soliloquait : « Si encore les pépètes poussaient sur les arbres ! » Puis elle allait lourdement à la pierre à évier pour y vider les eaux grasses, traînait la jambe et se laissait choir sur un tabouret en gémissant : « Qu'est-ce qu'on va d'venir si j'peux plus travailler ! Ah, j'la porte, ma croix ! »

Depuis la fin du dîner, Joseph n'avait pu écrire un seul mot. Il imaginait sa mère, la tête courbée sur la poitrine, les yeux clos, pâle, à bout de forces. Agir. Il devait agir. Il allait devenir quelqu'un, il le désirait tant ! Et puis il s'était vanté auprès de M. Legris, de Valentine, de Marcel Bichonnier.

« Quel fanfaron je fais ! Mlle Iris a raison, les gens qui parlent n'agissent pas, leur vie se dilue en paroles et ils se persuadent que débiter des mots suffit à s'accomplir. J'ai trop lanterné, j'me prends par la main, j'me lance ! »

Il se représentait déjà ce qui se passerait le jour où il

irait acheter le journal et qu'il verrait son œuvre imprimée :

L'étrange affaire des Ancolies
par Joseph Pignot

C'était un si beau rêve ! Dès demain il plaiderait la cause de son feuilleton devant *Le Passe-partout*. Et si *Le Passe-partout* faisait la fine bouche, il assiégerait les rédactions de toutes les publications parisiennes, il fallait coûte que coûte qu'il paraisse. Qui sait, peut-être son nom figurerait-il un jour parmi ceux de Xavier de Maistre, de Washington Irving et du comte Léon Tolstoï dans la *Nouvelle Bibliothèque populaire : en vente chez les libraires, marchands de journaux, colporteurs et dans les gares* ?

Oh, oui ! Sa mère n'aurait plus jamais besoin de s'atteler à sa carriole.

Il saisit son porte-plume, se jeta sur le papier comme en proie à une fièvre et écrivit d'un trait, sans rechercher les belles tournures, pressé de terminer son prologue, afin que le rêve devienne réalité...

Dix heures du matin sonnaient lorsqu'un coupé de maître conduit par un cocher en livrée remonta l'allée de la villa « Les Ancolies ». Il contourna un rond-point et se rangea devant le perron d'une gentilhommière. Une femme, le visage masqué d'une voilette, en descendit, gravit les marches et tira le cordon. Une cameriste l'introduisit dans un salon. Lorsqu'elle fut seule, la femme observa un instant sa silhouette reflétée par un grand miroir, puis considéra attentivement le tableau accroché au-dessus de la cheminée représentant un professeur de médecine pratiquant une opération.

— Oh, oh ! Du beau linge. Fière allure, manteau de vigogne, bijoux de prix ! Jeune ? Vieille ? Maudite voilette ! Bah ! Quelle importance ! Ça sent la particule, murmura le Dr Eusèbe Rambuteau penché vers

une glace sans tain lui permettant d'épier les visiteurs à leur insu.

Nul fil d'argent ne s'était encore mêlé à son épaisse chevelure noire et à sa barbe de jais crespelée à l'antique...

Satisfait du mot « crespelé » qu'il venait de découvrir fortuitement en feuilletant le dictionnaire, Joseph sourit à la photo de son père.

— T'as raison, papa, « rien ne réussit comme le succès[1] ».

Mercredi 16 décembre

Emmitouflé jusqu'aux oreilles dans un dolman à brandebourgs, l'inspecteur Lecacheur pénétra dans la librairie d'un pas conquérant et souleva sa toque de fourrure. Il dut attendre que plusieurs clients aient réglé leurs achats avant d'être accueilli par Victor. Iris aidait Joseph à se dépêtrer de la ficelle qui empaquetait les livres dorés sur tranches destinés à être offerts en étrennes. Quant à Kenji, il allait et venait le long des étagères, soucieux de satisfaire une dame à lunettes dont le fils adorait les romans d'aventures. Il considéra furtivement la haute silhouette du nouveau venu et lui trouva quelque ressemblance avec Michel Strogoff, ce qui provoqua en lui un émoi soudain au souvenir des tendres protubérances d'Eudoxie Allard offerte en tenue d'Ève sur une peau d'ours blanc. Aux dernières nouvelles, la sémillante Fifi Bas-Rhin filait le parfait amour dans la suite royale de l'hôtel *Continental* en compagnie d'un prince moscovite propriétaire d'un domaine aux environs de Nijni-Novgorod. Son cadeau d'adieu trônait

1. Alexandre Dumas père : *Ange Pitou* (1851). *(N.d.A.)*

près du téléphone, une merveille de machine à écrire, la Lambert, une invention tout à fait originale dont Eudoxie lui avait appris le maniement au cours d'inoubliables soirées ponctuées de cours magistraux qui se mêlaient sans transition à la pratique :

— Tout est tactile, mon cher Kenji, mais vous savez si bien y faire. À peine si on l'effleure, et le disque à caractères oscille légèrement et produit l'empreinte... *Point ne tourne et pourtant écrit*, n'est-ce pas bien dit ?

Kenji était tombé littéralement amoureux de la Lambert, et nul n'avait la permission de toucher à ses quatre-vingt-quatre touches. Comble du modernisme : après une transformation aussi simple qu'un changement de toilette, la Lambert écrivait en différentes langues : elle était polyglotte et possédait un écrin en maroquinerie. Kenji poussa un soupir de satisfaction et désigna le gros volume in-quarto des *Robinsons de la Guyane*, de Louis Boussenard, à la dame à lunettes.

— Je vois que vous êtes fort occupés, l'approche de Noël, je suppose, constata l'inspecteur en lissant sa sombre moustache. Vous offrirai-je un cachou ?

— Non merci, répondit Victor. Avez-vous réussi à renoncer au tabac ?

— Oui, depuis plusieurs mois, mais je me suis habitué à cette saveur astringente, que voulez-vous, une servitude chasse l'autre... Avez-vous enfin mis la main sur l'édition originale de *Manon Lescaut* ?

— Pas encore, hélas !

— Pourtant, vous êtes un spécialiste de l'abbé Prévost, mon cher... La Salpêtrière n'a pas plus de secrets pour vous que le Moulin-Rouge, le carrefour des Écrasés ou les alentours de la Bièvre, tous lieux que vous avez passés récemment au peigne fin... Pouvons-nous aller discuter à l'abri des oreilles indiscrètes ?

À contrecœur, Victor l'emmena dans l'arrière-boutique, où l'inspecteur étudia attentivement les collections de Kenji. Il devinait la nervosité du libraire et prenait plaisir à l'attiser. Secouant sa boîte de cachous comme une crécelle, il se campa contre l'armoire et toisa Victor.

— Bien que ma visite n'ait rien d'officiel et que notre conversation ne puisse constituer un élément à verser au dossier Élisa et Léontine Fourchon, n'en déduisez pas que je suis dupe. Il m'est impossible de prouver votre participation à cette affaire, mais, en quelque lieu que m'ait conduit mon enquête, la pension de Saint-Mandé ou le domicile de Grégoire Mercier, pour n'en citer que deux, je me suis heurté à votre ombre. Lors de l'arrestation de Louis Dolbreuse et de Prosper Charmansat, sur qui mes collègues sont-ils tombés ? Sur vous, monsieur Legris. Et soyez persuadé que je ne gobe absolument pas les explications fumeuses de votre commis Joseph, qui soit dit en passant a un sérieux penchant pour le romanesque. Il a osé m'affirmer que vous vous promeniez tous deux par hasard près du domicile de Prosper, avec lequel il s'était lié au mont-de-piété, quand des cris vous ont alertés ! Si je décide une fois de plus de ne pas vous faire citer au procès, c'est que je vous sais gré d'avoir sauvé la vie de Charmansat et mis fin aux meurtres perpétrés par Dolbreuse. Je tairai donc les explications données par ce dernier sur le petit jeu qui consistait à vous fourvoyer en de fausses pistes, notamment par le biais d'un billet écrit de sa main et incidemment placé parmi les effets de Gaston Molina à la faveur d'un chapeau oublié au Moulin-Rouge. Les extraits littéraires abandonnés à côté du corps de Noémi Gerfleur remplissaient une fonction similaire auprès de la police. Si vous ne l'aviez neutralisé, Dolbreuse comptait d'ailleurs envoyer à la presse une confession attribuée à Charmansat, révélant qu'Aubertot et lui étaient des criminels, et qu'après avoir tué le docteur Prosper préférait se pendre plutôt que d'affronter la justice... Vous voyez que j'ignore peu de chose, en dépit du fait que plusieurs personnes, dont la directrice de la pension Bontemps, le chevrier en chambre et notre ancien bijoutier, semblent frappés d'amnésie passagère lorsque votre nom est prononcé.

L'inspecteur éprouva le besoin de sucer quelques cachous. Un peu rouge, mais muet, Victor paraissait fasciné par l'état de ses ongles.

— Je suis venu vous déranger parce qu'il me manque une pièce à conviction, et que je vous soupçonne de la détenir. Voyez-vous, j'ai déjà en main les preuves nécessaires à la condamnation de Louis Dolbreuse, ou plutôt de Louis Carnot, qui fut l'amant de Léontine Fourchon et le cocher de Mme de Saint-Meslin, et ne pardonna jamais à celle qu'il aimait tant d'avoir piétiné ses sentiments pour éviter de partager le fruit de leur larcin. Eh oui, cher monsieur Legris, tous ces crimes n'avaient qu'un motif, l'amour trahi : voyez à quoi mènent les sentiments, et vous comprendrez ainsi pourquoi je préfère le célibat. Mais revenons à notre histoire, j'ai beau détenir nombre d'atouts, ma maniaquerie me pousse à en désirer davantage. Donc, sans qu'il vous soit nécessaire de prononcer un seul mot, je vous prierai, si vous en êtes comme je le pense le possesseur, de bien vouloir déposer sur le seuil de cette pièce le second soulier d'Élisa — ou plutôt de son amie Iris Mori... Eh oui, je suis renseigné, les bégaiements de Grégoire Mercier, les minauderies de Corymbe Bontemps ne sauraient par moments résister à quelques espèces sonnantes, source infaillible d'informations. Je vais donc illico me plonger dans la lecture du *Journal des Voyages*, et, lorsque j'aurai récupéré l'objet, je quitterai discrètement votre librairie...

Quelques minutes plus tard, l'inspecteur Lecacheur adressa un salut aimable aux personnes encombrant la boutique et retourna braver le froid piquant. Curieusement déformée, la poche droite de son dolman devait longtemps rester imprégnée d'une odeur hircine. Victor poussa un soupir et se précipita à la rescousse de Kenji se tenait la comtesse Olympe de Salignac flanquée de Raphaëlle de Gouveline et de son inséparable bichon maltais. Quant à M. Legris, il semblait fasciné par la fine moustache de Molière.

— Enchanté, madame la comtesse, il y a fort longtemps qu'on ne vous a vue.

— J'étais occupée, monsieur Mori, je vais être grand-tante. Ma nièce Valentine attend un heureux événement pour l'été.

— Splendide, splendide, on ne pourra plus dire que la France se dépeuple. Et comment se porte Mme de Brix ? s'enquit Kenji en se raclant discrètement la gorge.

— On ne peut mieux, elle est presque guérie. Savez-vous qu'elle s'est trouvé un quatrième prétendant ? Elle l'a rencontré à Lamalou-les-Bains, un colonel à la retraite. Ils convolent en février. Naturellement, la cérémonie sera des plus simples, à son âge... Pas de demoiselles d'honneur ni de voile. Nous avons choisi une robe gris argent et un chapeau de dentelle blanche agrémenté d'un imperceptible brin de fleur d'oranger.

— Splendide, splendide, approuva Kenji en amorçant un retrait stratégique derrière le comptoir.

— Justement, monsieur Mori, elle m'a chargée de vous commander l'œuvre intégrale de Claire de Chandeneux, j'espère que vous l'avez, conclut-elle d'un ton sans réplique.

— Claire de Chandeneux... Claire de Chandeneux... Heu... Je... balbutia Kenji en jetant un regard désespéré à Joseph qui se porta vaillamment à son secours.

— Patron, ça tombe bien, j'ai mis tous ses bouquins de côté le jour de l'inventaire, section drouille, à la réserve, je cours les chercher.

Soulagé, Kenji expira longuement et daigna sourire à Joseph qui venait de se faire un allié.

Raphaëlle de Gouveline s'était nonchalamment approchée de Victor.

qui vacillait, les bras chargés de volumes de Jules Verne et d'Alexandre Dumas.

Joseph serrait *Le Passe-partout* sans pouvoir se décider à l'ouvrir, pourtant la tentation était forte. Il résista. Et s'il n'y avait rien ? Le temps tournait à l'aigre. Il se réfugia sous l'auvent de l'emballeur, face à la librairie, et vit s'éloigner l'inspecteur Lecacheur. Lentement, il déplia le quotidien, s'attardant sur la mise en page. Tout à coup, ses mains furent agitées d'un tremblement. C'était un événement si invraisemblable qu'il restait planté là, les yeux écarquillés, lisant en remuant les lèvres :

« Nous sommes heureux d'annoncer aux nombreux lecteurs du *Passe-partout* que sous le titre :
L'ÉTRANGE AFFAIRE DES ANCOLIES
nous allons leur donner un nouveau feuilleton dû à la plume de Joseph Pignot, un auteur prometteur. C'est un roman mystérieux et palpitant. L'action se déroule à Paris et à Lyon dans les milieux les plus divers.
L'étrange affaire des Ancolies
dont nous publions le premier épisode dans cette édition est appelée à un immense succès. »

— Papa, papa, tu te rends compte ? C'est le nom de ton fils ! murmura Joseph d'une voix chevrotante.

Kenji fit un pas en arrière et considéra le tableau qu'il venait d'accrocher dans l'alcôve de sa chambre à coucher. *Les Toits de Paris au petit jour*. Depuis plus d'un an et demi, il le gardait celé dans son coffre à ferrures, repoussant le moment d'avouer à Tasha et à Victor qu'il l'avait acheté lors de l'exposition du *Soleil d'Or*. Que redoutait-il ? Que Victor ne se méprenne sur ses intentions et ne soit jaloux de lui ? Que Tasha ne s'imagine... Non, ce temps était révolu. Plus jamais la peur du qu'en-dira-t-on ne lui dicterait sa conduite. Cela lui avait déjà valu trop de souffrances et de complications. Désormais, il vivrait sa vie au grand jour. Il éprouva un moment de bonheur absolu en détaillant l'amalgame de toitures et de gouttières éclairées d'une lumière jaune. Comme elle avait bien rendu cela ! Qu'il était bon de respirer, de voir se lever le soleil au-dessus de la ville, de rêver aux promesses d'une nouvelle journée !... Quelle joie d'être enfin délivré des secrets qui rongeaient son existence ! Iris et Victor connaissaient la vérité, cela n'avait amené ni larmes ni reproches. Chaque fois qu'il regarderait ce tableau, il ressentirait la même gratitude envers la vie. Il était fier de songer que bientôt tout le monde saurait qu'Iris était sa fille.

Joseph, lui aussi, avait appris la vérité, mais ce n'était pas Kenji qui la lui avait révélée. Iris s'était empressée d'anticiper les aveux de son père pendant un cours particulier d'anglais dispensé dans l'arrière-boutique. Stupéfait, son élève avait enfin réussi à marmonner un *father* très convenable, prouesse linguistique couronnée d'une ineffable caresse sur la joue.

Combien de fois Joseph avait-il rêvé qu'il jetait négligemment au milieu du comptoir le journal publiant son feuilleton et lançait d'un air absent à Victor en se hissant sur son escabeau :

— Regardez donc, page trois, il me semble qu'il y a un écrit signé d'une personne qui vous est proche.

La scène s'était souvent présentée à son esprit, seulement cette fois M. Legris n'aurait pas la primeur car une charmante personne avait piégé ses sentiments.

Profitant d'un lot de drouille[1] à ranger, il entraîna Iris au sous-sol et sans un mot lui tendit l'exemplaire du *Passe-partout*. Elle parcourut la page, resta un instant sidérée, puis elle dit d'une voix cassée :

1. Livres sans la moindre valeur marchande dans le jargon des bouquinistes. *(N.d.A.)*

— C'est votre nom ! C'est vous ?

— J'espère que vous ne verrez aucun inconvénient à ce que j'aie trouvé un éditeur ?

— Mais c'est magnifique, Joseph !

— Oui, c'est un peu plus facile à lire en imprimé, dit-il comme si cela ne le concernait nullement.

— Quand l'avez-vous écrit ?

— À mes moments perdus, pendant l'heure du déjeuner, la nuit, après le travail. C'est l'enfance de l'art de conter des événements que l'on a plus ou moins vécus, et avec un peu d'imagination... Rien ne vous oblige à lire, hein ! Je sais que vous ne raffolez pas de littérature.

— Oh, mais je... Si, si, vous vous trompez !

— J'ai tenu à ce que vous soyez la première informée, parce que maintenant je n'ai plus à m'en faire e[n] ce qui concerne mon futur. Ça paye bien, vous savez

— Nous ne nous verrons plus ? Vous allez nous qu[it]ter ?

— Non, j'ai de l'avenir mais je ne vis pas enco[re de] ma plume, j'ai besoin d'un travail alimentaire jusqu[à ce] que... Et puis, je dois parfaitement maîtriser l'ang[lais]

— Alors vous restez, j'en suis si heureuse ! [Vous] savez quoi ? Je pourrais taper vos prochains texte[s à la] machine à écrire de mon père, sans qu'il n'e[n sache] rien, cela va de soi.

— Bien sûr, je... Chut ! Écoutez, il y a d[u monde.] Patientez un peu pour remonter, murmura Jo[seph.]

Elle lui effleura la main. Il recula com[me si elle] l'avait brûlé, se rua sur la porte, escalada [l'escalier] d'un trait et se figea au rez-de-chaussée. C[omme] à cent pieds sous terre...

— Manquait plus qu'ça, bougonna-t-il [en filant] le long des rayonnages, habité du fol es[poir de la réa]lité.

Il avisa M. Mori et devina à ses ma[nières] qu'il luttait vaillamment pour demeur[er maître de] lui, telle l'auguste Junon régnant à l[...]

— Monsieur Legris, murmura-t-elle la bouche en coin, auriez-vous par hasard un exemplaire de *Là-bas* ? J'aime me tenir au courant et on a tant glosé sur cet ouvrage ! Pendant que vous y êtes, adjoignez-y *Nana* et *La Curée,* j'ai un grand retard à combler. Faites-moi un paquet-cadeau, loin du regard d'Olympe, ajouta-t-elle, l'œil allumé, en pointant le menton vers la comtesse de Salignac. Ah ! J'allais oublier, je veux également *Madame Bovary* ainsi que *Les Sœurs Vatard*[1], on m'a laissé entendre que c'était un très intéressant roman de mœurs, si vous voyez ce que je veux dire.

— Parfaitement, madame de Gouveline, parfaitement.

— Nous avons des goûts identiques en ce qui concerne le piment de l'existence, n'est-ce pas, monsieur Legris ?

Elle lui décocha une œillade assassine et rejoignit la comtesse en train d'examiner les ouvrages déposés par Joseph.

— Faites-moi livrer le tout, ordonna la comtesse. Claire de Chandeneux nous a quittés trop tôt, la littérature catholique a perdu sa plus ardente zélatrice.

— Ah ! Claire de Chandeneux ! renchérit Raphaëlle de Gouveline. Vous possédez enfin son œuvre complète, chère Olympe ! J'adore ces histoires chastes et sentimentales qui n'ont pas la rudesse des écrits masculins. Monsieur Mori, je vous achète d'emblée *Les Ronces du chemin* et *Val-Régis la grande*, afin de meubler mes longues soirées d'hiver. Une chance qu'ils soient en double, j'en ferai profiter Mathilde de Flavignol et son amie Helga Becker, toujours immobilisées par une méchante collision de vélocipède.

1. Roman de Karl-Joris Huysmans, paru en 1879. *(N.d.A.)*

— Madame Pignot, j'en ai un! J'ai eu d'la chance, on se les arrache! braïla Mme Ballu en brandissant un *Passe-partout*. Mais vous avez perdu la tête! Faut pas vous lever avec votre genou qu'est plus gros qu'un œuf d'autruche! Le Dr Reynaud va vous savonner et votre fils, c'est moi qu'il va savonner. Vous avez mal?

— Ma pauvre madame Ballu, c'est comme si j'avais un piston qui bat le rappel dans ma guibolle.

— Faut r'tourner au chaud sous l'édredon et avaler vos calmants, sinon, pas d'lecture. Vous vous rappelez où on en était?

— Oui, la baronne de Saint-Pourçain a filé en suppliant le Dr Rambuteau de ne pas effrayer son malheureux époux, parce que sinon il va lui faire une crise en plein dans son salon.

— Au schloff[1]. Calez-vous contre l'oreiller, là, c'est bien. J'nous sers un jus, j'm'installe et j'vous relis la dernière phrase parce que c'est beau.

« Le Dr Rambuteau hocha gravement la tête, il comprenait. Mignonne petite femme, elle était bien mal mariée, elle ne méritait pas un sort pareil... »

— C'est tout comme moi, j'méritais pas qu'mon Ballu soit si vite monté au ciel parce que...

— Lisez!

— Bon, bon.

« À la limite de l'endurance, Félix Charenton se tortilla sur son siège. Une colonie de fourmis grimpait à l'assaut de ses mollets. La causeuse était très inconfortable. Il se leva et se mit à faire les cent pas à travers le salon, consultant plusieurs fois sa montre. Le conseil de famille s'éternisait.

1. Le lit dans l'argot de faubouriens, qui ont appris cette expression d'ouvriers alsaciens ou allemands. *(N.d.A.)*

« — À ce train-là je risque de poireauter jusqu'au soir ! Mais qu'est-ce qu'ils fichent, nom d'un chien !

« Il ressentait une furieuse envie de fumer un cigare. »

— Hein, si c'est bien observé ! Tout à fait comme mon Ballu, quand il lisait trop longtemps son journal et qu'il...

— Continuez !

— Oh ! vous alors, vous êtes mordue !

« N'y tenant plus, il entrouvrit doucement la porte et se trouva nez à nez avec un homme qui le dévisageait d'une drôle de façon. Rajustant ses lorgnons, il avisa la Légion d'honneur qui barrait la boutonnière et en déduisit qu'il s'agissait du baron de Saint-Pourçain, pas si malade après tout. Il s'éclaircit la gorge.

« — Les bijoux sont-ils à votre convenance ?

« — Bien sûr, mon ami, bien sûr.

« — Avez-vous choisi la parure de rubis ou celle d'émeraude ? Il est tard, et j'ai faim. »

— Je reconnais bien là mon Joseph, il a bon appétit, vous savez, remarqua Euphrosine.

Mme Ballu eut une mine attendrie et poursuivit :

« — Portez-vous des bretelles ? demanda l'homme à la Légion d'honneur.

« Félix Charenton ouvrit la bouche, sans savoir que dire. À coup sûr, le baron était complètement dérangé.

« — Si vous portez des bretelles, il va falloir vous habituer à vous en passer, ainsi que de lacets, enchaîna l'homme à la Légion d'honneur. Allons, soyez docile.

« Il s'exprimait d'un ton neutre tout en fixant un point derrière l'épaule de Félix Charenton. Celui-ci se retourna et vit surgir d'une entrée dérobée un individu vêtu de blanc et taillé comme une armoire à glace.

« — Mes bijoux ! Où sont mes bijoux ? Grand Dieu ! Vous êtes fou ! Lâchez-moi !

« Ceinturé par l'armoire à glace, il se cabrait et ruait, en proie à une panique épouvantable qui lui tordait les entrailles.

« — Au secours ! À l'aide ! Au voleur !

« Le Dr Rambuteau en avait assez entendu pour prescrire un traitement radical à son nouveau patient.

« — Infirmier, douchez-le. »

— À suivre... Misère ! Va falloir attendre demain pour savoir c'qui se passe. Si c'est bien écrit, quand même, on s'y croirait. Paraît qu'celui qu'a inspiré Félix Charenton a rechuté, normal, il en a vu des vertes et des pas mûres, le pauvre homme, on l'a expédié en maison de santé parce qu'il a complètement perdu la boule ! Ça m'étonne pas, les douches froides répétées c'est mauvais pour le cervelet !

— Ouais, ben ça lui ferait pas de mal à Joseph de se débarbouiller de temps en temps, question propreté, y a du relâchement. Vous trouvez pas que ça sent bizarre ? Seigneur Jésus, qu'est-ce qui emboucane comme ça ?

Un drôle d'énergumène longiligne se tenait sur le seuil de la chambre, un bol entre les mains.

— Faites excuse, vous êtes bien Mme Pignot ?

— Ben oui, c'est moi, qu'est-ce que vous voulez ? Pis d'abord, on frappe avant d'entrer !

— C'est votre fils qui m'envoie, un bien brave jeune homme. J'suis passé le voir à la librairie pour causer de l'affaire qu'a provoqué l'décès d'mon cousin Basile Popêche. M'sieu Pignot m'a appris que vous étiez souffrante des articulations, alors j'ai fait ni une ni deux, j'ai couru chercher Pulchérie.

— Pulchérie ? Qui c'est-y celle-là ?

— Une gentille biquette qui vient d'avoir son pequiot et que j'nourris au romarin, si bien qu'son lait il est reconstituant pour les rhumatismes. J'vous en ai trait un bol, faut l'boire jusqu'à la dernière goutte. J'viendrai vous en apporter tous les jours, ça va vous requinquer en moins de deux.

— Moi aussi, j'en veux ! s'écria Mme Ballu.

À l'heure du déjeuner, Victor, peu désireux de froisser Germaine, se força à manger rapidement des abattis d'oie aux navets en compagnie d'Iris et de Kenji. Leur dialogue se limita aux ventes de la matinée et à la chute du thermomètre, sujets moins glissants que l'agrandissement soudain de la famille. Puis Victor prit congé et traversa l'appartement pour sortir par l'immeuble. Il croisa Mme Ballu et s'inquiéta de sa mine soucieuse.

— C'est rien, m'sieu Legris, juste que j'me fais des cheveux pour Euphrosine, je r'viens de chez elle, elle a très mal à un genou, son vieux rhumatisme qui la reprend, si bien qu'elle peut plus tirer sa charrette. Elle a bien d'la chance d'avoir un garçon dévoué. Chaque midi Joseph rentre lui préparer son repas. Tandis qu'le jour où je s'rai une vioque toute vermoulue, y aura personne qui s'occup'ra d'moi, vu que cet imbécile de Ballu a soufflé sa veilleuse sans qu'on ait eu l'temps de fabriquer un héritier...

— Vous avez le loisir d'y songer, vous êtes la plus jeune de nous tous ! lança Victor en dévalant l'escalier.

— On dit ça, on dit ça, mais j'les sens, moi, mes douleurs, et c'est pas des crampes de croissance !

Le poignet ankylosé, Tasha posa un instant son pinceau pour examiner attentivement la copie du *Moïse sauvé des eaux* de Nicolas Poussin qu'elle s'efforçait de réaliser. Elle imprima légèrement son index sur un drapé jaune afin d'atténuer un plissé. Elle n'était pas mécontente de son travail. Grâce à Victor, elle s'était liée aux frères Natanson et avait visité à *La Revue blanche* la première exposition d'un très jeune artiste,

Édouard Vuillard. Par son entremise, elle avait rencontré dix jours plus tard un peintre originaire de Bordeaux, Odilon Redon, dont elle avait admiré les compositions étranges et ne cessait depuis de remâcher les conseils. Selon lui, l'art devait se soumettre à la venue de l'inconscient, tenter de reproduire la vie intérieure et mettre la logique du visible au service de l'invisible. Il l'avait encouragée à s'éloigner des impressionnistes, à qui il reprochait de laisser la nature responsable des effets qu'elle produisait, et d'étudier les maîtres du passé, dont Ingres, Delacroix, puis Gustave Moreau et même Degas étaient les continuateurs. En parcourant les salles du Louvre consacrées à l'école française, elle s'était découvert des affinités avec le charme sévère et la gravité tempérée de Poussin.

Après avoir croqué, en s'inspirant de *L'Enfance de Bacchus*, une étude de femme nue qui avait beaucoup séduit Victor par le modernisme de sa pose, elle s'était lancée dans la reproduction d'une toile entière.

— Très émouvante, cette femme courbée vers le bébé dans sa corbeille. Ne pourrais-tu la dévêtir un peu ?

Debout derrière Tasha, Victor, adoptant une expression gourmande, se penchait vers le chevalet. Elle le menaça de son pinceau.

— Je t'avais interdit de venir !

— Que craignais-tu ? Que je rencontre un de tes nombreux courtisans ? Ce satané Laumier traîne-t-il dans le secteur ?

— Rassure-toi, depuis le départ de Gauguin pour Tahiti en avril, il est inconsolable et ne quitte plus son atelier.

— Sans nul doute pour nous pondre une nouvelle théorie picturale. De quoi as-tu peur ?

— Que tu me distraies. Pour une fois que je suis à moitié satisfaite... Je crois que je tiens quelque chose, que j'ai ouvert en moi la porte d'une de ces chambres secrètes chères à Kenji. Cette femme, cet enfant sur l'eau, je vais les transposer de nos jours, dans un lavoir peut-être, les peindre à ma façon, sans doute un peu trop impressionniste pour Redon...

— Redon? Qui est-ce?

— ... mais tant pis, je suis sensible aux jeux de lumière, seulement je réduirai la profondeur, ce sera plus onirique et symboliste que ce dont j'avais l'habitude, et en même temps cela restera réaliste. Un mélange de genres. Qu'en penses-tu?

— Cela me fait plaisir que tu aies trouvé ta voie. Je crois que moi aussi j'ai trouvé la mienne, et cela me donne de l'assurance. Je vais consacrer mes photos au travail des enfants, sans aucune intention d'esthétisme, mais pour témoigner d'une réalité qui parmi bien d'autres invite à une connaissance plus approfondie de notre société.

— C'est merveilleux, Victor, il faut fêter cela!

— C'est prévu. Mes meubles ont été livrés. Ce soir j'emménage officiellement dans ma garçonnière. Je t'invite à dîner au *Grand Hôtel*. Ensuite, si tu n'as rien de mieux en tête, nous pourrons passer une chaste soirée à parler peinture et photographie au coin du feu...

— Et tu en profiteras pour me raconter la palpitante enquête à laquelle tu viens d'être mêlé, bien malgré toi j'en suis certaine...

Le gardien chargé de veiller sur la nouvelle galerie française du pavillon Denon détourna le regard en passant près d'un couple dont l'étreinte amoureuse était plus que choquante. Les nudités étalées sur les toiles qui le cernaient l'obligèrent à gagner la salle suivante, où la vue des *Batailles d'Alexandre*, de Charles Le Brun, le rasséréna.

POSTFACE

« Le soleil de cette fin d'été a fait comme les célèbres carabiniers de l'opérette d'Offenbach, il est arrivé trop tard, beaucoup trop tard pour les moissons », constate en septembre 1891 *Le Petit Journal*, qui redoute une augmentation du coût de la vie. L'année a déjà débuté par une terrible vague de froid. En janvier il a fait jusqu'à moins 25 °C et la Seine a gelé. Les petites gens ont bien du mal à passer l'hiver, on compte de nombreux morts parmi les sans-logis. On s'est efforcé de leur procurer des abris un peu plus confortables que la légendaire auberge de la belle étoile : gymnases, salles de tir, écoles, établissements de bains, l'Armée du Salut a même transformé un panorama en dortoir, mais le plus important de ces campements est le palais des Arts libéraux au Champ-de-Mars.

Les Parisiens les moins pauvres courent se réfugier à la Comédie-Française où est créé *Thermidor* de Victorien Sardou. Mais cette pièce violemment hostile à Robespierre provoque des réactions tumultueuses qui obligent le ministère de l'Intérieur à en interdire les représentations. À la Chambre, Clemenceau affirme que « la Révolution française est un bloc » et qu'on ne saurait y toucher. Ce qui n'empêche pas le buste de Marat d'être banni du parc Montsouris, mesure équilibrée par l'inauguration d'une statue de Danton au carrefour de l'Odéon. « Cette admirable Révolution dure encore », conclut Clemenceau.

Sans doute l'armée comprend-elle mal ce message puisqu'elle n'hésitera pas à tirer en juillet sur les cheminots grévistes. Et, avant cela, sur le peuple qui, en ce 1er mai 1891, manifeste pacifiquement. À Fourmies, dans le Nord, la moitié des ouvriers est en grève et décide de « fêter avec union, calme et dignité » cette journée qui n'a pas encore acquis de caractère officiel et que les patrons de la ville refusent de considérer comme un jour chômé. Défiant l'autorité, un cortège où se mêlent hommes, femmes et enfants s'avance en chantant de vieux airs ch'timis. Au premier rang marche une jeune fille, Maria Blondeau. En guise de drapeau, elle brandit une branche d'églantine qu'elle agite au nez des soldats barrant la route. Le commandant se croit-il menacé quand il ordonne : « Feu » ? Neuf corps s'écroulent, parmi lesquels celui de Maria, dix-huit ans.

Le même 1er mai, à Clichy-Levallois, se forme un autre cortège. Quelques-uns des participants font une pause chez un marchand de vin. Des sergents de ville surgissent, veulent s'emparer du drapeau rouge. S'ensuit une bagarre à l'issue de laquelle trois anarchistes, blessés, sont incarcérés. Le 28 août, l'affaire passe devant les assises et deux des prévenus sont condamnés, l'un à cinq ans, l'autre à trois ans de prison. Sept mois plus tard, les 11 et 27 mars 1892, c'est pour tuer le conseiller à la cour Benoît, qui présidait le procès, puis l'avocat général Bulot, qu'un voleur et assassin appelé François Claudius Kœningstein, Ravachol du nom de sa mère, commettra, à l'aide d'une marmite bourrée de dynamite, deux attentats qui manqueront leur but.

Mais déjà, le 26 juillet, deux paquets piégés contenant du fulminate et des projectiles ont eu pour cible MM. Constant, ministre de l'Intérieur, et Étienne, sous-secrétaire d'État aux colonies. Par chance, les colis n'éclatent pas. Dans le camp de la légalité, on s'inté-

resse aussi de près aux explosifs. L'écrasite, une nouvelle substance, a des effets destructeurs tels qu'un
simple obus pourrait anéantir une ligne de cinq cents
hommes.

Plus pacifique est l'invention des frères Michelin, le
pneu de bicyclette gonflable et démontable, grâce
auquel Charles Terront gagne la course Paris-Brest.
Panhard et Levassor, puis Peugeot, sortent les premières
voitures à essence, équipées du moteur Daimler. Quant
aux chemins de fer, ils ont cette année-là une fâcheuse
tendance à se percuter. En juillet, on déplore la collision
de deux express au pont de la Chapelle, et la terrible
catastrophe de Saint-Mandé. En octobre, un convoi de
marchandises heurte un train à Brunoy, après quoi le
chemin de fer de Moirans déraille à son tour. Cette série
d'accidents ferroviaires ne parvient toutefois pas à
ébranler la confiance des Français en leur nation,
atteinte d'un fort accès de fièvre revancharde. Aussi
l'opinion est-elle particulièrement choquée de lire ces
lignes dans le *Mercure de France* d'avril : « S'il faut
d'un mot dire nettement les choses, eh bien : nous ne
sommes pas patriotes. » L'auteur de l'article intitulé
« Le joujou patriotisme » est un jeune fonctionnaire de
la Bibliothèque nationale, Remy de Gourmont, à qui son
audace vaut un renvoi immédiat. Il a osé se déclarer las
d'entendre déplorer la perte de l'Alsace et de la Lorraine. L'hostilité envers l'Allemagne se manifeste en
septembre quand, pour la première fois en un quart de
siècle, un opéra de Richard Wagner est représenté au
palais Garnier. *Tannhäuser* avait déjà été sifflé en 1861
et avait donné lieu à un calembour cité par Prosper
Mérimée : « Cela m'embête aux récitatifs et me tanne
aux airs. » Cette fois, il s'agit de *Lohengrin*, et la cava-
lerie doit charger les manifestants antiwagnériens sur la
place de l'Opéra.

Autre scandale, celui de *Là-bas*, de Joris-Karl Huysmans, publié en 1891, et que *L'Écho de Paris* annonce

comme « la première étude qui ait été faite d'après nature sur le satanisme contemporain ». Voilà de quoi alimenter les colonnes des journaux, qui dès juillet se passionnent également pour la Russie grâce à la visite de la flotte française à Kronstadt, amorce d'une entente franco-russe destinée à contrebalancer la Triple-Alliance (Triplice) unissant l'Allemagne, l'Autriche et l'Italie. Les premiers échanges d'accords écrits entre Paris et Saint-Pétersbourg en août favorisent la rédaction non de romans, mais d'étiquettes pour des bonbons ou d'opérettes, comme cet *À Kronstadt* joué au théâtre Ba-Ta-Clan. Car en France, c'est bien connu, tout est prétexte à chansons.

Un journaliste du *Figaro* évalue à dix ou quinze mille par an les scies nouvelles, souvent insipides ou ineptes ainsi que l'attestent leurs titres : *C'est dans l'nez qu'ça m'chatouille*, *Elle a les pieds qui fument*, ou *En voulez-vous, des z'homards ?* De quoi se compose le public des deux cent soixante-quatorze cafés-concerts de la capitale (qui ne compte qu'une vingtaine de théâtres) ? D'hommes en frac, d'employés, de boutiquiers. Quelques femmes du monde, des « tarifées », des domestiques. Peu d'ouvriers, car une semaine de travail de soixante à soixante-dix heures ne favorise guère les loisirs. Ces salles vont du bouiboui au palais enchanté, comme l'*Eldorado*, les *Ambassadeurs*, l'*Alcazar* ou l'*Horloge*.

Jusqu'à ce qu'en 1881 Rodolphe Salis, un rapin de génie fondateur de « l'École vibrante ou iriso-subversive », ouvre, d'abord boulevard de Rochechouart, puis en 1885 rue Victor-Massé (ancienne rue de Laval), un cabaret où l'on se moque spirituellement du monde. En établissant ses quartiers à Montmartre, il se montre le digne héritier des hirsutes, hydropathes et autres zutistes qui, au Quartier latin, refaisaient avant lui le monde avec humour. Claude Debussy, Erik Satie, Paul Delmet, Verlaine, Jean Richepin, Xanrof, Alphonse Allais,

Charles Cros, Maurice Donnay, Steinlen, Maurice Rollinat, Jules Jouy, Mac-Nab furent quelques-uns de ceux qui fréquentèrent le *Chat-Noir*. Le théâtre d'ombres d'Henri Rivière y connut un grand succès, lié à l'engouement du public pour les estampes japonaises.

En dehors du *Chat-Noir* et du *Mirliton* d'Aristide Bruant, tout spectacle est soumis à la censure de quatre inspecteurs susceptibles d'exiger la suppression d'un mot (« flic » ou « sergot » par exemple) ou d'une scène jugés choquants. Si le théâtre passe outre à ces interdits, l'art lyrique y demeure soumis. C'est ainsi que l'auteur d'un livret d'opéra se voit obligé de remplacer « tes seins aux pointes roses » par « ta gorge d'albâtre ».

Mais ce sont les caf' conc' qui subissent le contrôle le plus sévère. Pas question de tolérer l'inconvenance de jambes nues. Quant aux gambilleuses, gare à elles si elles osent s'exhiber sans culotte ! Les bals, dont le plus célèbre est le Moulin-Rouge, représentent une forme d'invite sexuelle déjà suffisamment indécente. La situation est d'ailleurs jugée si grave en cette année 1891 que MM. Jules Simon, Richard Bérenger, de La Berge et Frédéric Passy appellent à la formation d'une société centrale de protestation contre l'excitation à la débauche. Le cancan, centré sur la robe et les jupons soulevés à deux mains, et le chahut, qui met en valeur les jambes gainées de noir et révèle souvent les cuisses, sont un appel aux mâles, voyeurs passifs venus admirer les dessous dont ils rêvaient.

En ces lieux de licence, les artistes découvrent un univers bien éloigné de celui des *Nymphéas* auxquels se consacre Monet. Les bals attirent Seurat, qui a peint *Le Chahut* et meurt au printemps après avoir achevé *Le Cirque*, et Lautrec, dont la célèbre affiche confirme l'évolution d'un art qui doit beaucoup à Jules Chéret et va modifier le décor des rues. La nuit, certains placards publicitaires réalisés sur papier dioptrique semblent s'animer à la lueur des becs de gaz.

Un monde étrange transparaît sur les toiles d'autres peintres qui, tel Odilon Redon, pressentent la découverte de l'inconscient.

Entre 1862 et 1870, Jean-Martin Charcot (1825-1893), médecin de l'hospice de la Salpêtrière, a posé les fondements d'une nouvelle spécialité médicale, la neurologie. Vers 1872, il s'est engagé dans l'étude de l'hystérie, vite devenue son sujet de prédilection. Son service, organisé en pavillons sur le modèle de l'hôpital Lariboisière (inauguré en 1854), est un ensemble rationnel comportant, outre une consultation externe et un bâtiment réservé aux maladies du système nerveux, un musée anatomo-pathologique, un atelier de moulage et de photographie, et une salle dotée d'appareils d'électrothérapie. En 1885, c'est dans ce service qu'un jeune médecin viennois, Sigmund Freud, est venu compléter sa formation. Il y a observé les effets de l'hypnotisme et de la suggestion sur les troubles que génère l'hystérie. Fortement impressionné par Charcot, il a prénommé Jean-Martin son fils né en 1889. Les expériences auxquelles il a assisté vont le conduire à concevoir une pensée « séparée de la conscience ».

La bonne société se donne des frissons en allant se faire copieusement injurier par Bruant. « Tous les clients sont des cochons ! » clame-t-il, avant d'interpréter, en chemise rouge, pantalon de velours à côtes et bottes, les chansons réalistes dont il est le créateur. On lit avec angoisse et délice dans les quotidiens les feuilletons dont les héros sont d'inquiétantes silhouettes rôdant le long des pavés de Pantruche, ou sur la zone, derrière l'enceinte des « fortifs » achevées de construire en 1845 sur proposition d'Adolphe Thiers.

En septembre, la mort de l'ex-président Jules Grévy est prétexte à un somptueux défilé encadré par les forces de l'ordre, qui veillent au maintien de la paix dans la capitale. L'insécurité est devenue une hantise pour les Parisiens. Ils voient d'un mauvais œil l'arrivée de migrants et la prolifération des vagabonds. Cependant, contrairement aux rumeurs, la violence directe à Paris intra-muros est inférieure à la moyenne nationale. Les délinquants sont souvent sans domicile fixe, un peu trop portés sur la boisson, la plupart ont moins de vingt et un ans et sont des hommes, encore qu'en cette fin d'année ait lieu un grand procès de vitrioleuses.

Mais les plus dangereux ne sont pas forcément ceux qu'on s'imagine. Lorsque la bande de malfaiteurs responsable d'un meurtre à Neuilly est arrêtée en 1891, ne découvre-t-on pas dans ses rangs deux banquiers et un entrepreneur de pompes funèbres ?

Glossaire du patois beauceron
utilisé par Grégoire Mercier

Affûtiau : Objet de peu de valeur
Alouver : Rendre comme un loup
Assoti : Assourdi
Berdouille : Le ventre
Berlaud : Sot, niais
S'échigner : S'échiner, se fatiguer
Goule en tiarce : Gueule de travers
Goulée : Ce qui tient dans la bouche
Guéniau : Gosier
Guieu : Dieu
Fumelle : Femelle
Kerver : Crever, mourir
Méquier : Métier
Mitan : Milieu
Pequiot : Petit, petiot
Sainte Viarge : Sainte Vierge
Qui s'ersemble s'assembe : Qui se ressemble s'assemble
Soutiau : Ivre
Vieuture : Vieillesse
Villotier : Citadin

10/18, une marque d'Univers Poche,
est un éditeur qui s'engage pour
la préservation de son environnement
et qui utilise du papier fabriqué à partir
de bois provenant de forêts gérées
de manière responsable.

Cet ouvrage a été imprimé en France par

à Saint-Amand-Montrond (Cher)
en janvier 2013

Dépôt légal : novembre 2003.
N° d'impression : 124373.
Nouveau tirage : janvier 2013.
X 03493/08